Wolfgang Proß

Johann Gottfried Herder

Abhandlung über den Ursprung der Sprache

Text, Materialien, Kommentar

Carl Hanser Verlag

Reihe Hanser 269
ISBN 3-446-12634-1
Alle Rechte vorbehalten
© Carl Hanser Verlag München Wien
Umschlag: Klaus Detjen
Gesamtherstellung: Georg Appl, Wemding
Printed in Germany

Inhalt

ABHANDLUNG

ÜBER DEN URSPRUNG
DER SPRACHE

welche den

VON DER KÖNIGL. ACADEMIE
DER WISSENSCHAFTEN
FÜR DAS JAHR 1770
GESEZTEN PREIS

erhalten hat.

VON HERRN HERDER.

AUF BEFEHL DER ACADEMIE
HERAUSGEGEBEN.

Vocabula sunt notae rerum.[+] *Cic.*[*]

---

[*] Mit + bezeichnete Stellen werden in den Wort- und Sacherklärungen (s. u. S.112 ff.) erläutert.

ERSTER THEIL.

Haben die Menschen, ihren Naturfähigkeiten überlaßen, sich
selbst Sprache erfinden können?

Erster Abschnitt.

Schon als Thier, hat der Mensch Sprache. [+] Alle heftigen,
und die heftigsten unter den heftigen, die schmerzhaften
Empfindungen seines Körpers, alle starke Leidenschaften seiner Seele äußern sich unmittelbar in Geschrei, in Töne, in
wilde, unartikulirte Laute. Ein leidendes Thier so wohl, als
der Held Philoktet[+], wenn es der Schmerz anfället, wird wim-
mern! wird ächzen! und wäre es gleich verlaßen, auf einer
wüsten Insel, ohne Anblick, Spur und Hoffnung eines Hülf-
reichen Nebengeschöpfes. Es ist, als obs freier athmete, indem
es dem brennenden, geängstigten Hauche Luft gibt: es ist, als
obs einen Theil seines Schmerzes verseufzte, und aus dem
leeren Luftraum wenigstens neue Kräfte zum Verschmerzen
in sich zöge, indem es die tauben Winde mit Ächzen füllet. So
wenig hat uns die Natur, als abgesonderte Steinfelsen, als ego-
istische Monaden geschaffen! Selbst die feinsten Saiten des
thierischen Gefühls (ich muß mich dieses Gleichnißes bedienen, weil ich für die Mechanik fühlender Körper kein beßeres
weiß!) selbst die Saiten, deren Klang und Anstrengung gar
nicht von Willkühr und langsamen Bedacht herrühret, ja deren Natur noch von aller forschenden Vernunft nicht hat er-
forscht werden können, selbst die sind in ihrem ganzen Spiele,
auch ohne das Bewußtseyn fremder Sympathie zu einer Äußerung auf andre Geschöpfe gerichtet.[+] Die geschlagne Saite
thut ihre Naturpflicht: sie klingt! Sie ruft einer gleichfühlen-
den Echo; selbst wenn keine da ist, selbst wenn sie nicht
hoffet und wartet, daß ihr sie antworte.

Sollte die Physiologie je so weit kommen, daß sie die Seelenlehre demonstrirte, woran ich aber sehr zweifle[+], so würde sie
dieser Erscheinung manchen Lichtstral aus der Zergliederung
des Nervenbaues zuführen; sie vielleicht aber auch in Einzelne, zu kleine und stumpfe Bande verteilen. Lasset sie uns

jetzt im Ganzen, als ein helles Naturgesetz annehmen: »Hier ist ein empfindsames Wesen, das keine seiner lebhaften Empfindungen in sich einschließen kann; das im ersten überraschenden Augenblick, selbst ohne Willkühr und Absicht Jede laut[+] äußern muß.« Das war gleichsam der letzte, mütterliche Druck der bildenden Hand der Natur, daß sie allen das Gesetz auf die Welt mitgab: »empfinde nicht für dich allein: sondern dein Gefühl töne!«, und da dieser letzte schaffende Druck auf Alle von Einer Gattung Einartig war: so wurde dies Gesetz Segen: »deine Empfindung töne deinem Geschlecht Einartig, und werde also von Allen, wie von Einem, mitfühlend vernommen!« Nun rühre man es nicht an, dies schwache, empfindsame Wesen! so allein und einzeln und jedem feindlichen Sturme des Weltalls es ausgesetzt scheinet; so ists nicht Allein: es steht mit der ganzen Natur im Bunde! Zartbesaitet; aber die Natur hat in diese Saiten Töne verborgen, die, gereizt und ermuntert, wieder andre gleichzart gebaute Geschöpfe wecken, und wie durch eine unsichtbare Kette, einem entfernten Herzen Funken mittheilen können, für dies ungesehene Geschöpf zu fühlen. – Diese Seufzer, diese Töne sind Sprache: es gibt also eine Sprache der Empfindung, die unmittelbares Naturgesetz ist.

Daß der Mensch sie ursprünglich mit den Thieren gemein habe, bezeugen jetzt freilich mehr gewiße Reste, als volle Ausbrüche; allein auch diese Reste sind unwiedersprechlich. Unsre künstliche Sprache mag die Sprache der Natur so verdränget: unsre bürgerliche Lebensart und gesellschaftliche Artigkeit mag die Fluth und das Meer der Leidenschaften so gedämmt, ausgetrocknet und abgeleitet haben, als man will; der heftigste Augenblick der Empfindung, wo? und wie selten er sich finde? nimmt noch immer sein Recht wieder, und tönt in seiner mütterlichen Sprache unmittelbar durch Accente. Der auffahrende Sturm einer Leidenschaft; der plötzliche Überfall von Freude oder Frohheit; Schmerz und Jammer, wenn sie tiefe Furchen in die Seele graben; ein übermannendes Gefühl von Rache, Verzweiflung, Wuth, Schrecken, Grausen u.s.w. alle kündigen sich an, und jede nach ihrer Art verschieden an. So viel Gattungen von Fühlbarkeit in unsrer Natur schlummern, so viel auch Tonarten – – – Ich merke also an, daß je weniger die Menschliche Natur mit einer Thierart ver-

Tiere muß Empfindungen äußern

Je verwandter das Tier, desto leichter ver-
stellt man seine Äußerungen

wandt; je ungleichartiger sie mit ihr am Nervenbaue ist: desto weniger ist ihre Natursprache uns verständlich. Wir verstehen, als Erdenthiere, das Erdenthier beßer, als das Waßergeschöpf, und auf der Erde das Heerdethier beßer, als das Waldgeschöpf; und unter den Heerdethieren die am meisten, die uns am nächsten kommen. Nur daß freilich auch bei diesen Umgang und Gewohnheit mehr oder weniger thut. Es ist natürlich, daß der Araber, der mit seinem Pferde nur Ein Stück ausmacht, es mehr versteht, als der, der zum Erstenmal ein Pferd beschreitet[+]; fast so gut, als Hektor in der Iliade[+] mit den Seinigen sprechen konnte. Der Araber in der Wüste, der nichts Lebendiges um sich hat, als sein Kameel, und etwa den Flug umirrender Vögel, kann leichter Jenes Natur verstehen und das Geschrei dieser zu verstehen glauben, als wir in unsern Behausungen. Der Sohn des Waldes, der Jäger, versteht die Stimme des Hirsches und der Lappländer seines Rennthiers – – doch alles das folgt oder ist Ausnahme. Eigentlich ist diese Sprache der Natur eine Völkersprache für jede Gattung unter sich, und so hat auch der Mensch die seinige –

Nun sind freilich diese Töne sehr einfach; und wenn sie artikulirt, und als Interjektionen aufs Papier hinbuchstabirt werden; so haben die entgegengesetztesten Empfindungen fast einen Ausdruck. Das matte Ach! ist so wohl Laut der zerschmelzenden Liebe, als der sinkenden Verzweiflung; das feurige O! so wohl Ausbruch der plötzlichen Freude, als der auffahrenden Wuth; der steigenden Bewunderung, als des zuwallenden Bejammerns; allein sind denn diese Laute da, um als Interjektionen aufs Papier gemalt zu werden? Die Thräne, die in diesem trüben, erloschnen, nach Trost schmachtenden Auge schwimmt – wie rührend ist sie im ganzen Gemälde des Antlitzes der Wehmuth; nehmet sie allein, und sie ist ein kalter Wassertropfe! bringet sie unters Mikroskop und – ich will nicht wißen, was sie da sein mag! Dieser ermattende Hauch, der halbe Seufzer, der auf der vom Schmerz verzognen Lippe so rührend stirbt – sondert ihn ab von allen seinen lebendigen Gehülfen und er ist ein leerer Luftstoß. Kanns mit den Tönen der Empfindung anders seyn? In ihrem lebendigen Zusammenhange, im ganzen Bilde der würkenden Natur, begleitet von so vielen andern Erscheinungen sind sie rührend und gnugsam; aber von allen getrennet, herausgerißen, ihres Le-

bens beraubet, freilich nichts als Ziffern. Die Stimme der Natur ist gemahlter, verwillkührter Buchstabe. – Wenig sind dieser Sprachtöne freilich; allein die empfindsame Natur, so fern sie blos Mechanisch leidet, hat auch weniger Hauptarten der Empfindung, als unsre Psychologien der Seele, als Leidenschaften, anzählen oder andichten. Nur jedes Gefühl ist in solchem Zustande, je weniger in Fäden zertheilt, ein um so mächtiger anziehendes Band: die Töne reden nicht viel, aber stark. Ob der Klageton über Wunden der Seele oder des Körpers wimmere? ob dieses Geschrei von Furcht oder Schmerz ausgepreßt werde? ob dies weiche Ach sich mit einem Kuß oder einer Thräne an den Busen der Geliebten drücke? alle solche Unterschiede zu bestimmen, war diese Sprache nicht da. Sie sollte zum Gemälde hinruffen; dies Gemälde wird schon vor sich selbst reden! sie sollte tönen, nicht aber schildern! – Überhaupt grenzen nach jener Fabel des Sokrates[+] Schmerz und Wohllust: die Natur hat in der Empfindung ihre Ende zusammengeknüpft, und was kann also die Sprache der Empfindung anders, als solche Berührungspunkte zeigen? – –
– Jetzt darf ich anwenden.

In allen Sprachen des Ursprungs tönen noch Reste dieser Naturtöne; nur freilich sind sie nicht die Hauptfäden der Menschlichen Sprache. Sie sind nicht die eigentlichen Wurzeln, aber die Säfte, die die Wurzeln der Sprache beleben.

In einer feinen, späterfundnen Metaphysischen Sprache, die von der ursprünglichen wilden Mutter des Menschlichen Geschlechts eine Abart vielleicht im vierten Gliede, und nach langen Jahrtausenden der Abartung selbst wieder Jahrhunderte ihres Lebens hindurch verfeinert, civilisirt und humanisirt worden: eine solche Sprache, das Kind der Vernunft und Gesellschaft, kann wenig oder Nichts mehr von der Kindheit ihrer ersten Mutter wißen; allein die alten, die wilden Sprachen, je näher zum Ursprunge, enthalten davon desto mehr. Ich kann hier noch nicht von der geringsten Menschlichen Bildung der Sprache reden: sondern nur rohe Materialien betrachten. Noch existirt für mich kein Wort, sondern nur Töne zum Wort einer Empfindung; aber sehet! in den genannten Sprachen, in ihren Interjektionen, in den Wurzeln ihrer *Nominum* und *Verborum* wie viel aufgefangene Reste dieser Töne! Die ältesten Morgenländischen Sprachen sind

12 *primitive Sprache bauen auf diesen Empfindungslauter auf*

voll von Ausrüffen, für die wir spätergebildeten Völker oft nichts als Lücken, oder stumpfen, tauben Mißverstand haben. In ihren Elegien tönen, wie bei den Wilden auf ihren Gräbern, jene Heul- und Klagetöne, eine fortgehende Interjektion der Natursprache; in ihren Lobpsalmen das Freudengeschrei und die wiederkommenden Hallelujahs, die Shaw+ aus dem Munde der Klageweiber erkläret, und die bei uns so oft feierlicher Unsinn sind. Im Gang, im Schwunge ihrer Gedichte und der Gesänge andrer alten Völker tönet der Ton, der noch die Krieges- und Religionstänze, die Trauer- und Freudengesänge aller Wilden belebet, sie mögen am Fuße der Cordileras oder im Schnee der Irokesen, in Brasilien oder auf den Karaiben wohnen. Die Wurzeln ihrer einfachsten, würksamsten frühesten Verben endlich sind jene ersten Ausrüffe der Natur, die erst später gemodelt wurden, und die Sprachen aller alten und wilden Völker sind daher in diesem innern, lebendigen Tone für Fremde ewig unaussprechlich!

Ich kann die meisten dieser Phänomene im Zusammenhange erst später erklären; hier stehe nur Eins. Einer der Vertheidiger des göttlichen Ursprunges der Sprache* findet darin Göttliche Ordnung zu bewundern, daß sich die Laute aller uns bekannten Sprachen auf etliche zwanzig Buchstaben bringen laßen.+ Allein das Faktum ist falsch, und der Schluß noch unrichtiger. Keine einzige lebendigtönende Sprache läßt sich vollständig in Buchstaben bringen, und noch weniger in zwanzig Buchstaben: dies zeugen alle Sprachen sämtlich und sonders. Die Artikulationen unsrer Sprachwerkzeuge sind so viel; Ein jeder Laut wird auf so mannichfaltige Weise ausgesprochen, daß z. E. Herr Lambert im zweiten Teil seines Organon+ mit Recht hat zeigen können, wie weit weniger wir Buchstaben, als Laute haben, und wie unbestimmt also diese von jenen ausgedrückt werden können. Und das ist doch nur aus der Deutschen Sprache gezeiget, die die Vieltönigkeit und den Unterschied ihrer Dialekte noch nicht einmal in eine Schriftsprache aufgenommen hat: vielweniger wo die ganze Sprache nichts als solch ein lebendiger Dialekt ist. Woher rühren alle Eigenheiten und Sonderbarkeiten der Orthographie,

---

* Süßmilchs Beweis, daß der Ursprung der Menschlichen Sprache Göttlich sey, Berlin 1766, S. 21.

als wegen der Unbehülflichkeit, zu schreiben, wie man spricht? welche lebendige Sprache läßt sich ihren Tönen nach aus Bücherbuchstaben lernen? und welche todte Sprache daher aufwecken? Je lebendiger nun eine Sprache ist, je weniger man daran gedacht hat, sie in Buchstaben zu faßen, je ursprünglicher sie zum vollen, unausgesonderten Laute der Natur hinaufsteigt, desto minder ist sie auch schreibbar, desto minder mit zwanzig Buchstaben schreibbar, ja oft für Fremdlinge ganz unaussprechlich. Der P. Rasles[+], der sich zehn Jahr unter den Abenakiern in Nordamerika aufgehalten, klagt hierüber so sehr, daß er mit aller Aufmerksamkeit doch oft nur die Hälfte des Worts wiederholet und sich lächerlich gemacht – wie weit lächerlicher hätte er die Sprache[+] mit seinen französischen Buchstaben beziffert? Der P. Chaumonot[+], der 50 Jahr unter den Huronen zugebracht, und sich an eine Grammatik ihrer Sprache gewagt, klagt demohngeachtet über ihre Kehlbuchstaben und ihre unaussprechlichen Accente: »oft hätten zwei Wörter, die ganz aus einerlei Buchstaben bestünden, die verschiedensten Bedeutungen«. Garcilaßo di Vega[+] beklagt sich über die Spanier, wie sehr sie die Peruanische Sprache im Laute der Wörter verstellet, verstümmelt, verfälscht, und aus bloßen Verfälschungen den Peruanern das schlimmste Zeug angedichtet. De la Condamine[+] sagt von einer kleinen Nation am Amazonenfluß: »ein Teil von ihren Wörtern könnte nicht, auch nicht einmal sehr unvollständig geschrieben werden. Man müste wenigstens neun oder zehn Sylben dazu gebrauchen, wo sie in der Aussprache kaum drei auszusprechen scheinen.« La Loubere[+] von der Siamschen Sprache: »unter zehn Wörtern, die der Europäer ausspricht, versteht ein gebohrner Siamer vielleicht kein einziges: man mag sich Mühe geben, soviel man will, ihre Sprache mit unsern Buchstaben auszudrücken.« Und was brauchen wir Völker aus so entlegnen Enden der Erde? unser kleine Rest von Wilden in Europa, Esthländer und Lappen u.s.w., haben oft ebenso halbartikulirte und unschreibbare Schälle, als Huronen und Peruaner. Rußen und Polen, so lange ihre Sprachen geschrieben und Schriftgebildet sind, aspiriren noch immer so, daß der wahre Ton ihrer Organisation nicht durch Buchstaben gemahlt werden kann. Der Engländer, wie quälet er sich seine Töne zu schreiben, und wie wenig ist der noch,

Sprache nicht göttliche, sondern tierischen Ursprungs

der geschriebnes Englisch versteht, ein sprechender Engländer? Der Franzose, der weniger aus der Kehle hinaufholet, und der Halbgrieche, der Italiener, der gleichsam in einer höhern Gegend des Mundes, in einem feinern Äther spricht, behält immer noch lebendigen Ton. Seine Laute müßen innerhalb der Organe bleiben, wo sie gebildet worden: als gemahlte Buchstaben sind sie, so bequem und einartig sie der lange Schriftgebrauch gemacht habe, immer nur Schatten!

Das Faktum ist also falsch und der Schluß noch falscher: er kommt nicht auf einen Göttlichen, sondern gerad umgekehrt, auf einen Thierischen Ursprung. Nehmet die sogenannte Göttliche, erste Sprache, die Hebräische, von der der gröste Teil der Welt die Buchstaben geerbet: daß sie in ihrem Anfange so lebendigtönend, so unschreibbar gewesen, daß sie nur sehr unvollkommen geschrieben werden konnte, dies zeigt offenbar der ganze Bau ihrer Grammatik, ihre so vielfachen Verwechselungen ähnlicher Buchstaben, ja am allermeisten der völlige Mangel ihrer Vokale. Woher kommt die Sonderbarkeit, daß ihre Buchstaben nur Mitlauter sind, und daß eben die Elemente der Worte, auf die Alles ankommt, die Selbstlauter, ursprünglich gar nicht geschrieben wurden? Diese Schreibart ist dem Lauf der gesunden Vernunft so entgegen, das Unwesentliche zu schreiben, und das Wesentliche auszulaßen, daß sie den Grammatikern unbegreiflich seyn müßte, wenn Grammatiker zu begreifen gewohnt wären. Bei uns sind die Vokale das Erste und Lebendigste und die Thürangeln der Sprache; bei jenen werden sie nicht geschrieben – warum? – weil sie nicht geschrieben werden konnten. Ihre Aussprache war so lebendig und feinorganisirt, ihr Hauch war so geistig und aetherisch, daß er verduftete und sich nicht in Buchstaben faßen ließ. Nur erst bei den Griechen wurden diese lebendige Aspirationen in förmliche Vokale aufgefädelt, denen doch noch Spiritus+ u.s.w. zu Hülfe kommen musten; da bei den Morgenländern die Rede gleichsam ganz Spiritus, fortgehender Hauch und Geist des Mundes war, wie sie sie auch so oft in ihren malenden Gedichten benennen. Es war Othem Gottes, wehende Luft, die das Ohr aufhaschete, und die toten Buchstaben, die sie hinmalten, waren nur der Leichnam, der lesend mit Lebensgeist beseelet werden muste! Was das für einen gewaltigen Einfluß auf das Verständniß

Vokale (natürliche Töne) unschreibbar

ihrer Sprache hat, ist hier nicht der Ort zu sagen; daß dies Wehende aber den Ursprung ihrer Sprache verrathe, ist offenbar. Was ist unschreibbarer, als die unartikulirten Töne der Natur? und wenn die Sprache, je näher ihrem Ursprunge, desto unartikulirter ist – was folgt, als daß sie wohl nicht von einem höhern Wesen für die vier und zwanzig Buchstaben, und diese Buchstaben gleich mit der Sprache erfunden, daß diese ein weit späterer nur unvollkommener Versuch gewesen, sich einige Merkstäbe der Erinnerung zu setzen, und daß jene nicht aus Buchstaben der Grammatik Gottes, sondern aus wilden Tönen freier Organe entstanden sey*. Es wäre doch sonst artig, daß eben die Buchstaben, aus denen und für die Gott die Sprache erfunden, mit Hülfe derer er den ersten Menschen die Sprache beigebracht, eben die allerunvollkommensten in der Welt wären, die gar nichts vom Geist der Sprache sagten, und in ihrer ganzen Bauart offenbar bekennen, daß sie nichts davon sagen wollen.

Es verdiente diese Buchstabenhypothese freilich ihrer Würde nach nur Einen Wink: aber ihrer Allgemeinheit und mannichfaltigen Beschönigung wegen mußte ich ihren Ungrund entblößen, und eine Sonderbarkeit dabei erklären, von welcher mir wenigstens keine Erklärung bekannt ist.[+] Zurück auf unsre Bahn:

Da unsre Töne der Natur zum Ausdrucke der Leidenschaft bestimmt sind: so ists natürlich, daß sie auch die Elemente aller Rührung werden! Wer ists, dem bei einem zuckenden, wimmernden Gequälten, bei einem ächzenden Sterbenden, auch selbst bei einem stöhnenden Vieh, wenn seine ganze Maschiene[+] leidet, dies Ach nicht zu Herzen dringe? wer ist der fühllose Barbar? Je harmonischer das empfindsame Saitenspiel selbst bei Thieren mit anderen Thieren gewebt ist: desto mehr fühlen selbst diese mit einander; ihre Nerven kommen in eine gleichmäßige Spannung, ihre Seele in einen gleichmäßigen Ton, sie leiden würklich Mechanisch mit. Und welche Stählung seiner Fibern! welche Macht, alle Öffnungen seiner Empfindsamkeit zu verstopfen gehört dazu,

---

* Die beste Schrift für diese noch zum Teil unausgearbeitete Materie ist *Wachteri naturae et scripturae concordia*, Hafn. 1752, die sich von den Kircherschen und soviel andern Träumen wie Alterthumsgeschichte von Märchen unterscheidet.[+]

daß ein Mensch hiegegen taub und hart werde! – – Diderot[*]
meint, daß ein Blindgebohrner gegen die Klagen eines leidenden Tiers unempfindlicher seyn müste, als ein Sehender; allein
ich glaube, unter gewißen Fällen das Gegentheil. Freilich ist
ihm das ganze rührende Schauspiel dieses elenden, zuckenden
Geschöpfs verhüllet; allein alle Beispiele sagen, daß eben
durch diese Verhüllung das Gehör weniger zerstreut, hor-
chender und mächtig eindringender werde.[+] Da lauschet er
also im Finstern, in der Stille seiner ewigen Nacht, und jeder
Klageton geht ihm, um so inniger und schärfer, wie ein Pfeil
zum Herzen! Nun nehme er noch das tastende, langsamum-
spannende Gefühl zu Hülfe, taste die Zuckungen, erfühle den
Bruch der leidenden Maschiene sich ganz – Grausen und
Schmerz fährt durch seine Glieder: sein innrer Nervenbau
fühlt Bruch und Zerstörung mit: der Todeston tönet. Das ist
das Band dieser Natursprache!
Überall sind die Europäer, Trotz ihrer Bildung und Mißbil-
dung! von den rohen Klagetönen der Wilden heftig gerührt
worden. Leri[+] erzählt aus Brasilien, wie sehr seine Leute von
dem herzlichen, unförmlichen Geschrei der Liebe und Leutse-
ligkeit dieser Amerikaner bis zu Thränen seien erweicht worden. Charlevoix[+] und andre wißen nicht gnug den grausenden Eindruck auszudrücken, den die Krieges- und Zauberlie-
der der Nordamerikaner machen. Wenn wir später Gelegenheit haben werden zu bemerken, wie sehr die alte Poesie und
Musik von diesen Naturtönen sei belebet worden: so werden
wir auch die Würkung philosophischer erklären können, die
z. E. der älteste Griechische Gesang, und Tanz, die alte Griechische Bühne, und überhaupt Musik, Tanz und Poesie noch
auf alle Wilde machen. Und auch selbst bei uns, wo freilich die
Vernunft oft die Empfindung und die künstliche Sprache der
Gesellschaft die Töne der Natur aus ihrem Amt setzet, kommen nicht noch oft die höchsten Donner der Beredsamkeit,
die mächtigsten Schläge der Dichtkunst, und die Zaubermo-
mente der Aktion, dieser Sprache der Natur, durch Nachahmung nahe? Was ists, was dort im versammleten Volke Wunder thut, Herzen durchbort und Seelen umwälzet? Geistige
Rede und Metaphysik? Gleichniße und Figuren? Kunst und

---

[*] Lettre sur les aveugles à l'usage de ceux qui voyent etc.[+]

kalte Überzeugung? So fern der Taumel nicht blind seyn soll, muß Vieles durch sie geschehen, aber Alles? Und eben dies höchste Moment des blinden Taumels, wodurch wurde das? – Durch ganz eine andre Kraft! Diese Töne, diese Gebehrden, jene einfachen Gänge der Melodie, diese plötzliche Wendung, diese dämmernde Stimme – was weiß ich mehr? Bei Kindern, und dem Volk der Sinne, bei Weibern, bei Leuten von zartem Gefühl, bei Kranken, Einsamen, Betrübten, würken sie tausendmal mehr, als die Wahrheit selbst würken würde, wenn ihre leise, feine Stimme vom Himmel tönte. Diese Worte, dieser Ton, die Wendung dieser grausenden Romanze u.s.w. drangen in unsrer Kindheit, da wir sie das erstemal hörten, ich weiß nicht, mit welchem Heere von Nebenbegriffen des Schauders, der Feier, des Schreckens, der Furcht, der Freude, in unsre Seele. Das Wort tönet, und wie eine Schaar von Geistern stehen sie alle mit Einmal in ihrer dunkeln Majestät aus dem Grabe der Seele auf: sie verdunkeln den reinen, hellen Begrif des Worts, der nur ohne sie gefaßt werden konnte. Das Wort ist weg, und der Ton der Empfindung tönet.[+] Dunkles Gefühl übermannet uns: der Leichtsinnige grauset und zittert – nicht über Gedanken, sondern über Sylben, über Töne der Kindheit, und es war Zauberkraft des Redners, des Dichters, uns wieder zum Kinde zu machen. Kein Bedacht, keine Überlegung, das bloße Naturgesetz lag zum Grunde: »Ton der Empfindung soll das sympathetische Geschöpf in denselben Ton versetzen!«

Wollen wir also diese unmittelbaren Laute der Empfindung Sprache nennen: so finde ich ihren Ursprung allerdings sehr natürlich. Er ist nicht bloß nicht übermenschlich, sondern offenbar Thierisch: das Naturgesetz einer empfindsamen Maschiene.

Aber ich kann nicht meine Verwunderung bergen, daß Philosophen, das ist, Leute, die deutliche Begriffe suchen, je haben auf den Gedanken kommen können, aus diesem Geschrei der Empfindungen den Ursprung Menschlicher Sprache zu erklären: denn ist diese nicht offenbar ganz etwas anders? Alle Thiere bis auf den stummen Fisch tönen ihre Empfindung; deßwegen aber hat doch kein Thier, selbst nicht das Vollkommenste, den geringsten, eigentlichen Anfang zu einer Menschlichen Sprache. Man bilde und verfeinere und

18

organisire dies Geschrei, wie man wolle; wenn kein Verstand dazukommt, diesen Ton mit Absicht zu brauchen: so sehe ich nicht, wie nach dem vorigen Naturgesetze je Menschliche, willkührliche[+] Sprache werde. Kinder sprechen Schälle der Empfindung, wie die Thiere; ist aber die Sprache, die sie von Menschen lernen, nicht ganz eine andre Sprache?

Der Abt Condillac[*] ist in dieser Anzahl.[+] Entweder er hat das ganze Ding Sprache schon vor der ersten Seite seines Buchs erfunden vorausgesetzt: oder ich finde auf jeder Seite Dinge, die sich gar nicht in der Ordnung einer bildenden Sprache zutragen konnten. Er setzt zum Grunde seiner Hypothese »zwei Kinder, in eine Wüste, ehe sie den Gebrauch irgendeines Zeichens kennen«. Warum er nun dies alles setze: »zwei Kinder«, die also umkommen oder Thiere werden müssen: »in eine Wüste«, wo sich die Schwürigkeit ihres Unterhalts und ihrer Erfindung noch vermehret: »vor dem Gebrauch jedes natürlichen Zeichens und gar vor aller Känntnis deßelben«, ohne welche doch kein Säugling nach wenigen Wochen seiner Geburt ist – warum, sage ich, in eine Hypothese, die dem Naturgange Menschlicher Känntniße nachspüren soll, solche unnatürliche, sich wiedersprechende Data zum Grunde gelegt werden müßen, mag ihr Verfaßer wißen; daß aber auf sie keine Erklärung des Ursprungs der Sprache gebauet sei, getraue ich mich zu erweisen. Seine beiden Kinder kommen ohne Känntniß jedes Zeichens zusammen, und – siehe da! im ersten Augenblicke (§ 2.) sind sie schon im gegenseitigen Commerz. Und doch blos durch dies gegenseitige Commerz lernen sie erst, »mit dem Geschrei der Empfindungen die Gedanken zu verbinden, deren natürliche Zeichen jene sind«. Natürliche Zeichen der Empfindung durch das Commerz lernen? lernen, was für Gedanken damit zu verbinden sind? und doch gleich im ersten Augenblick der Zusammenkunft, noch vor der Känntniß dessen, was das dummste Thier kennet, Commerz haben, lernen können, was mit gewißen Zeichen für Gedanken zu verknüpfen sind? – davon begreife ich nichts. »Durch das Wiederkommen ähnlicher Umstände (§ 3.) gewöhnen sie sich, mit den Schällen der Empfindungen, und den verschiednen Zeichen des Körpers Gedanken zu verbin-

* Essai sur l'origine des connaissances humaines. Vol. II.

den. Schon bekommt ihr Gedächtniß Übung. Schon können sie über ihre Einbildung walten und schon – sind sie so weit, das mit Reflexion zu thun, was sie vorher blos durch Instinkt thaten« (und doch, wie wir eben gesehen, vor ihrem Commerz nicht zu thun wusten) – davon begreife ich nichts. »Der Gebrauch dieser Zeichen erweitert die Würkungen der Seele (§ 4.) und diese vervollkommen die Zeichen: Geschrei der Empfindungen wars also (§ 5.) was die Seelenkräfte entwickelt hat: Geschrei der Empfindungen, das ihnen die Gewohnheit gegeben, Ideen mit willkührlichen Zeichen zu verbinden (§ 6.): Geschrei der Empfindungen, das ihnen zum Muster diente, sich eine neue Sprache zu machen, neue Schälle zu artikuliren, sich zu gewöhnen, die Sachen mit Namen zu bezeichnen« – ich wiederhole alle diese Wiederholungen, und begreife von ihnen Nichts. Endlich, nachdem der Verfasser auf diesen Kindischen Ursprung der Sprache die Prosodie, Deklamation, Musik, Tanz und Poesie der alten Sprachen gebauet, und mitunter gute Anmerkungen vorgetragen, die aber zu unserm Zwecke nichts thun: so faßt er den Faden wieder an: »um zu begreifen (§ 80.) wie die Menschen unter sich über den Sinn der Ersten Worte Eins geworden, die sie brauchen wollten, ist gnug, wenn man bemerkt, daß sie sie in Umständen aussprachen, wo jeder verbunden war, sie mit den nähmlichen Ideen zu verbinden u.s.w.« Kurz, es entstanden Worte, weil Worte da waren ehe sie da waren – mich dünkt, es lohnt nicht, den Faden unsres Erklärers weiter zu verfolgen, da er doch – an nichts geknüpft ist.

Condillac, weiß man, gab durch seine hole Erklärung von Entstehung der Sprache Gelegenheit, daß Roußeau* in unserm Jahrhundert die Frage nach seiner Art in Schwung brachte, das ist bezweifelte. Gegen Condillacs Erklärung Zweifel zu finden, war eben kein Roußeau nöthig; nur aber deßwegen sogleich alle Menschliche Möglichkeit der Spracherfindung zu leugnen – dazu gehörte freilich Etwas Roußeauscher Schwung oder Sprung, wie mans nennen will. Weil Condillac die Sache schlecht erklärt hatte; ob sie also auch gar nicht erklärt werden könne? Weil aus Schällen der Empfin-

---

* Sur l'inégalité parmi les hommes etc. Part. 1.

dung nimmermehr eine Menschliche Sprache wird, folgt daraus, daß sie nirgend anders woher hat werden können?

Daß es nur würklich dieser verdeckte Trugschluß sei, der Roußeau verführet, zeigt offenbar sein eigner Plan*: »wie, wenn doch allenfalls Sprache hätte Menschlich entstehen sollen, wie sie hätte entstehen müssen?« Er fängt, wie sein Vorgänger, mit dem Geschrei der Natur an, aus dem die Menschliche Sprache werde. Ich sehe nie, wie sie daraus geworden wäre, und wundre mich, daß der Scharfsinn eines Roußeau sie einen Augenblick daraus habe können werden lassen?

Maupertuis kleine Schrift[+] ist mir nicht bei Händen; wenn ich aber dem Auszuge eines Mannes** trauen darf, deßen nicht kleinstes Verdienst Treue und Genauigkeit war, so hat auch er den Ursprung der Sprache nicht gnug von diesen Thierischen Lauten abgesondert, und gehet also mit den Vorigen auf Einer Straße.

Diodor[+] endlich und Vitruv[+], die zudem den Menschenursprung der Sprache mehr geglaubt als hergeleitet, haben die Sache am offenbarsten verdorben; da sie die Menschen, erst Zeitenlang, als Thiere, mit Geschrei in Wäldern schweifen, und sich nachher, weiß Gott, woher? und weiß Gott, wozu? Sprache erfinden laßen – – –[+]

Da nun die meisten Verfechter der Menschlichen Sprachwerdung aus einem so unsichern Ort stritten, den andre, z. E. Süßmilch, mit so vielem Grunde bekämpften: so hat die Akademie diese Frage, die also noch ganz unbeantwortet ist und über die sich selbst einige ihrer gewesnen Mitglieder getheilt, Einmal außer Streit wollen gesetzt sehen.[+]

Und da dies große Thema so viel Aussichten in die Psychologie und Naturordnung des Menschlichen Geschlechts, in die Philosophie der Sprachen und aller Känntniße, die mit Sprache erfunden werden, verspricht – wer wollte sich nicht daran versuchen?

Und da die Menschen für uns die Einzigen Sprachgeschöpfe sind, die wir kennen, und sich eben durch Sprache von allen Thieren unterscheiden: wo finge der Weg der Untersuchung sicherer an, als bei Erfahrungen über den Unterschied der

---

* Ebendaselbst.
** Süßmilch, Beweis für die Göttlichkeit, Anhang 3, S. 110.

Warum hat der Mensch schlechte/unge-nügende Instinkte?

Thiere und Menschen? – Condillac und Roußeau mußten über den Sprachursprung irren, weil sie sich über diesen Unterschied so bekannt und verschieden irrten: da jener* die Thiere zu Menschen und dieser** die Menschen zu Thieren machte. Ich muß also etwas weit ausholen.[+]

Daß der Mensch den Thieren an Stärke und Sicherheit des Instinkts weit nachstehe, ja daß er das, was wir bei so vielen Thiergattungen angeborne Kunstfähigkeiten und Kunsttriebe nennen, gar nicht habe, ist gesichert; nur so wie die Erklärung dieser Kunsttriebe bisher den meisten und noch zuletzt einem gründlichen Philosophen*** Deutschlands mißglücket ist, so hat auch die wahre Ursach von der Entbehrung dieser Kunsttriebe in der Menschlichen Natur noch nicht ins Licht gesetzt werden können. Mich dünkt, man hat Einen Hauptgesichtspunkt verfehlt, aus dem man, wo nicht vollständige Erklärungen, so wenigstens Bemerkungen in der Natur der Thiere machen kann, die, wie ich für einen andern Ort hoffe, die Menschliche Seelenlehre sehr aufklären können. Dieser Gesichtspunkt ist die Sphäre der Thiere.

Jedes Thier hat seinen Kreis, in den es von der Geburt an gehört, gleich eintritt, in dem es Lebenslang bleibet, und stirbt: nun ist es aber sonderbar, daß, je schärfer die Sinne der Tiere, je stärker und sicherer ihre Triebe[+] und je wunderbarer ihre Kunstwerke sind, desto kleiner ist ihr Kreis: desto einartiger ist ihr Kunstwerk. Ich habe diesem Verhältniße nachgespüret und ich finde überall eine wunderbar beobachtete umgekehrte Proportion[+] zwischen der mindern Extension ihrer Bewegungen, Elemente, Nahrung, Erhaltung, Paarung, Erziehung, Gesellschaft und ihren Trieben und Künsten. Die Biene in ihrem Korbe bauet mit der Weisheit, die Egeria ihrem Numa[+] nicht lehren konnte; aber außer diesen Zellen und außer ihrem Bestimmungsgeschäft in diesen Zellen ist sie auch Nichts. Die Spinne webet mit der Kunst der Minerve; aber alle ihre Kunst ist auch in diesen engen Spinn-

---

* Traité sur les animaux.[+]

** Sur l'origine de l'inégalité etc.[+]

*** Reimarus, Über die Kunsttriebe der Thiere: s. Betrachtungen drüber in den: Briefen, die neueste Literatur betreffend etc.[+]

raum verwebet; das ist ihre Welt! Wie wundersam ist das Insekt, und wie enge der Kreis seiner Würkung!

Gegentheils. Je vielfacher die Verrichtungen und Bestimmung der Thiere; je zerstreuter ihre Aufmerksamkeit auf mehrere Gegenstände, je unstäter ihre Lebensart, kurz, je größer und vielfältiger ihre Sphäre ist: desto mehr sehen wir ihre Sinnlichkeit sich vertheilen und schwächen. Ich kann es mir hier nicht in Sinn nehmen, dies grosse Verhältniß, was die Kette der lebendigen Wesen durchläuft, mit Beispielen zu sichern; ich überlaße Jedem die Probe, oder verweise auf eine andre Gelegenheit und schließe fort:

Nach aller Wahrscheinlichkeit und Analogie laßen sich also alle Kunsttriebe und Kunstfähigkeiten aus den Vorstellungskräften der Thiere erklären, ohne daß man blinde Determinationen annehmen darf (wie auch noch selbst Reimarus angenommen, und die alle Philosophie verwüsten).[+] Wenn unendlich feine Sinne in einen kleinen Kreis, auf ein Einerlei eingeschloßen werden, und die ganze andre Welt für sie Nichts ist: wie müßen sie durchdringen! Wenn Vorstellungskräfte in einen kleinen Kreis eingeschloßen, und mit einer analogen Sinnlichkeit begabt sind, was müßen sie würken! Und wenn endlich Sinne und Vorstellungen auf Einen Punkt gerichtet sind, was kann anders, als Instinkt daraus werden? Aus ihnen also erkläret sich die Empfindsamkeit, die Fähigkeiten und Triebe der Thiere nach ihren Arten und Stuffen.

Und ich darf also den Satz annehmen: Die Empfindsamkeiten, Fähigkeiten und Kunsttriebe der Thiere nehmen an Stärke und Intensität zu im umgekehrten Verhältniße der Größe und Mannigfaltigkeit ihres Würkungskreises. Nun aber –

Der Mensch hat keine so einförmige und enge Sphäre, wo nur Eine Arbeit auf ihn warte: eine Welt von Geschäften und Bestimmungen liegt um ihn.

Seine Sinne und Organisation sind nicht auf Eins geschärft: er hat Sinne für alles und natürlich also für jedes einzelne schwächere und stumpfere Sinne.

Seine Seelenkräfte sind über die Welt verbreitet; keine Richtung seiner Vorstellungen auf ein Eins: mithin kein

Kunsttrieb, keine Kunstfertigkeit – und, das Eine gehört hier näher her, keine Thiersprache.

Was ist doch das, was wir, außer der vorherangeführten Lautbarkeit der empfindenden Maschiene, bei einigen Gattungen Thiersprache nennen, anders, als ein Resultat der Anmerkungen, die ich zusammengereihet? ein dunkles sinnliches Einverständniß einer Thiergattung unter einander über ihre Bestimmung, im Kreise ihrer Würkung.[+]

Je kleiner also die Sphäre der Thiere ist: desto weniger haben sie Sprache nöthig. Je schärfer ihre Sinne, je mehr ihre Vorstellungen auf Eins gerichtet, je ziehender ihre Triebe sind; desto zusammengezogner ist das Einverständniß ihrer etwannigen Schälle, Zeichen, Äußerungen. Es ist lebendiger Mechanismus, herrschender Instinkt, der da spricht und vernimmt. Wie wenig darf er sprechen, daß er vernommen werde!

Thiere von dem engsten Bezirke sind also so gar Gehörlos; sie sind für ihre Welt ganz Gefühl, oder Geruch, und Gesicht: ganz Einförmiges Bild, Einförmiger Zug, Einförmiges Geschäfte; sie haben also wenig oder keine Sprache.

Je größer aber der Kreis der Thiere: je unterschiedner ihre Sinne – doch was soll ich wiederholen? Mit dem Menschen ändert sich die Scene ganz.[+] Was soll für seinen Würkungskreis, auch selbst im dürftigsten Zustande, die Sprache des redendsten, am vielfachsten tönenden Thiers? Was soll für seine zerstreuten Begierden, für seine getheilte Aufmerksamkeit, für seine stumpferwitternden Sinne auch selbst die dunkle Sprache aller Thiere? Sie ist für ihn weder reich, noch deutlich: weder hinreichend an Gegenständen, noch für seine Organe – also durchaus nicht seine Sprache: denn was heißt, wenn wir nicht mit Worten spielen wollen, die eigenthümliche Sprache eines Geschöpfs, als die seiner Sphäre von Bedürfnissen und Arbeiten, der Organisation seiner Sinne, der Richtung seiner Vorstellungen und der Stärke seiner Begierden angemeßen ist – und welche Thiersprache ist so für den Menschen?

Jedoch es bedarf auch die Frage nicht. Welche Sprache (ausser der vorigen Mechanischen) hat der Mensch so Instinktmäßig, als jede Thiergattung die ihrige in und nach ihrer Sphäre? – Die Antwort ist kurz: keine! Und eben diese kurze Antwort entscheidet.

Bei jedem Thier ist, wie wir gesehen, seine Sprache eine Äußerung so starker sinnlicher Vorstellungen, daß diese zu Trieben
werden; mithin ist Sprache, so wie Sinne, und Vorstellungen
und Triebe angebohren und dem Tier unmittelbar natürlich.
Die Biene sumset, wie sie sauget; der Vogel singt, wie er nistet
– aber wie spricht der Mensch von Natur? gar nicht, so wie er
wenig oder nichts durch völligen Instinkt, als Thier thut. Ich
nehme bei einem neugebohrnen Kinde das Geschrei seiner
empfindsamen Maschiene aus; sonst ists stumm; es äußert
weder Vorstellungen noch Triebe durch Töne, wie doch jedes
Thier in seiner Art; blos unter Thiere gestellet, ists also das
verwaisetste Kind der Natur: Nackt und blos, schwach und
dürftig, schüchtern und unbewafnet: und was die Summe seines Elendes ausmacht, aller Leiterinnen des Lebens beraubt.[+]
Mit einer so zerstreueten, geschwächten Sinnlichkeit, mit so
unbestimmten, schlafenden Fähigkeiten, mit so getheilten und
ermatteten Trieben gebohren, offenbar auf tausend Bedürfniße verwiesen, zu einem großen Kraise bestimmt – und doch
so verwaiset und verlaßen, daß es selbst nicht mit einer Sprache begabt ist, seine Mängel zu äußern – Nein! ein solcher
Wiederspruch ist nicht die Haushaltung der Natur. Es müßen
statt der Instinkte andre verborgne Kräfte in ihm schlafen!
stumm gebohren; aber –

Zweiter Abschnitt.

Doch ich thue keinen Sprung. Ich gebe dem Menschen nicht
gleich plötzlich neue Kräfte, keine Sprachschaffende Fähigkeit, wie eine willkürliche *qualitas occulta*. Ich suche nur in
den vorherbemerkten Lücken und Mängeln weiter.
Lücken und Mängel können doch nicht der Charakter
seiner Gattung seyn: oder die Natur war gegen ihn die här-
teste Stiefmutter, da sie gegen jedes Insekt die Liebreichste
Mutter war. Jedem Insekt gab sie, was und wieviel es
brauchte: Sinne zu Vorstellungen, und Vorstellungen in
Triebe gediegen[+]; Organe zur Sprache, soviel es bedorfte,
und Organe, diese Sprache zu verstehen. Bei dem Menschen
ist Alles in dem grösten Misverhältniß – Sinne und Bedürfniße, Kräfte und Kreis der Würksamkeit, der auf ihn wartet,
seine Organe und seine Sprache – Es muß uns also ein

gewißes Mittelglied fehlen, die so abstehende Glieder der Verhältniß zu berechnen.[+]

Fänden wirs: so wäre nach aller Analogie der Natur diese Schadloshaltung seine Eigenheit, der Charakter seines Geschlechts: und alle Vernunft und Billigkeit foderte, diesen Fund für das gelten zu laßen, was er ist, für Naturgabe, ihm so wesentlich, als den Thieren der Instinkt.

Ja fänden wir eben in diesem Charakter die Ursache jener Mängel; und eben in der Mitte dieser Mängel, in der Höle jener großen Entbehrung von Kunsttrieben, den Keim zum Ersatze: so wäre diese Einstimmung ein genetischer Beweis[+], daß hier die wahre Richtung der Menschheit liege, und daß die Menschengattung über den Thieren nicht an Stufen des Mehr oder weniger stehe, sondern an Art.

Und fänden wir in diesem neugefundnen Charakter der Menschheit sogar den nothwendigen genetischen Grund zu Entstehung einer Sprache für diese neue Art Geschöpfe, wie wir in den Instinkten der Thiere den unmittelbaren Grund zur Sprache für jede Gattung fanden: so sind wir ganz am Ziele. In dem Falle würde die »Sprache dem Menschen so wesentlich, als – er ein Mensch ist«.[+] Man siehet, ich entwickle aus keinen willkührlichen, oder gesellschaftlichen Kräften, sondern aus der allgemeinen thierischen Ökonomie.

Und nun folgt, daß wenn der Mensch Sinne hat, die für Einen kleinen Fleck der Erde, für die Arbeit und den Genuß Einer Weltspanne den Sinnen des Thiers, das in dieser Spanne lebet, nachstehen an Schärfe: so bekommen sie eben dadurch Vorzug der Freiheit; eben weil sie nicht für einen Punkt sind, so sind sie allgemeinere Sinne der Welt.

Wenn der Mensch Vorstellungskräfte hat, die nicht auf den Bau einer Honigzelle und eines Spinngewebes bezirkt sind, und also auch den Kunstfähigkeiten der Thiere in diesem Kreise nachstehen: so bekommen sie eben damit weitere Aussicht. Er hat kein Einziges Werk, bei dem er also auch unverbeßerlich handle; aber er hat freien Raum, sich an vielem zu üben, mithin sich immer zu verbeßern.[+] Jeder Gedanke ist nicht ein unmittelbares Werk der Natur, aber eben damit kanns sein eigen Werk werden.

Wenn also hiermit der Instinkt wegfallen muß, der blos aus der Organisation der Sinne und dem Bezirk der Vorstellungen folgte, und keine blinde Determination war; so bekommt eben hiemit der Mensch, mehrere Helle. Da er auf keinen Punkt blind fällt, und blind liegenbleibt: so wird er freistehend, kann sich eine Sphäre der Bespiegelung suchen, kann sich in sich bespiegeln. Nicht mehr eine unfehlbare Maschiene in den Händen der Natur, wird er sich selbst Zweck und Ziel der Bearbeitung.

Man nenne diese ganze Disposition seiner Kräfte, wie man wolle, Verstand, Vernunft, Besinnung u.s.w. Wenn man diese Namen nicht für abgesonderte Kräfte oder für bloße Stufenerhöhungen der Thierkräfte annimmt: so gilts mir gleich.[+] Es ist die ganze Einrichtung aller Menschlichen Kräfte; die ganze Haushaltung seiner sinnlichen und erkennenden, seiner erkennenden und wollenden Natur; oder vielmehr – Es ist die Einzige positive Kraft des Denkens, die mit einer gewißen Organisation des Körpers verbunden bei den Menschen so Vernunft heißt, wie sie bei den Thieren Kunstfähigkeit wird: die bei ihm Freiheit heißt, und bei den Thieren Instinkt wird. Der Unterschied ist nicht in Stuffen, oder Zugabe von Kräften, sondern in einer ganz verschiedenartigen Richtung und Auswickelung aller Kräfte. Man sei Leibnitzianer oder Lockianer, Search oder Knowall[*], Idealist oder Materialist, so muß man bei einem Einverständniß über die Worte, zu Folge des Vorigen, die Sache zugeben, einen eignen Charakter der Menschheit, der hierinn und in nichts anders bestehet.[+]

Alle die dagegen Schwürigkeit gemacht, sind durch falsche Vorstellungen und unaufgeräumte Begriffe hintergangen. Man hat sich die Vernunft des Menschen als eine neue, ganz abgetrennte Kraft in die Seele hinein gedacht, die dem Menschen als eine Zugabe vor allen Thieren zu eigen geworden, und die also auch, wie die vierte Stuffe einer Leiter nach den drei untersten, allein betrachtet werden müße; und das ist freilich, es mögen es so große Philosophen sagen, als da wollen, Philosophischer Unsinn. Alle Kräfte unsrer und der Thierseelen

---

[*] Eine in einem neuen metaphysischen Werke beliebte Einteilung: Searchs Light of nature pursued, Lond. 68.

sind nichts als Metaphysische Abstraktionen, Würkungen! sie werden abgetheilt, weil sie von unserm schwachen Geiste nicht auf einmal betrachtet werden konnten: sie stehen in Kapiteln, nicht, weil sie so Kapitelweise in der Natur würkten, sondern ein Lehrling sie sich vielleicht so am besten entwickelt. Daß wir gewiße ihrer Verrichtungen unter gewiße Hauptnamen gebracht haben, z. E. Witz, Scharfsinn, Phantasie, Vernunft, ist nicht, als wenn je eine einzige Handlung des Geistes möglich wäre, wo der Witz oder die Vernunft allein würkt: sondern nur, weil wir in dieser Handlung am meisten von der Abstraktion entdecken, die wir Witz oder Vernunft nennen, z. E. Vergleichung oder Deutlichmachung der Ideen: überall aber würkt die ganze unabgetheilte Seele. Konnte ein Mensch je eine Einzige Handlung tun, bei der er völlig wie ein Thier dachte: so ist er auch durchaus kein Mensch mehr, gar keiner Menschlichen Handlung mehr fähig. War er einen Einzigen Augenblick ohne Vernunft: so sähe ich nicht, wie er je in seinem Leben mit Vernunft denken könne: oder seine ganze Seele, die ganze Haushaltung seiner Natur ward geändert.

Nach richtigern Begriffen ist die Vernunftmäßigkeit des Menschen, der Charakter seiner Gattung, etwas anders, nehmlich, die gänzliche Bestimmung seiner denkenden Kraft im Verhältniß seiner Sinnlichkeit und Triebe. Und da konnte es, alle vorigen Analogien zu Hülfe genommen, nichts anders seyn, als daß –

wenn der Mensch Triebe der Thiere hätte, er das nicht haben könnte, was wir jetzt Vernunft in ihm nennen; denn eben diese Triebe rißen ja seine Kräfte so dunkel auf einen Punkt hin, daß ihm kein freier Besinnungskreis ward. Es mußte seyn, daß –

wenn der Mensch Sinne der Thiere, er keine Vernunft hätte; denn eben die starke Reizbarkeit seiner Sinne, eben die durch sie mächtig andringenden Vorstellungen müsten alle kalte Besonnenheit ersticken. Aber umgekehrt muste es auch nach eben diesen Verbindungsgesetzen der Haushaltenden Natur seyn, daß –

wenn thierische Sinnlichkeit und Eingeschloßenheit auf Einen Punkt wegfiele: so wurde ein ander Geschöpf, dessen Positive Kraft sich in größerm Raume, nach feinerer

Organisation, heller, äußerte: das abgetrennt und frei nicht blos erkennet, will und würkt, sondern auch weiß, daß es erkenne, wolle und würke. Dies Geschöpf ist der Mensch und diese ganze Disposition seiner Natur wollen wir um den Verwirrungen mit eignen Vernunftkräften u.s.w. zu entkommen, Besonnenheit[+] nennen. Es folgt also nach eben diesen Verbindungsregeln, da alle die Wörter Sinnlichkeit und Instinkt, Phantasie und Vernunft doch nur Bestimmungen einer Einzigen Kraft sind, wo Entgegensetzungen einander aufheben, daß –

wenn der Mensch kein Instinktmäßiges Thier seyn sollte, er vermöge der freierwürkenden Positiven Kraft seiner Seele ein besonnenes Geschöpf seyn muste. – – – Wenn ich die Kette dieser Schlüße noch einige Schritte weiter ziehe, so bekomme ich damit vor künftigen Einwendungen einen den Weg sehr kürzenden Vorsprung.

Ist nämlich die Vernunft keine abgetheilte, einzelnwürkende Kraft, sondern eine seiner Gattung eigne Richtung aller Kräfte: so muß der Mensch sie im ersten Zustande haben, da er Mensch ist. Im ersten Gedanken des Kindes muß sich diese Besonnenheit zeigen, wie bei dem Insekt, daß es Insekt war. – Das hat nun mehr als Ein Schriftsteller nicht begreifen können, und daher ist die Materie, über die ich schreibe, mit den rohesten, eckelhaftesten Einwürfen angefüllet – aber sie konnten es nicht begreifen, weil sie es mißverstanden. Heißt denn vernünftig denken, mit ausgebildeter Vernunft denken? heißts, der Säugling denke mit Besonnenheit, er raisonnire wie ein Sophist auf seinem Katheder oder der Staatsmann in seinem Cabinett? Glücklich und dreimal glücklich, daß er von diesem ermattenden Wust von Vernünfteleien noch nichts wuste! Aber siehet man denn nicht, daß dieser Einwurf blos einen so und nicht anders, einen mehr oder minder gebildeten Gebrauch der Seelenkräfte, und durchaus kein Positives einer Seelenkraft selbst läugne? Und welcher Thor wird da behaupten, daß der Mensch im ersten Augenblick des Lebens so denke, wie nach einer vieljährigen Übung – es sei denn, daß man zugleich das Wachsthum aller Seelenkräfte läugne, und sich eben damit selbst für einen Unmündigen bekenne? – So wie doch aber dies Wachsthum in der Welt nichts bedeuten kann, als einen leichtern, stärkern, vielfachern Gebrauch; muß denn das nicht schon da seyn, was gebraucht werden? muß es nicht schon Keim seyn, was da wachsen soll? und ist also nicht im Keime der ganze Baum enthalten? – So wenig das Kind Klauen, wie ein Greif, und eine Löwenmähne hat: so wenig kann es, wie Greif und Löwe, denken; denkt es aber Menschlich, so ist Besonnenheit, das ist, die Mäßigung aller seiner Kräfte auf diese Hauptrichtung schon so im ersten Augenblicke sein Loos, wie sie es im letzten seyn wird. Die Vernunft äußert sich unter seiner Sinnlichkeit schon so würklich, daß der Allwißende, der diese Seele schuff, in ihrem ersten Zustande schon das ganze Gewebe von Handlungen des Lebens sahe, wie etwa der Meßkünstler nach gegebner Claße aus Einem Gliede der Progreßion das ganze Verhältniß derselben findet. [+]

»Aber so war doch diese Vernunft damals mehr Vernunftfähigkeit (*réflexion en puissance*) als würkliche Kraft?« Die Ausnahme sagt kein Wort. Bloße, nackte Fähigkeit, die auch ohne vorliegendes Hinderniß keine Kraft, nichts als Fähigkeit sey, ist so ein tauber Schall als Plastische Formen, die da formen, aber selbst keine Formen sind. [+] Ist mit der Fähigkeit nicht das geringste Positive zu einer Tendenz da: so ist nichts da – so ist das Wort blos Abstraktion der Schule. Der neuere Französische Philosoph[*], der diese *réflexion en puissance*, diesen Scheinbegriff so blendend gemacht, hat, wie wir sehen werden, immer nur eine Luftblase blendend gemacht, die er eine Zeitlang vor sich hertreibt, die ihm selbst aber unvermuthet auf seinem Wege zerspringt. Und ist in der Fähigkeit Nichts da; wodurch soll es denn je in die Seele kommen? ist im ersten Zustande Nichts Positives von Vernunft in der Seele, wie wirds bei Millionen der folgenden Zustände würklich werden? Es ist Worttrug, daß der Gebrauch eine Fähigkeit in Kraft, Etwas blos Mögliches in ein Würkliches verwandeln könne: ist nicht schon Kraft da, so kann sie ja nicht gebraucht und angewandt werden. Zudem endlich, was ist beides, eine abgetrennte Vernunftfähigkeit und Vernunftkraft in der Seele? Eines ist so unverständlich, als das Andre. Setzet den Menschen, als das Wesen, was Er ist, mit dem Grade von Sinnlichkeit, und der Organisation ins Universum: von allen Seiten,

---

* Roußeau über die Ungleichheit etc. [+]

durch alle Sinne strömt dies in Empfindungen auf ihn los; durch Menschliche Sinne? auf Menschliche Weise? so wird also, mit den Thieren verglichen, dies denkende Wesen weniger überströmt? Es hat Raum, seine Kraft freier zu äußern? und dieses Verhältniß heißt Vernunftmäßigkeit – wo ist da bloße Fähigkeit? wo abgesonderte Vernunftkraft? Es ist die positive Einzige Kraft der Seele, die in solcher Anlage würket – mehr sinnlich, so weniger vernünftig: vernünftiger, so minder lebhaft: heller, so minder dunkel – das versteht sich ja alles! Aber der sinnlichste Zustand des Menschen war noch Menschlich, und also würkte in ihm noch immer Besonnenheit, nur im minder merklichen Grade: und der am wenigsten sinnliche Zustand der Thiere war noch Thierisch, und also würkte bei aller Klarheit ihrer Gedanken nie Besonnenheit eines Menschlichen Begrifs. Und weiter laßet uns nicht mit Worten spielen! –

Es tut mir leid, daß ich so viele Zeit verlohren habe, erst blosse Begriffe zu bestimmen und zu ordnen; allein der Verlust war nöthig, da dieser ganze Theil der Psychologie in den neuern Zeiten so jämmerlich verwüstet da liegt: da Französische Philosophen über einige anscheinende Sonderbarkeiten in der Thierischen und Menschlichen Natur, alles so über- und untereinander geworfen, und Deutsche Philosophen die meisten Begriffe dieser Art mehr für ihr System, und nach ihrem Sehepunkt, als darnach ordnen, damit sie Verwirrungen im Sehepunkt der gewöhnlichen Denkart vermeiden.[+] Ich habe auch mit diesem Aufräumen der Begriffe keinen Umweg genommen, sondern wir sind mit Einemmal am Ziele! Nehmlich:

Der Mensch, in den Zustand von Besonnenheit gesetzt, der ihm eigen ist, und diese Besonnenheit (Reflexion) zum erstenmal frei würkend, hat Sprache erfunden. Denn was ist Reflexion? was ist Sprache?
Diese Besonnenheit ist ihm Charakteristisch eigen, und seiner Gattung wesentlich: so auch Sprache und eigne Erfindung der Sprache.
Erfindung der Sprache ist ihm also so natürlich, als er ein Mensch ist! Laßet uns nur beide Begriffe entwickeln! Reflexion und Sprache –
Der Mensch beweiset Reflexion, wenn die Kraft seiner Seele

so frei würket, daß sie in dem ganzen Ocean von Empfindungen, der sie durch alle Sinnen durchrauschet, Eine Welle, wenn ich so sagen darf, absondern, sie anhalten, die Aufmerksamkeit auf sie richten, und sich bewußt seyn kann, daß sie aufmerke. Er beweiset Reflexion, wenn er aus dem ganzen schwebenden Traum der Bilder, die seine Sinne vorbeistreichen, sich in ein Moment des Wachens sammlen, auf Einem Bilde freiwillig verweilen, es in helle, ruhigere Obacht nehmen, und sich Merkmale absondern kann, daß dies der Gegenstand und kein andrer sey. Er beweiset also Reflexion, wenn er nicht blos alle Eigenschaften, lebhaft oder klar erkennen; sondern Eine oder mehrere als unterscheidende Eigenschaften bei sich anerkennen kann: der erste Aktus dieser Anerkenntniß* gibt deutlichen Begrif; es ist das Erste Urtheil der Seele – und –

wodurch geschahe die Anerkennung? Durch ein Merkmal, was er absondern muste und was, als Merkmal der Besinnung, deutlich in ihn fiel. Wohlan! laßet uns ihm das εὕρηκα zurufen! Dies Erste Merkmal der Besinnung war Wort der Seele! Mit ihm ist die Menschliche Sprache erfunden!

Lasset jenes Lamm, als Bild, sein Auge vorbeigehn: ihm wie keinem andern Thiere. Nicht wie dem hungrigen, witternden Wolfe! nicht wie dem Blutleckenden Löwen – die wittern und schmecken schon im Geiste! die Sinnlichkeit hat sie überwältigt! der Instinkt wirft sie darüber her! – Nicht wie dem brünstigen Schaafmanne, der es nur als den Gegenstand seines Genußes fühlt, den also wieder die Sinnlichkeit überwältigt, und der Instinkt darüber herwirft! – Nicht wie jedem andern Thier, dem das Schaaf gleichgültig ist, das es also klar-dunkel vorbeistreichen läßt, weil ihn sein Instinkt auf etwas Anders wendet! – Nicht so dem Menschen! Sobald er in die Bedürfniß kommt, das Schaaf kennen zu lernen: so störet ihn kein Instinkt: so reißt ihn kein Sinn auf dasselbe zu nahe hin, oder davon ab: es steht da, ganz wie es sich seinen Sinnen äußert. Weiß, sanft, wollicht – seine besonnen sich übende Seele sucht ein Merkmal, – das Schaf blöcket! sie hat Merkmal gefunden. Der innere Sinn würket. Dies Blöcken, das ihr am stärksten

* Eine der schönsten Abhandlungen, das Wesen der Apperzeption aus physischen Versuchen, die so selten die Metaphysik der Seele erläutern, ins Licht zu setzen, ist die in den Schriften der Berlinschen Akademie von 1764.⁺

Eindruck macht, das sich von allen andern Eigenschaften des Beschauens und Betastens losriß, hervorsprang, am tiefsten eindrang, bleibt ihr. Das Schaaf kommt wieder. Weiß, sanft, wollicht – sie sieht, tastet, besinnet sich, sucht Merkmal – es blöckt, und nun erkennet sies wieder! »Ha! du bist das Blök-kende!« fühlt sie innerlich, sie hat es Menschlich erkannt, da sies deutlich, das ist, mit einem Merkmal, erkennet und nen-net. Dunkler? so wäre es ihr gar nicht wahrgenommen, weil keine Sinnlichkeit, kein Instinkt zum Schaafe ihr den Mangel des Deutlichen durch ein lebhafteres Klare ersetzte. Deutlich unmittelbar, ohne Merkmal? so kann kein Sinnliches Ge-schöpf außer sich empfinden: da es immer andre Gefühle un-terdrücken, gleichsam vernichten, und immer den Unter-schied von Zween durch ein drittes erkennen muß. Mit einem Merkmal also? Und was war das anders, als ein innerliches Merkwort? Der Schall des Blöckens von einer Menschlichen Seele, als Kennzeichen des Schaafs, wahrgenommen, ward, Kraft dieser Besinnung, Name des Schaafs, und wenn ihn nie seine Zunge zu stammeln versucht hätte. Er erkannte das Schaaf am Blöcken: es war gefaßtes Zeichen, bei welchem sich die Seele an eine Idee deutlich besann – was ist das anders als Wort?[+] Und was ist die ganze Menschliche Sprache, als eine Sammlung solcher Worte? Käme er also auch nie in den Fall, einem andern Geschöpf diese Idee zu geben, und also dies Merkmal der Besinnung ihm mit den Lippen vorblöcken zu wollen, oder zu können; seine Seele hat gleichsam in ihrem Inwendigen geblöckt, da sie diesen Schall zum Erinnerungs-zeichen wählte, und wiedergeblöckt, da sie ihn daran erkannte – die Sprache ist erfunden! ebenso natürlich und dem Menschen nothwendig erfunden, als der Mensch ein Mensch war.

Die meisten, die über den Ursprung der Sprache geschrieben, haben ihn nicht da, auf dem Einzigen Punkt gesucht, wo er gefunden werden konnte; und vielen haben also so viel dunkle Zweifel vorgeschwebt: ob er irgendwo in der Menschlichen Seele zu finden sei? Man hat ihn in der beßern Artikulation der Sprachwerkzeuge gesucht; als ob je ein Ourang-Outang mit eben den Werkzeugen eine Sprache erfunden hätte? Man hat ihn in den Schällen der Leidenschaft gesucht; als ob nicht alle Thiere diese Schälle besäßen, und irgendein Thier aus ih-

nen Sprache erfunden hätte? Man hat ein Principium angenommen, die Natur und also auch ihre Schälle nachzuahmen;
als wenn sich bei einer solchen blinden Neigung, was geden-
ken ließe? und als wenn der Affe mit ebendieser Neigung, die
Amsel, die die Schälle so gut nachäffen kann, eine Sprache
erfunden hätten? Die meisten endlich haben eine blosse Convention, einen Einvertrag, angenommen, und dagegen hat
Roußeau am stärksten geredet; denn was ists auch für ein
dunkles, verwickeltes Wort ein natürlicher Einvertrag der
Sprache? Diese so vielfache, unerträgliche Falschheiten, die
über den Menschlichen Ursprung der Sprache gesagt worden:
haben endlich die gegenseitige Meinung beinahe allgemein gemacht – ich hoffe nicht, daß sie es bleiben werde.[+] Hier ist es
keine Organisation des Mundes, die die Sprache machet: denn
auch der Zeitlebens Stumme, war er Mensch, besann er sich:
so lag Sprache in seiner Seele! Hier ists kein Geschrei der
Empfindung: denn nicht eine athmende Maschiene, sondern
ein besinnendes Geschöpf erfand Sprache! Kein Principium
der Nachahmung in der Seele; die etwannige Nachahmung
der Natur ist blos ein Mittel zu Einem und dem Einzigen
Zweck, der hier erklärt werden soll. Am wenigsten ists Einverständniß, willkührliche Convention der Gesellschaft; der
Wilde, der Einsame im Walde hätte Sprache für sich selbst
erfinden müßen; hätte er sie auch nie geredet. Sie war Einverständniß seiner Seele mit sich, und ein so nothwendiges Einverständniß, als der Mensch Mensch war. Wenns andern unbegreiflich war, wie eine Menschliche Seele hat Sprache erfinden können; so ists mir unbegreiflich, wie eine Menschliche
Seele, was sie ist, seyn konnte, ohne eben dadurch, schon ohne
Mund und Gesellschaft, sich Sprache erfinden zu müßen.
Nichts wird diesen Ursprung deutlicher entwickeln als die
Einwürfe der Gegner. Der gründlichste, der ausführlichste
Vertheidiger des Göttlichen Ursprunges der Sprache[*] wird
eben, weil er durch die Oberfläche drang, die nur die andern
berühren, fast ein Vertheidiger des wahren Menschlichen Ursprungs. Er ist unmittelbar am Rande des Beweises stehenge-
blieben; und sein Haupteinwurf, bloß etwas richtiger erkläret,
wird Einwurf gegen ihn selbst, und Beweis von seinem Ge

---

[*] Süßmilch, angef. Schr. Abschn. 2.

gentheile, der Menschenmöglichkeit der Sprache. + Er will bewiesen haben, »daß der Gebrauch der Sprache zum Gebrauch der Vernunft nothwendig sei!« Hätte er das: so wüste ich nicht, was anders damit bewiesen wäre, »als daß, da der Gebrauch der Vernunft dem Menschen natürlich sey, der Gebrauch der Sprache es eben so seyn müste!« Zum Unglück aber hat er seinen Satz nicht bewiesen. Er hat blos mit vieler Mühe dargethan, daß so viel feine, verflochtne Handlungen, als Aufmerksamkeit, Reflexion, Abstraktion u.s.w., nicht füglich ohne Zeichen geschehen können, auf die sich die Seele stütze; allein dies nicht füglich, nicht leicht, nicht wahrscheinlich erschöpfet noch nichts. So wie wir mit wenigen Abstraktionskräften nur wenige Abstraktion ohne sinnliche Zeichen denken können: so können andre Wesen mehr darohne denken; wenigstens folgt daraus noch gar nicht, daß an sich selbst keine Abstraktion ohne sinnliches Zeichen möglich sey. Ich habe erwiesen, daß der Gebrauch der Vernunft nicht etwa blos füglich, sondern daß nicht der mindeste Gebrauch der Vernunft, nicht die einfachste, deutliche Anerkennung, nicht das simpelste Urtheil einer Menschlichen Besonnenheit ohne Merkmal möglich sey: denn der Unterschied von Zween läßt sich nur immer durch ein Drittes erkennen. Eben dies Dritte, dies Merkmal, wird mithin inneres Merkwort: also folgt die Sprache aus dem ersten Aktus der Vernunft ganz natürlich. – Herr Süßmilch will darthun*, daß die höhern Anwendungen der Vernunft nicht ohne Sprache vor sich gehen könnten, und führt dazu Wolfs Worte an, der aber auch nur von diesem Falle in Wahrscheinlichkeiten redet. Der Fall thut eigentlich nichts zur Sache: denn die höhern Anwendungen der Vernunft, wie sie in den spekulativen Wißenschaften Platz finden, waren ja nicht zu dem ersten Grundstein der Sprachenlegung nöthig – Und doch ist auch dieser leicht zu erweisende Satz von Hrn. S. nur erläutert; da ich erwiesen zu haben glaube, daß selbst die erste, niedrigste Anwendung der Vernunft nicht ohne Sprache geschehen konnte. Allein wenn er nun folgert: kein Mensch kann sich selbst Sprache erfunden haben, weil schon zur Erfindung der Sprache Vernunft gehöret, folglich schon Sprache hätte daseyn müßen, ehe sie da

* Eb. das. S. 52.

war: so halte ich den ewigen Kreisel an, besehe ihn recht, und nun sagt er ganz was anders: *ratio et oratio!* Wenn keine Vernunft dem Menschen ohne Sprache möglich war: wohl! so ist die Erfindung dieser dem Menschen so natürlich, so alt, so ursprünglich, so Charakteristisch, als der Gebrauch jener.[+]

Ich habe Süßmilchs Schlußart einen ewigen Kreisel genannt: denn ich kann ihn ja ebensowohl gegen ihn, als er gegen mich drehen: und das Ding kreiselt immer fort. Ohne Sprache hat der Mensch keine Vernunft, und ohne Vernunft keine Sprache. Ohne Sprache und Vernunft ist er keines Göttlichen Unterrichts fähig: und ohne Göttlichen Unterricht hat er doch keine Vernunft und Sprache – wo kommen wir da je hin? Wie kann der Mensch durch Göttlichen Unterricht Sprache lernen, wenn er keine Vernunft hat? und er hat ja nicht den mindsten Gebrauch der Vernunft ohne Sprache. Er soll also Sprache haben, ehe er sie hat und haben kann? oder vernünftig werden können ohne den mindesten eignen Gebrauch der Vernunft? Um der ersten Sylbe im Göttlichen Unterricht fähig zu seyn, muste er ja, wie Hr. Süßmilch selbst zugibt, ein Mensch seyn, das ist, deutlich denken können, und bei dem ersten deutlichen Gedanken war schon Sprache in seiner Seele da, sie war also aus eignen Mitteln und nicht durch Göttlichen Unterricht erfunden. – – – Ich weiß wohl, was man bei diesem Göttlichen Unterricht meistens im Sinne hat, nehmlich den Sprachunterricht der Eltern an die Kinder; allein man besinne sich, daß das hier gar nicht der Fall ist. Eltern lehren die Kinder nie Sprache, ohne daß diese nicht immer selbst mit erfänden: jene machen diese nur auf Unterschiede der Sachen, mittelst gewisser Wortzeichen, aufmerksam, und so ersetzen sie ihnen nicht etwa, sondern erleichtern und befördern ihnen nur den Gebrauch der Vernunft durch die Sprache. Will man solche übernatürliche Erleichterung aus andern Gründen annehmen: so geht das meinen Zweck nichts an; nur alsdenn hat Gott durchaus für die Menschen keine Sprache erfunden, sondern diese haben immer noch mit Würkung eigner Kräfte, nur unter höherer Veranstaltung, sich ihre Sprache finden müssen. Um das erste Wort, als Wort, d. i. als Merkzeichen der Vernunft auch aus dem Munde Gottes empfangen zu können, war Vernunft nöthig, und der Mensch muste dieselbe Besinnung anwenden, dies Wort, als Wort, zu verstehen, als hätte ers ursprünglich ersonnen. Alsdenn fechten alle Waffen meines Gegners gegen ihn selbst; er muste würklichen Gebrauch der Vernunft haben, um Göttliche Sprache zu lernen: den hat immer ein lernendes Kind auch, wenn es nicht, wie ein Papagey blos Worte ohne Gedanken sagen soll – was wären aber das für würdige Schüler Gottes, die so lernten? – Und wenn die ewig so gelernt hätten, wo hätten wir denn unsre Vernunftsprache her?[+]

Ich schmeichle mir, daß wenn mein würdiger Gegner noch lebte[+], er einsähe, daß sein Einwurf, etwas mehr bestimmt, selbst der stärkste Beweis gegen ihn werde und daß er also absichtslos[+] in seinem Buche selbst Materialien zu seiner Wiederlegung zusammengetragen. Er würde sich nicht hinter das Wort »Vernunftfähigkeit, die aber noch nicht im mindsten Vernunft ist« verstecken: denn man kehre, wie man wolle, so werden Wiedersprüche! Ein vernünftiges Geschöpf ohne den mindsten Gebrauch der Vernunft; oder ein Vernunftgebrauchendes Geschöpf ohne – Sprache! Ein Vernunftloses Geschöpf, dem Unterricht Vernunft geben kann; oder ein Unterrichtfähiges Geschöpf, was doch ohne Vernunft ist! Ein Wesen ohne den mindsten Gebrauch der Vernunft; – und doch Mensch! Ein Wesen, das seine Vernunft aus natürlichen Kräften nicht brauchen konnte, und doch beim übernatürlichen Unterricht natürlich brauchen lernte! Eine Menschliche Sprache, die gar nicht Menschlich war, d. i. die durch keine Menschliche Kraft entstehen konnte; und eine Sprache, die doch so Menschlich ist, daß sich ohne sie keine seiner eigentlichen Kräfte äußern kann! Ein Ding, ohne das er nicht Mensch war, und doch ein Zustand, da er Mensch war, und das Ding nicht hatte, das also da war, ehe es da war, sich äußern muste, ehe es sich äußern konnte u.s.w.[+] – alle diese Widersprüche sind offenbar, wenn Mensch, Vernunft, und Sprache für das Würkliche genommen werden, was sie sind, und das Gespenst von Worte »Fähigkeit« (Menschenfähigkeit, Vernunftfähigkeit, Sprachfähigkeit) in seinem Unsinn entlarvt wird.

»Aber die wilden Menschenkinder unter den Bären, hatten die Sprache? und waren sie nicht Menschen?«[*] Allerdings! Nur zuerst Menschen in einem widernatürlichen Zustande! Men

* Süßmilch S. 47.

schen in Verartung!+ Legt den Stein auf diese Pflanze; wird sie nicht krumm wachsen? und ist sie nicht dem ungeachtet ihrer Natur nach eine aufschießende Pflanze? Und hat sich diese geradschießende Kraft nicht selbst da geäußert, da sie sich dem Steine krumm umschlang? Also zweitens selbst die Möglichkeit dieser Verartung zeigt Menschliche Natur. Eben weil der Mensch keine so hinreißende Instinkte hat, als die Thiere: weil er zu so Mancherlei und zu Allem schwächer fähig – kurz! weil er Mensch ist: so konnte er verarten. Würde er wohl so Bärähnlich haben brummen, und so Bärähnlich haben kriechen lernen, wenn er nicht gelenksame Organe, wenn er nicht gelenksame Glieder gehabt hätte? Würde jedes andre Thier, ein Affe und Esel es so weit gebracht haben? Würkte also nicht würklich seine Menschliche Natur dazu, daß er so unnatürlich werden konnte? Aber drittens blieb sie deßwegen noch immer Menschliche Natur: denn brummte, kroch, fraß, witterte er völlig wie ein Bär? Oder wäre er nicht ewig ein strauchelnder, stammlender Menschenbär, und also ein unvollkommenes Doppelgeschöpf geblieben? So wenig sich nun seine Haut und sein Antlitz, seine Füße und seine Zunge in völlige Bärengestalt ändern und wandeln konnten: so wenig, laßet uns nimmer zweifeln! konnte es die Natur seiner Seele. Seine Vernunft lag unter dem Druck der Sinnlichkeit, der Bärartigen Instinkte begraben: aber sie war noch immer Menschliche Vernunft, weil jene Instinkte nimmer völlig Bärmäßig waren. Und daß das so gewesen, zeugt ja endlich die Entwicklung der ganzen Scene. Als die Hinderniße weggewälzet, als diese Bärmenschen zu ihrem Geschlecht zurückgekehrt waren, lernten sie nicht natürlicher aufrechtgehen und sprechen, als sie dort, immer unnatürlich, kriechen und brummen gelernt hatten? Dies konnten sie immer nur Bärähnlich; jenes lernten sie in weniger Zeit ganz Menschlich. Welcher ihrer vorigen Mitbrüder des Waldes lernte das mit ihnen? Und weil es kein Bär lernen konnte, weil er nicht Anlage des Körpers und der Seele dazu besaß, muste der Menschenbär diese nicht noch immer im Zustande seiner Verwilderung erhalten haben? Hätte sie ihm blos Unterricht und Gewohnheit gegeben, warum nicht dem Bären? Und was hieße es doch, jemand durch Unterricht Vernunft und Menschlichkeit geben, der sie nicht schon hat? Vermuthlich hat alsdenn diese Nadel dem Auge die Sehkraft gegeben, dem sie die Staarhaut wegschaffet – Was wollen wir also aus dem unnatürlichsten Falle von der Natur schließen? Gestehen wir aber ein, daß er ein unnatürlicher Fall sei – wohl! so bestätigt er die Natur!

Die ganze Roußeausche Hypothese von Ungleichheit der Menschen ist, bekannter Weise, auf solche Fälle der Abartung gebauet[+], und seine Zweifel gegen die Menschlichkeit der Sprache betreffen entweder falsche Ursprungsarten, oder die beregte[+] Schwürigkeit, daß schon Vernunft zur Spracherfindung gehört hätte. Im ersten Fall haben sie recht; im zweiten sind sie wiederlegt, und laßen sich ja aus Roußeaus Munde selbst wiederlegen. Sein Phantom, der Naturmensch; dieses entartete Geschöpf, das er auf der einen Seite mit der Vernunftfähigkeit abspeiset, wird auf der andern mit der Perfectibilität, und zwar mit ihr als Charaktereigenschaft[+], in so hohem Grade belehnet, daß er dadurch von allen Thiergattungen lernen könne – und was hat nun Roußeau ihm nicht zugestanden! Mehr, als wir wollen und brauchen! Der erste Gedanke: »siehe! das ist dem Thier eigen! Der Wolf heult! Der Bär brummt!« – schon der ist (in einem solchen Lichte gedacht, daß er sich mit dem zweiten verbinden könnte: »das habe ich nicht!«) würkliche Reflexion; und nun der Dritte und Vierte: »wohl! das wäre auch meiner Natur gemäß! das könnte ich nachahmen! das will ich nachahmen! dadurch wird mein Geschlecht vollkommner!« welche Menge von feinen, fortschließenden Reflexionen! da das Geschöpf, das nur die Erste sich auseinander setzen konnte, schon Sprache der Seele haben muste! schon die Kunst zu denken besaß, die die Kunst zu sprechen schuf. Der Affe äffet immer nach, aber nachgeahmt hat er nie: Nie mit Besonnenheit zu sich gesprochen »das will ich nachahmen, um mein Geschlecht vollkommner zu machen!« denn hätte er das je, hätte er eine Einzige Nachahmung sich zu eigen gemacht, sie in seinem Geschlecht mit Wahl und Absicht verewigt; hätte er auch nur ein einziges Mal eine Einzige solche Reflexion denken können – denselben Augenblick war er kein Affe mehr! In aller seiner Affengestalt, ohne einen Laut seiner Zunge, war er inwendig sprechender Mensch, der sich über kurz oder lang seine äußerliche Sprache erfinden muste – welcher Ourang-Outang aber hat je mit allen

Menschlichen Sprachwerkzeugen ein Einziges Menschliches Wort gesprochen?

Es gibt freilich noch Negerbrüder in Europa, die da sagen »ja vielleicht – wenn er nur sprechen wollte! – oder in Umständen käme! – oder könnte!« – Könnte! das wäre wohl das beste, denn die beiden vorigen Wenn sind durch die Thiergeschichte gnugsam widerlegt: und durch die Werkzeuge wird, wie gesagt, bei ihm das Können nicht aufgehalten[+]! Er hat einen Kopf von außen und innen, wie wir; hat er aber je geredet? Papagei und Staar haben gnug Menschliche Schälle gelernet; aber auch ein Menschliches Wort gedacht? – Überhaupt gehen uns hier noch die äußern Schälle der Worte nicht an; wir reden von der innern, nothwendigen Genesis eines Worts, als das Merkmal einer deutlichen Besinnung – wenn aber hat das je eine Thierart, auf welche Weise es sei, geäußert? Abgemerkt müste dieser Faden der Gedanken, dieser Discours der Seele immer werden können, er äußere sich, wie er wolle, wer hat das aber je? Der Fuchs hat tausendmal so gehandelt, als ihn Aesop handeln läßt; er hat aber nie in Aesops Sinne gehandelt, und das Erstemal, daß er das kann, wird Meister Fuchs sich seine Sprache erfinden, und über Aesop so fabeln können, als Aesop jetzt über ihn. Der Hund hat viele Worte und Befehle verstehen gelernt; aber nicht als Worte, sondern als Zeichen, mit Geberden, mit Handlungen verbunden; verstünde er je ein Einziges Wort im Menschlichen Sinne: so dienet er nicht mehr, so schaffet er sich selbst Kunst und Republik und Sprache. Man siehet, wenn man einmal den Punkt der genauen Genese verfehlt, so ist das Feld des Irrtums zu beiden Seiten unermäßlich groß! da ist die Sprache bald so übermenschlich, daß sie Gott erfinden muß, bald so unmenschlich, daß jedes Thier sie erfinden könnte, wenn es sich die Mühe nähme. Das Ziel der Wahrheit ist nur Ein Punkt! auf den hingestellet, sehen wir aber auf allen Seiten: warum kein Thier Sprache erfinden kann? kein Gott Sprache erfinden darf? und der Mensch, als Mensch, Sprache erfinden kann und muß?[+]

Weiter mag ich aus der Metaphysik die Hypothese des Göttlichen Sprachenursprunges nicht verfolgen: da psychologisch[+] ihr Ungrund darinn gezeigt ist, daß um die Sprache der Götter im Olymp zu verstehen, der Mensch schon Vernunft, folglich schon Sprache haben müße. Noch weniger kann ich mich in ein angenehmes Detail der Thiersprachen einlassen: da sie doch alle, wie wir gesehen, total und incommensurabel von der Menschlichen Sprache abstehen. Dem ich am ungernsten entsage, wären hier die mancherlei Aussichten, die von diesem genetischen Punkt der Sprache in der Menschlichen Seele, in die weiten Felder der Logik, Ästhetik und Psychologie, insonderheit über die Frage gehen: wie weit kann man ohne? – was muß man mit der Sprache denken? – eine Frage, die sich nachher in Anwendungen fast über alle Wißenschaften ausbreitet. Hier sei es gnug die Sprache, als den würklichen Unterscheidungscharakter unsrer Gattung von außen zu bemerken, wie es die Vernunft von innen ist.

In mehr als einer Sprache hat also auch Wort und Vernunft, Begrif und Wort, Sprache und Ursache Einen Namen, und diese Synonymie enthält ihren ganzen genetischen Ursprung. Bei den Morgenländern ists der gewöhnlichste Idiotismus geworden, das Anerkennen einer Sache Namengebung zu nennen;[+] denn im Grunde der Seele sind beide Handlungen Eins. Sie nennen den Menschen das redende Thier, und die unvernünftigen Thiere die Stummen: der Ausdruck ist sinnlich charakteristisch: und das Griechische ἄλογος fasset beides. Es wird so nach die Sprache ein natürliches Organ des Verstandes, ein solcher Sinn der Menschlichen Seele, wie sich die Sehekraft jener sensitiven Seele der Alten das Auge[+] und der Instinkt der Biene seine Zelle bauet.

Vortreflich daß dieser neue, selbstgemachte Sinn des Geistes gleich in seinem Ursprunge wieder ein Mittel der Verbindung ist – Ich kann nicht den ersten Menschlichen Gedanken denken, nicht das Erste besonnene Urtheil reihen, ohne daß ich in meiner Seele dialogire oder zu dialogiren strebe; der erste Menschliche Gedanke bereitet also seinem Wesen nach, mit andern dialogiren zu können! Das erste Merkmal, was ich erfaße, ist Merkwort für mich, und Mittheilungswort für Andre![+]

– *Sic verba, quibus voces sensusque notarent*
Nominaque invenere – –

Horat.[+]

Der Brennpunkt ist ausgemacht, auf welchem Prometheus Himmlischer Funke in der Menschlichen Seele zündet – beim ersten Merkmal ward Sprache; aber welches waren die ersten Merkmale zu Elementen der Sprache?

1. Töne.

Cheseldens Blinder* zeigt, wie langsam sich das Gesicht entwickle? wie schwer die Seele zu den Begriffen, von Raum, Gestalt und Farbe komme? wieviel Versuche gemacht, wieviel Meßkunst erworben werden muß, um diese Merkmale deutlich zu gebrauchen: das war also nicht der füglichste Sinn zu Sprache. Zudem waren seine Phänomene so kalt und stumm: die Empfindungen der grobern Sinne wiederum so undeutlich und in einander, daß nach aller Natur entweder nichts, oder das Ohr der erste Lehrmeister der Sprache wurde.

Da ist z. E. das Schaaf. Als Bild schwebet es dem Auge mit allen Gegenständen, Bildern und Farben auf Einer grossen Naturtafel vor – wie viel, wie mühsam zu unterscheiden! Alle Merkmale sind fein verflochten, neben einander – alle noch unaussprechlich! Wer kann Gestalten reden? wer kann Farben tönen? Er nimmt das Schaaf unter seine tastende Hand – das Gefühl ist sicherer und voller; aber so voll, so dunkel in einander – wer kann, was er fühlt, sagen? Aber horch! das Schaaf blöcket! Da reißt sich Ein Merkmal von der Leinwand des Farbenbildes, worinn so wenig zu unterscheiden war, von selbst los: ist tief und deutlich in die Seele gedrungen. »Ha! sagt der lernende Unmündige, wie jener Blindgewesene Cheseldens, nun werde ich dich wiederkennen – du blökst!« Die Turteltaube girrt! der Hund bellet! da sind drei Worte, weil er drei deutliche Ideen versuchte, diese in seine Logik, jene in sein Wörterbuch! Vernunft und Sprache thaten gemeinschaftlich einen furchtsamen Schritt und die Natur kam ihnen auf halbem Wege entgegen – durchs Gehör. Sie tönte das Merk

---

* *Philos. Transact. – Abridgment* – auch in *Cheselden's Anatomy,* in Smith-Kästners Optik, in Buffons Naturgeschichte, Enzyklopädie und zehn kleinen französischen Wörterbüchern unter aveugle.+

mal nicht blos vor, sondern tief in die Seele hinein! es klang! die Seele haschte – da hat sie ein tönendes Wort!

Der Mensch ist also als ein horchendes, merkendes Geschöpf zur Sprache natürlich gebildet, und selbst ein Blinder und Stummer, siehet man, müste Sprache erfinden, wenn er nur nicht fühllos und taub ist. Setzet ihn gemächlich und behaglich auf eine einsame Insel: die Natur wird sich ihm durchs Ohr offenbaren: tausend Geschöpfe, die er nicht sehen kann, werden doch mit ihm zu sprechen scheinen, und, bliebe auch ewig sein Mund und sein Auge verschloßen, seine Seele bleibt nicht ganz ohne Sprache. Wenn die Blätter des Baumes dem armen Einsamen Kühlung herabrauschen, wenn der vorbeimurmelnde Bach ihn in den Schlaf wieget, und der hinzusäuselnde West seine Wangen fächelt – das blöckende Schaaf gibt ihm Milch, die rieselnde Quelle Waßer, der rauschende Baum Früchte – Intereße gnug, die wohlthätigen Wesen zu kennen, Dringniß gnug, ohne Augen und Zunge in seiner Seele sie zu nennen. Der Baum wird der Rauscher, der West Säusler, die Quelle Riesler heißen – da liegt ein kleines Wörterbuch fertig, und wartet auf das Gepräge der Sprachorgane. Wie arm, und sonderbar aber müsten die Vorstellungen sein, die dieser Verstümmelte mit solchen Schällen verbindet*!

Nun laßet dem Menschen alle Sinne frei: er sehe und taste und fühle zugleich alle Wesen, die in sein Ohr reden – Himmel! welch ein Lehrsaal der Ideen und der Sprache! Führet keinen Merkur und Apollo, als Opernmaschinen von den Wolken herunter – die ganze vieltönige, göttliche Natur ist Sprachlehrerin und Muse! Da führet sie alle Geschöpfe bei ihm vorbei: jedes trägt seinen Namen auf der Zunge und nennet sich, diesem verhüllten sichtbaren Gotte! als Vasall und Diener. Es liefert ihm sein Merkwort ins Buch seiner Herrschaft, wie einen Tribut, damit er sich bei diesem Namen seiner erinnere, es künftig rufe und genieße. Ich frage, ob je diese Wahrheit: »eben der Verstand, durch den der Mensch über die Natur herrschet, war der Vater einer lebendigen Sprache, die er aus Tönen schallender Wesen zu Merkmalen

---

* Diderot ist in seinem ganzen Briefe sur les sourds et muets kaum auf diese Hauptmaterie gekommen, da er sich nur bei Inversionen und hundert andern Kleinigkeiten aufhält.+

der Unterscheidung sich abzog!« ich frage, ob je diese trockne Wahrheit auf Morgenländische Weise edler und schöner könne gesagt werden als »Gott führte die Thiere zu ihm, daß er sähe, wie er sie nennete! und wie er sie nennen würde, so sollten sie heißen!« Wo kann es auf Morgenländische, Poetische Weise bestimmter gesagt werden: der Mensch erfand sich selbst Sprache! – aus Tönen lebender Natur! – zu Merkmalen seines herrschenden Verstandes! – Und das ist, was ich beweise.[+]

Hätte Engel oder Himmlischer Geist die Sprache erfunden: wie anders als daß ihr ganzer Bau ein Abdruck von der Denkart dieses Geistes seyn müste: denn woran könnte ich ein Bild von einem Engel gemahlt kennen, als an dem Englischen, Überirrdischen seiner Züge? Wo findet das aber bei unsrer Sprache statt? Bau, und Grundriß, ja selbst der erste Grundstein dieses Pallastes verräth Menschheit!

In welcher Sprache sind Himmlische, Geistige Begriffe die Ersten? jene Begriffe, die auch nach der Ordnung unsres denkenden Geistes die Ersten sein müsten – Subjekte, *notiones communes*, die Saamenkörner unsrer Erkenntniß, die Punkte, um die sich Alles wendet und Alles zurückführt – sind diese lebende Punkte Elemente der Sprache? Die Subjekte müßten doch natürlicher Weise vor dem Prädikat, und die einfachsten Subjekte vor den zusammengesetzten, was da thut und handelt, vor dem, was es handelt, das Wesentliche und Gewiße vor dem Ungewißen, Zufälligen vorhergegangen seyn – Ja, was man nicht alles schließen könnte, und – in unsern ursprünglichen Sprachen findet durchgängig das offenbare Gegentheil statt. Ein hörendes, aufhorchendes Geschöpf ist kennbar, aber kein Himmlischer Geist: denn –

tönende *Verba* sind die ersten Machtelemente.[+] Tönende *Verba*? Handlungen, und noch nichts, was da handelt? Prädikate und noch kein Subjekt? Der Himmlische Genius mag sich deßen zu schämen haben, aber nicht das sinnliche Menschliche Geschöpf: denn was rührte dies, wie wir gesehen, inniger, als diese tönenden Handlungen? Und was ist also die ganze Bauart der Sprache anders als eine Entwickelungsweise seines Geistes, eine Geschichte seiner Entdeckungen! Der göttliche Ursprung erklärt nichts und läßt nichts aus sich erklären; er ist, wie Bako[+] von einer andern

Sache sagt, heilige Vestalin – Gottgeweihet aber unfruchtbar, fromm, aber zu nichts nütze!

Das erste Wörterbuch war also aus den Lauten aller Welt gesammlet. Von jedem tönenden Wesen klang sein Name: die menschliche Seele prägte ihr Bild drauf, dachte sie als Merkzeichen – wie anders, als daß diese tönenden Interjektionen die Ersten wurden, und so sind z. E. die morgenländischen Sprachen voll *Verba* als Grundwurzeln der Sprache. Der Gedanke an die Sache selbst schwebte noch zwischen dem Handelnden und der Handlung; der Ton muste die Sache bezeichnen, so wie die Sache den Ton gab; aus den *Verbis* wurden also *Nomina* und nicht *Verba* aus den *Nominibus*. Das Kind nennet das Schaaf, als Schaaf nicht, sondern als ein blöckendes Geschöpf, und macht also die Interjektion zu einem *Verbo*. Im Stuffengange der Menschlichen Sinnlichkeit wird diese Sache erklärbar, aber nicht in der Logik des höhern Geistes.

Alle alte, wilde Sprachen sind voll von diesem Ursprunge, und in einem Philosophischen Wörterbuch der Morgenländer wäre jedes Stammwort mit seiner Familie, recht gestellet und gesund entwickelt, eine Charte vom Gange des Menschlichen Geistes, eine Geschichte seiner Entwicklung, und ein ganzes solches Wörterbuch die vortreflichste Probe von der Erfindungskunst der Menschlichen Seele – ob aber auch von der Sprach- und Lehrmethode Gottes? Ich zweifle!

Indem die ganze Natur tönt: so ist einem sinnlichen Menschen nichts natürlicher, als daß sie lebt, sie spricht, sie handelt. Jener Wilde sahe den hohen Baum mit seinem prächtigen Gipfel und bewunderte: der Gipfel rauschte! das ist webende Gottheit! der Wilde fällt nieder und betet an! Sehet da die Geschichte des sinnlichen Menschen, das dunkle Band, wie aus den *Verbis Nomina* werden – und den leichtesten Schritt zur Abstraktion! Bei den Wilden von Nordamerika z. B. ist noch Alles belebt: jede Sache hat ihren Genius, ihren Geist, und daß es bei Griechen und Morgenländern eben so gewesen, zeugt ihr ältestes Wörterbuch und Grammatik – sie sind wie die ganze Natur dem Erfinder war, ein Pantheon! ein Reich belebter, handelnder Wesen!

Indem der Mensch aber alles auf sich bezog: indem alles mit

ihm zu sprechen schien, und würklich für oder gegen ihn handelte: indem er also mit oder dagegen Theil nahm, liebte oder haßte und sich alles Menschlich vorstellte; alle diese Spuren der Menschlichkeit drückten sich auch in die ersten Namen!+ Auch sie sprachen Liebe oder Haß, Fluch oder Segen, Sanftes oder Widrigkeit, und insonderheit wurden aus diesem Gefühl in so vielen Sprachen die Artikel! Da wurde Alles Menschlich, zu Weib und Mann personificirt; überall Götter, Göttinnen, handelnde, bösartige oder gute Wesen! Der brausende Sturm, und der süße Zephyr, die klare Waßerquelle und der mächtige Ocean – ihre ganze Mythologie liegt in den Fundgruben, den *Verbis* und *Nominibus* der alten Sprachen und das älteste Wörterbuch war so ein tönendes Pantheon, ein Versammlungssaal beider Geschlechter, als den Sinnen des ersten Erfinders die Natur. Hier ist die Sprache einer alten, wilden Nation+ ein Studium in den Irrgängen Menschlicher Phantasie und Leidenschaften, wie ihre Mythologie. Jede Familie von Wörtern ist ein verwachsnes Gebüsche um eine sinnliche Hauptidee, um eine heilige Eiche, auf der noch Spuren sind, welchen Eindruck der Erfinder von ihrer+ Dryade hatte. Die Gefühle sind ihm zusammengewebt: was sich beweget, lebt: was da tönet, spricht – und da es für oder wider dich tönt, so ists Freund oder Feind, Gott oder Göttinn: es handelt aus Leidenschaften, wie du!

Ein Menschliches, sinnliches Geschöpf liebe ich über diese Denkart: ich sehe überall den schwachen, schüchternen Empfindsamen, der lieben, oder haßen, trauen oder fürchten muß, und diese Empfindungen aus seiner Brust über alle Wesen ausbreiten möchte. Ich sehe überall das schwache und doch mächtige Geschöpf, das das ganze Weltall nöthig hat, und alles mit sich in Krieg und Frieden verwickelt; das von allem abhangt und doch über Alles herrschet – Die Dichtung und die Geschlechterschaffung der Sprache sind also Intereße der Menschheit, und die Genetalien der Rede gleichsam das Mittel ihrer Fortpflanzung. Aber nun – wenn sie ein höherer Genius aus den Sternen hinuntergebracht – wie? wurde dieser Genius aus den Sternen auf unsrer Erde unter dem Monde in solche Leidenschaften von Liebe und Schwachheit, von Haß und Furcht verwickelt? daß er alles in Zuneigung und Haß verflocht, daß er alle Worte mit Furcht und Freude bezeichnete, daß er endlich alles auf Begattungen bauete? Sahe und fühlte er, wie ein Mensch siehet, daß sich ihm die *Nomina* in Geschlechter und Artikel paaren mußten, daß er die *Verba* thätig und leidend zusammengab, ihnen so viel ächte und Doppelkinder[+] zuerkannte, kurz, daß er die ganze Sprache auf das Gefühl Menschlicher Schwachheiten bauete? – sahe und fühlte er so?

Einem Vertheidiger des übernatürlichen Ursprunges ists göttliche Ordnung der Sprache, »daß die meisten Stammwörter einsylbig, die *Verba* meistens zweisylbig sind und also die Sprache nach dem Maaße des Gedächtnißes eingetheilt sey«.[+] Das Faktum ist nicht genau und der Schluß unsicher. In den Resten der für die älteste angenommenen Sprache sind die Wurzeln alle zweisylbige *Verba*; welches ich nun aus dem vorigen sehr gut erklären kann, da die Hypothese des Gegentheils keinen Grund findet. Diese *Verba* nämlich sind unmittelbar auf die Laute und Interjektionen der tönenden Natur gebauet, die oft noch in ihnen tönen, hie und da auch noch als Interjektionen aufbehalten sind; meistens aber musten sie, als halbinartikulirte Töne, verlohren gehen, da sich die Sprache formte. In den morgenländischen Sprachen fehlen also diese ersten Versuche der stammelnden Zunge; aber, daß sie fehlen, und nur ihre regelmäßigen Reste in den *Verbis* tönen, das eben zeigt von der Ursprünglichkeit und – Menschlichkeit der Sprache. Sind diese Stämme Schätze und Abstraktionen aus dem Verstande Gottes, oder die ersten Laute des horchenden Ohrs? die ersten Schälle der stammelnden Zunge? Das Menschengeschlecht in seiner Kindheit hat sich so eben die Sprache geformet, die ein Unmündiger stammlet: es ist das lallende Wörterbuch der Ammenstube – wo bleibt das im Munde der Erwachsnen?

Was so viele Alten sagen und so viel Neuere ohne Sinn nachgesagt, nimmt hieraus sein sinnliches Leben, »daß nehmlich Poesie älter gewesen, als Prosa!«[+] Denn was war diese erste Sprache als eine Sammlung von Elementen der Poesie? Nachahmung der tönenden, handelnden, sich regenden Natur! Aus den Interjektionen aller Wesen genommen, und von Interjektionen Menschlicher Empfindung belebt! Die Natursprache aller Geschöpfe vom Verstande in Laute gedichtet, in

Bilder von Handlung, Leidenschaft und lebender Einwürkung! Ein Wörterbuch der Seele, was zugleich Mythologie und eine wunderbare Epopee von den Handlungen und Reden aller Wesen ist! Also eine beständige Fabeldichtung mit Leidenschaft und Intereße! – Was ist Poesie anders?

Ferner. Die Tradition des Althertums sagt, die erste Sprache des Menschlichen Geschlechts sei Gesang gewesen[+], und viele gute Musikalische Leute haben geglaubt, die Menschen könnten diesen Gesang wohl den Vögeln abgelernt haben. – Das ist freilich viel geglaubt! Eine große, wichtige Uhr mit allen ihren scharfen Rädern, und neugespannten Federn, und Centnergewichten kann wohl ein Glockenspiel von Tönen machen; aber den neugeschaffnen Menschen mit seinen würksamen Triebfedern, mit seinen Bedürfnißen, mit seinen starken Empfindungen, mit seiner fast blind beschäftigten Aufmerksamkeit und endlich mit seiner rohen Kehle dahinsetzen, um die Nachtigall nachzuäffen, und sich von ihr eine Sprache zu ersingen, ist, in wie vielen Geschichten der Musik und Poesie es auch stehe, für mich unbegreiflich. Freilich wäre eine Sprache durch Musikalische Töne möglich, (wie auch Leibniz[*] auf den Gedanken gekommen!) aber für die ersten Naturmenschen war diese Sprache nicht möglich, so künstlich und fein ist sie. In der Reihe der Wesen hat jedes Ding seine Stimme und eine Sprache nach seiner Stimme. Die Sprache der Liebe ist im Nest der Nachtigall süßer Gesang, wie in der Höle des Löwen Gebrüll: im Forste des Wildes wiehernde Brunst, und im Winkel der Katze Zetergeschrei; jede Gattung redet die ihrige, nicht für den Menschen, sondern für sich, und für sich so angenehm als Petrarchs Gesang an seine Laura! So wenig also die Nachtigall singt, um den Menschen, wie man sich einbildet, vorzusingen: sowenig wird der Mensch sich dadurch je Sprache erfinden wollen, daß er der Nachtigall nachtrillert – und was ists doch für ein Ungeheuer, eine Menschliche Nachtigall in einer Höle, oder im Walde der Jagd?

War also die erste Menschensprache Gesang: so wars Gesang, der ihm so natürlich, seinen Organen und Naturtrieben so angemeßen war, als der Nachtigallengesang ihr

---

* Œuvres philosophiques publiées p. Raspe p. 232.[+]

selbst, die gleichsam eine schwebende Lunge ist, und das war – eben unsre tönende Sprache. Condillac, Roußeau und andre sind hier halb auf den Weg gekommen, indem sie die Prosodie und den Gesang der ältesten Sprachen vom Geschrei der Empfindung herleiten, und ohne Zweifel belebte Empfindung freilich die ersten Töne und erhob sie; so wie aber aus den bloßen Tönen der Empfindung nie Menschliche Sprache entstehen konnte, die dieser Gesang doch war; so fehlt noch Etwas, ihn hervorzubringen: und das war eben die Namennennung eines jeden Geschöpfs nach seiner Sprache. Da sang und tönte also die ganze Natur vor: und der Gesang des Menschen war ein Concert aller dieser Stimmen, sofern sie sein Verstand brauchte, seine Empfindung faßte, seine Organe sie ausdrücken konnten – Es ward Gesang, aber weder Nachtigallenlied, noch Leibnizens Musikalische Sprache, noch ein bloßes Empfindungsgeschrei der Thiere: Ausdruck der Sprache aller Geschöpfe, innerhalb der natürlichen Tonleiter der Menschlichen Stimme!

Selbst da die Sprache später mehr regelmäßig, eintönig und gereihet wurde, blieb sie noch immer eine Gattung Gesang, wie es die Accente so vieler Wilden bezeugen; und daß aus diesem Gesange, nachher veredelt und verfeinert, die älteste Poesie und Musik entstanden, hat jetzt schon mehr als Einer bewiesen. Der Philosophische Engländer*, der sich in unserm Jahrhunderte an diesen Ursprung der Poesie und Musik gemacht, hätte am weitesten kommen können, wenn er nicht den Geist der Sprache von seiner Untersuchung ausgeschloßen und minder auf sein System ausgegangen wäre, Poesie und Musik auf Einen Vereinigungspunkt einzuschließen, auf welchem keine sich recht zeigen kann, als auf den Ursprung von beiden aus der ganzen Natur des Menschen. Überhaupt, da die besten Stücke der alten Poesie Reste dieser Sprachsingenden Zeiten sind: so sind die Mißkänntniße, die Veruntreuungen und die schiefen Geschmacksfehler ganz unzählich, die man aus dem Gange der ältesten Gedichte, der Griechischen Trauerspiele, und Deklamationen herausbuchstabirt hat. Wieviel hätte hier noch ein Philosoph zu sagen, der unter den Wilden, wo noch dies Zeitalter lebt, den Ton gelernt

* Brown.⁺

hätte, diese Stücke zu lesen! Sonst und gewöhnlich sieht man immer nur Gewebe des verkehrten Teppichs! *Disiecti membra poetae!*[+] – Doch ich verlöre mich in ein unermäßliches Feld, wenn ich mich in einzelne Sprachanmerkungen einlaßen wollte – also zurück auf den ersten Erfindungsweg der Sprache!

Wie aus Tönen zu Merkmalen vom Verstande geprägt, Worte wurden, war sehr begreiflich; aber nicht alle Gegenstände tönen, woher nun für diese Merkworte, bei denen die Seele sie nenne? woher dem Menschen die Kunst, was nicht Schall ist, in Schall zu verwandeln? Was hat die Farbe, die Rundheit mit dem Namen gemein, der aus ihr so entstehe, wie der Name Blöcken aus dem Schaafe? – Die Vertheidiger des übernatürlichen Ursprungs wißen hier gleich Rath: »willkührlich! wer kanns begreifen und im Verstande Gottes nachsuchen, warum grün, grün und nicht blau heißt? ohne Zweifel hats ihm so beliebt!« und damit ist der Faden abgeschnitten! Alle Philosophie über die Erfindungskunst der Sprache schwebt also willkührlich in den Wolken, und für uns ist jedes Wort eine *qualitas occulta*, etwas Willkührliches! – Nun mag mans nicht übelnehmen, daß ich in diesem Falle das Wort willkührlich nicht begreife. Eine Sprache willkührlich und ohne allen Grund der Wahl aus dem Gehirn zu erfinden, ist wenigstens für eine Menschliche Seele, die zu Allem einen, wenn auch nur Einigen Grund haben will, solch eine Quaal, als für den Körper sich zu Tode streicheln zu laßen. Bei einem rohen, sinnlichen Naturmenschen überdem, deßen Kräfte noch nicht fein gnug sind, um ins unnütze hinzuspielen, der, ungeübt und stark, nichts ohne dringende Ursache thut, und nichts vergebens thun will, bei dem ist die Erfindung einer Sprache aus schaaler, leerer Willkühr der ganzen Analogie seiner Natur entgegen: und es ist überhaupt der ganzen Analogie aller Menschlichen Seelenkräfte entgegen, eine aus reiner Willkühr ausgedachte Sprache.[+]

Also zur Sache. Wie hat der Mensch, seinen Kräften überlassen, sich auch erfinden können? Wie hängt Gesicht und Gehör, Farbe und Wort, Duft und Ton zusammen?

Nicht unter sich in den Gegenständen; aber was sind denn diese Eigenschaften in den Gegenständen? Sie sind blos sinnliche Empfindungen in uns, und als solche fließen sie nicht Alle in Eins? Wir sind ein denkendes *sensorium commune*[+], nur von verschiednen Seiten berührt – da liegt die Erklärung.

Allen Sinnen liegt Gefühl zum Grunde, und dies gibt den verschiedenartigsten Sensationen schon ein so inniges, starkes, unaussprechliches Band, daß aus dieser Verbindung die sonderbarsten Erscheinungen entstehen. Mir ist mehr als Ein Beispiel bekannt, da Personen natürlich, vielleicht aus einem Eindruck der Kindheit, nicht anders konnten, als unmittelbar durch eine schnelle Anwandelung mit diesem Schall jene Farbe, mit dieser Erscheinung jenes ganz verschiedne, dunkle Gefühl verbinden, was durch die Vergleichung der langsamen Vernunft mit ihr gar keine Verwandtschaft hat: denn wer kann Schall und Farbe, Erscheinung und Gefühl vergleichen? Wir sind voll solcher Verknüpfungen der verschiedensten Sinne; nur wir bemerken sie nicht anders als in Anwandlungen, die uns aus der Faßung setzen, in Krankheiten der Phantasie oder bei Gelegenheiten, wo sie außerordentlich merkbar werden. Der gewöhnliche Lauf unsrer Gedanken geht so schnell, die Wellen unsrer Empfindungen rauschen so dunkel in einander: es ist auf Einmal so Viel in unsrer Seele, daß wir in Absicht der meisten Ideen wie im Schlummer an einer Wasserquelle sind, wo wir freilich noch das Rauschen jeder Welle hören, aber so dunkel, daß uns endlich der Schlaf alles Merkbare Gefühl nimmt.[+] Wäre es möglich, daß wir die Kette unsrer Gedanken anhalten, und an jedem Gliede seine Verbindung suchen könnten – welche Sonderbarkeiten! welche fremde Analogien der verschiedensten Sinne, nach denen doch die Seele geläufig handelt! Wir wären alle, für ein blos vernünftiges Wesen, jener Gattung von Verrückten ähnlich, die klug denken, aber sehr unbegreiflich und albern verbinden!

Bei sinnlichen Geschöpfen, die durch viele verschiedne Sinne auf Einmal empfinden, ist diese Versammlung von Ideen unvermeidlich; denn was sind alle Sinne anders als bloße Vorstellungsarten Einer positiven Kraft der Seele? Wir unterscheiden sie; aber wieder nur durch Sinne; also Vorstellungsarten durch Vorstellungsarten. Wir lernen mit vieler Mühe, sie im Gebrauche trennen – in einem gewißen Grunde aber würken sie noch immer zusammen. Alle Zergliederungen der Sensation bei Buffons, Condillacs und Bonnets[+] empfindendem Menschen sind Abstraktionen: der Philosoph muß Einen Faden der Empfindung liegen laßen, indem er den andern verfolgt – in der Natur aber sind alle die Fäden Ein Gewebe! – Je dunkler nun die Sinne sind, desto mehr fließen sie in einander; und je ungeübter, je weniger man noch gelernt hat, Einen ohne den andern zu brauchen, mit Adreße[+] und Deutlichkeit zu brauchen; desto dunkler! – Laßt uns dies auf den Anfang der Sprache anwenden! Die Kindheit und Unerfahrenheit des Menschlichen Geschlechts hat sie erleichtert!

Der Mensch trat in die Welt hin; von welchem Ocean wurde er auf Einmal bestürmt! mit welcher Mühe lernte er unterscheiden! Sinne erkennen! erkannte Sinne allein gebrauchen! Das Sehen ist der kälteste Sinn, und wäre er immer so kalt, so entfernt, so deutlich gewesen, als ers uns durch eine Mühe und Übung vieler Jahre geworden ist: so sehe ich freilich nicht, wie man, was man sieht, hörbar machen könnte? Allein die Natur hat dafür gesorgt und den Weg näher angezogen: denn selbst dies Gesicht war, wie Kinder und Blindgewesene zeugen, Anfangs nur Gefühl. Die meisten sichtbaren Dinge bewegen sich; viele tönen in der Bewegung: wo nicht, so liegen sie dem Auge in seinem ersten Zustande gleichsam näher, unmittelbar auf ihm, und laßen sich also fühlen. Das Gefühl liegt dem Gehör so nahe: seine Bezeichnungen, z. E. hart, rauh, weich, wolligt, sammet, haarigt, starr, glatt, schlicht, borstig u.s.w. die doch alle nur Oberflächen betreffen, und nicht einmal tief einwürken, tönen alle, als ob mans fühlte: die Seele, die im Gedränge solcher zusammenströmenden Empfindungen und in der Bedürfniß war, ein Wort zu schaffen, grif und bekam vielleicht das Wort eines nachbarlichen Sinnes, deßen Gefühl mit diesem zusammenfloß – so wurden für alle und selbst für den kältesten Sinn Worte. Der Blitz schallet nicht, wenn er nun aber ausgedrückt werden soll, dieser Bote der Mitternacht!

Der jetzt im Nu enthüllet Himm'l und Erd
und eh ein Mensch noch sagen kann: Sieh da!
Schon in den Schlund der Finsternis hinab ist – +

natürlich wirds ein Wort machen, das durch Hülfe eines Mit-
telgefühls dem Ohr die Empfindung des Urplötzlichschnellen
gibt, die das Auge hatte – Blitz! – Das Wort: Duft, Ton,
süß, bitter, sauer u.s.w. tönen alle, als ob man fühlte: denn
was sind ursprünglich alle Sinne anders, als Gefühl? – Wie
aber Gefühl sich in Laut äußern könne, das haben wir schon
im ersten Abschnitte als ein unmittelbares Naturgesetz der
empfindenden Maschiene angenommen, das wir weiter nicht
erklären mögen!
Und so führen sich alle Schwürigkeiten auf folgende zwo er-
wiesene deutliche Sätze zurück.
1) Da alle Sinne nichts als Vorstellungsarten der Seele
sind: so habe sie nur deutliche Vorstellung: mithin
Merkmal, mit dem Merkmal hat sie innere Sprache.
2) Da alle Sinne, insonderheit im Zustande der Menschlichen Kindheit, nichts als Gefühlsarten einer Seele
sind: alles Gefühl aber nach einem Empfindungsgesetz
der thierischen Natur unmittelbar seinen Laut hat; so
werde dies Gefühl nur zum Deutlichen eines Merkmals
erhöht: so ist das *Wort* zur äußern Sprache da. Hier kommen wir auf eine Menge sonderbarer Betrachtungen, wie die
Weisheit der Natur den Menschen durchaus dazu organisirt hat, um sich selbst Sprache zu erfinden. Hier ist die
Hauptbemerkung:
»Da der Mensch blos durch das Gehör die Sprache der lehren-
den Natur empfängt, und ohne das die Sprache nicht erfinden
kann: so ist Gehör auf gewiße Weise der Mittlere seiner Sinne,
die eigentliche Thür zur Seele, und das Verbindungsband der
übrigen Sinne geworden.« Ich will mich erklären!
1. Das Gehör ist der Mittlere der menschlichen Sinne an
Sphäre der Empfindbarkeit von außen. Gefühl empfindet
Alles nur in sich und in seinem Organ; das Gesicht wirft uns
große Strecken weit aus uns hinaus: das Gehör steht an Grad
der Mittheilbarkeit in der Mitte. Was das für die Sprache thut?
Setzet ein Geschöpf, selbst ein vernünftiges Geschöpf, dem
das Gefühl Hauptsinn wäre (im Fall dies möglich ist!) wie

klein ist seine Welt! und da es diese nicht durchs Gehör empfindet, so wird es sich wohl vielleicht, wie das Insekt ein Gewebe, aber nicht durch Töne eine Sprache bauen! Wiederum
ein Geschöpf, ganz Auge – wie unerschöpflich ist die Welt
seiner Beschauungen! wie unermäßlich weit wird es aus sich
geworfen, in welche unendliche Mannichfaltigkeit zerstreuet!
Seine Sprache, (wir haben davon keinen Begrif!) würde eine
Art unendlich feiner Pantomime; seine Schrift eine Algebra
durch Farben und Striche werden – aber tönende Sprache nie!
Wir hörende Geschöpfe stehn in der Mitte: wir sehen, wir
fühlen; aber die gesehene, gefühlte Natur tönet! Sie wird
Lehrmeisterin zur Sprache durch Töne! Wir werden gleichsam Gehör durch alle Sinne!
Lasset uns die Bequemlichkeit unsrer Stelle fühlen – dadurch
wird jeder Sinn Sprachfähig. Freilich gibt Gehör nur eigentlich Töne, und der Mensch kann nichts erfinden, sondern
nur finden, nur nachahmen; allein auf der Einen Seite liegt das
Gefühl neben an: auf der andern ist das Gesicht der nachbarli-
che Sinn: die Empfindungen vereinigen sich und kommen also
alle der Gegend nahe, wo Merkmale zu Schällen werden. So
wird, was man sieht, so wird, was man fühlt, auch tönbar.
Der Sinn zur Sprache ist unser Mittel- und Vereini-
gungssinn geworden; wir sind Sprachgeschöpfe.
2. Das Gehör ist der Mittlere unter den Sinnen an Deutlichkeit und Klarheit; und also wiederum Sinn zur Sprache.
Wie dunkel ist das Gefühl! es wird übertäubt! es empfindet
alles in einander. Da ist mit Mühe ein Merkmal der Anerkennung abzusondern: es wird unaussprechlich!
Wiederum das Gesicht ist so helle und überglänzend, es liefert
eine solche Menge von Merkmalen, daß die Seele unter der
Mannichfaltigkeit erliegt, und etwa Eins nur so schwach absondern kann, daß die Wiedererkennung daran schwer wird.
Das Gehör ist in der Mitte. Alle in einanderfallende dunkle
Merkmale des Gefühls läßts liegen! alle zu feine Merkmale des
Gesichts auch! aber da reißt sich vom betasteten, betrachteten
Objekt ein Ton los? In den sammlen sich die Merkmale jener
beiden Sinne – der wird Merkwort! Das Gehör greift also von
beiden Seiten um sich: macht klar, was zu dunkel; macht
angenehmer, was zu helle war: bringt in das dunkel Mannichfaltige des Gefühls mehr Einheit, und in das zu hell Mannich-

faltige des Gesichts auch: und da diese Anerkennung des
Mannichfaltigen durch Eins, durch ein Merkmal, Sprache wird, ists Organ der Sprache.

3. Das Gehör ist der mittlere Sinn in Ansehung der Lebhaf-
tigkeit und also Sinn der Sprache. Das Gefühl überwältigt:
das Gesicht ist zu kalt und gleichgültig; jenes dringt zu tief in
uns, als daß es Sprache werden könnte; dies bleibt zu ruhig
vor uns. Der Ton des Gehörs dringt so innig in unsre Seele,
daß er Merkmal werden muß; aber noch nicht so übertäu-
bend, daß er nicht klares Merkmal werden könnte – das ist
Sinn der Sprache.

Wie kurz, ermüdend und unausstehlich wäre die Sprache jedes
gröbern Sinnes für uns! wie verwirrend und Kopfleerend für
uns die Sprache des zu feinen Gesichts! Wer kann immer
schmecken, fühlen und riechen, ohne nicht bald, wie Pope
sagt[+], einen aromatischen Tod zu sterben? und wer immer
mit Aufmerksamkeit ein Farbenklavier begaffen, ohne nicht
bald zu erblinden? Aber hören, gleichsam hörend Worte denken, können wir länger und fast immer – das Gehör ist für
die Seele, was die grüne, die Mittelfarbe, fürs Gesicht
ist. Der Mensch ist zum Sprachgeschöpfe gebildet.

4. Das Gehör ist der mitlere Sinn in Betracht der Zeit in der
es würkt, und also Sinn der Sprache. Das Gefühl wirft alles
auf Einmal in uns hin: es regt unsre Saiten stark, aber kurz
und springend; das Gesicht stellt uns alles auf Einmal vor,
und schreckt also den Lehrling durch die unermeßliche Tafel
des Nebeneinander ab. Durchs Gehör, sehet! wie uns die
Lehrmeisterin der Sprache schonet! Sie zählt uns nur Einen Ton nach dem Andern in die Seele, gibt und ermüdet
nie, gibt und hat immer mehr zu geben – sie übet also das
ganze Kunststück der Methode: sie lehret Progreßiv! Wer
könnte da nicht Sprache faßen, sich Sprache erfinden?

5. Das Gehör ist der Mittlere Sinn in Absicht des Bedürfni-
ßes sich auszudrücken und also Sinn der Sprache. Das Gefühl würkt unaussprechlich dunkel, allein um so weniger
darfs, ausgesprochen werden – es geht so sehr unser Selbst
an! Es ist so eigennützig und in sich gesenkt! – Das Gesicht ist
für den Spracherfinder unaussprechlich; allein was brauchts
so gleich ausgesprochen zu werden? Die Gegenstände bleiben! sie laßen sich durch Winke zeigen! Die Gegenstände

des Gehörs aber sind mit Bewegung verbunden: sie streichen vorbei; eben dadurch aber tönen sie auch. Sie werden aussprechlich, weil sie ausgesprochen werden müßen, und dadurch, daß sie ausgesprochen werden müßen, durch ihre Bewegung, werden sie aussprechlich – welche Fähigkeit zur Sprache!

6. Das Gehör ist der Mittlere Sinn in Absicht seiner Entwicklung, und also Sinn der Sprache. Gefühl ist der Mensch ganz: der Embryon in seinem ersten Augenblick des Lebens fühlet wie der Junggebohrne: das ist Stamm der Natur, aus dem die zärtern Äste der Sinnlichkeit wachsen und der verflochtne Kneuel, aus dem sich alle feinere Seelenkräfte entwikkeln. Wie entwickeln sich diese? wie wir gesehen, durchs Gehör, da die Natur die Seele zur ersten deutlichen Empfindung durch Schälle wecket – Also gleichsam aus dem dunkeln Schlaf des Gefühls wecket: und zu noch feinerer Sinnlichkeit reifet. Wäre z. B. das Gesicht schon vor ihm entwickelt da, oder wäre es möglich, daß es anders, als durch den Mittelsinn des Gehörs aus dem Gefühl erwecket wäre – welche weise Armuth! welche hellsehende Dummheit! Wie schwürig würde es einem solchen Geschöpf, ganz-Auge! wenn es doch Mensch seyn sollte, das, was es sähe zu benennen! das kalte Gesicht mit dem wärmern Gefühl, mit dem ganzen Stamme der Menschheit zu einverbinden! – Doch die Instanz selbst wird wiedersprechend: der Weg zu Entwicklung der Menschlichen Natur – ist beßer und Einzig! Da alle Sinne zusammenwürken, sind wir, durchs Gehör, gleichsam immer in der Schule der Natur, lernen abstrahiren, und zugleich sprechen; das Gesicht verfeinert sich mit der Vernunft: die Vernunft wird Gabe+ der Bezeichnung, und so wenn der Mensch zu der feinsten Charakteristik sichtlicher Phänomene kommt – welch ein Vorrath von Sprache und Sprachähnlichkeiten liegt schon fertig! Er nahm den Weg aus dem Gefühl in den Sinn seiner Phantasmen nicht anders als über den Sinn der Sprache und hat also gelernt tönen, so wohl was er siehet, als was er fühlte.

Könnte ich nun hier alle Enden zusammennehmen, und mit Einmal das Gewebe sichtbar machen, was Menschliche Natur heißt: durchaus ein Gewebe zur Sprache. Dazu, sahen wir, war dieser Positiven Denkkraft Raum und Sphäre erteilet:

dazu ihr Stof und Materie abgewogen: dazu Gestalt und Form geschaffen: dazu endlich Sinne organisirt und gereihet – zu Sprache! Darum denkt der Mensch nicht heller, nicht dunkler; darum sieht und fühlt er nicht schärfer, nicht länger, nicht lebhafter: darum hat er diese, nicht mehr und nicht andre Sinne – alles wiegt gegen einander! ist ausgespart und ersetzt! mit Absicht angelegt und vertheilt! Einheit und Zusammenhang! Proportion und Ordnung! Ein Ganzes! Ein System! ein Geschöpf von Besonnenheit und Sprache, von Besinnung und Sprachschaffung! Wollte jemand, nach allen Beobachtungen, noch diese Bestimmung zum Sprachgeschöpfe leugnen, der müste aus dem Beobachter der Natur erst ihr Zerstörer werden! alle angezeigte Harmonien in Mistöne zerreißen: das ganze Prachtgebäude der Menschlichen Kräfte in Trümmern schlagen, seine Sinnlichkeit verwüsten und statt des Meisterstücks der Natur ein Geschöpf fühlen, voll Mängel und Lükken, voll Schwächen und Convulsionen! Und wenn denn nun auf der andern Seite die Sprache auch genau so ist, wie sie nach dem Grundriß, und der Wucht des vorigen Geschöpfes hat entstehen müßen? –

– – – Ich gehe das letzte zu beweisen, obgleich hier mir noch ein sehr angenehmer Spaziergang vorläge, es nach den Regeln der Sulzerschen Theorie des Vergnügens[+] zu berechnen, was eine Sprache durchs Gehör für uns für Vorzüge und Annehmlichkeiten vor[+] der Sprache andrer Sinne hätte? – Der Spaziergang führte aber zu weit: und man muß ihm entsagen, wenn nur die Hauptstraße zu sichern und zu berichtigen weit vorliegt. – Also Erstlich

I. »Je älter, und ursprünglicher die Sprachen sind, desto mehr wird diese Analogie der Sinne in ihren Wurzeln merklich!«

Wenn wir in spätern Sprachen den Zorn schon als Phänomenon des Gesichts, oder als Abstraktum in den Wurzeln charakterisiren, z. E. durch das Funkeln der Augen, das Glühen der Wangen u.s.w., und ihn also nur sehen oder denken: so höret ihn der Morgenländer! Höret ihn schnauben! höret ihn brennenden Rauch, und stürmende Funken sprühen! Das ward Stamm des Worts: die Nase Sitz des Zorns: das ganze Geschlecht der Zornwörter und Zornmetaphern schnauben ihren Ursprung.

Wenn uns das Leben sich durch Pulsschlag, durch Wallen

und feine Merkmale auch in der Sprache äußert: so offenbarte es sich jenem laut othmend. Der Mensch lebte, da er hauchte; starb, da er aus hauchte: und man hört die Wurzel des Worts, wie den ersten belebten Adam hauchen.

Wenn wir das Gebären nach unsrer Art charakterisiren: so hört jener auch in den Benennungen Geschrei der Mutterangst, oder bei Thieren das Ausschütteln eines Fruchtschlauches: um diese Mittelidee wenden sich seine Bilder!

Wenn wir im Wort Morgenröthe etwa das Schöne, Glänzende, Frische dunkel hören: so fühlt der harrende Wandrer in Orient auch in der Wurzel des Worts den ersten schnellen, erfreulichen Lichtstral, den unser Einer vielleicht nie gesehen, wenigstens nie mit dem Gefühl gefühlet. – Die Beispiele aus den alten und wilden Sprachen werden unzälich, wie herzlich und starkempfindend sie aus Gehör und Gefühl charakterisiren, und ein Werk von der Art, was so recht das Grundgefühl solcher Ideen bei verschiednen Völkern aufsuchte, wäre eine völlige Demonstration für meinen Satz und für die Menschliche Erfindung der Sprache.

II. »Je älter und ursprünglicher die Sprachen sind, desto mehr durchkreuzen sich auch die Gefühle in den Wurzeln der Wörter!«

Man schlage das Erste beste Morgenländische Wörterbuch auf, und man wird den Drang sehen, sich ausdrücken zu wollen! Wie der Erfinder Ideen aus Einem Gefühl hinausriß und für ein anderes borgte! wie er bei den schwersten, kältesten, deutlichsten Sinnen am meisten borgte! wie Alles Gefühl und Laut werden muste, um Ausdruck zu werden! Daher die starken kühnen Metaphern in den Wurzeln der Worte! daher die Übertragungen aus Gefühl in Gefühl, so daß die Bedeutungen eines Stammworts, und noch mehr seiner Abstammungen, gegen Einander gesetzt, das buntschäckichste Gemälde werden. Die Genetische Ursache liegt in der Armuth der menschlichen Seele, und im Zusammenfluß der Empfindungen eines rohen Menschen. Man sieht sein Bedürfniß sich auszudrücken so deutlich: man siehts in immer größerm Maas, je weiter die Idee vom Gefühl und Ton in der Empfindung weglag, daß man nicht mehr an der Menschlichkeit des Ursprungs der Sprache zweifeln darf. Denn wie wollen die Verfechter einer andern Entstehung diese Durchwebung der Ideen in den

Wurzeln der Wörter erklären? War Gott so Ideen- und Wort-arm, daß er zu dergleichen verwirrendem Wortgebrauch seine Zuflucht nehmen mußte? oder war er so sehr Liebhaber von Hyberbolen, ungereimten Metaphern, daß er diesen Geist bis in die Grundwurzeln seiner Sprache prägte?

Die so genannte Göttliche Sprache, die Ebräische, ist von die-sen Kühnheiten ganz geprägt, so daß der Orient auch die Ehre hat, sie mit seinem Namen zu bezeichnen; allein daß man doch ja nicht diesen Metapherngeist Asiatisch+ nenne, als wenn er sonst nirgend anzutreffen wäre! In allen wilden Sprachen lebt er; nur freilich in jeder nach Maas der Bildung der Nation und nach Eigenheit ihrer Denkart. Ein Volk, das seine Gefühle nicht viel und nicht scharf unterschied: ein Volk, das nicht Herz gnug hatte, sich auszudrücken und Aus-drücke mächtig zu rauben – wird auch wegen Nuancen des Gefühls weniger verlegen seyn, oder sich mit schleichenden Halbausdrücken behelfen. Eine feurige Nation offenbart ih-ren Muth in solchen Metaphern, sie mag in Orient, oder Nordamerika wohnen; die aber in ihrem tieffsten Grunde die meisten solcher Verpflanzungen zeigt, deren Sprache ist vor-aus die ärmste, die älteste, die ursprünglichste gewesen, und die war ohne Zweifel in Orient.

Man siehet, wie schwer bei einer solchen Sprache ein wahres Etymologikon seyn müße? Die so verschiedne Bedeutungen Eines *Radicis*, die in einer Stammtafel abgeleitet, und auf ihren Ursprung zurückgeführt werden sollen, sind nur durch so dunkle Gefühle, durch flüchtige Nebenideen, durch Mitempfin-dungen verwandt, die aus dem Grunde der Seele steigen, und wenig in Regeln gefaßet werden können! Ihre Verwandt-schaften sind ferner so National, so sehr nach der eignen Denk- und Sehart des Volks, des Erfinders, in dem Lande, in der Zeit, in den Umständen, daß sie von einem Nord- und Abendländer unendlich schwer zu treffen sind, und in langen, kalten Umschreibungen unendlich leiden müßen. Da sie fer-ner von der Noth erzwungen, und im Affekt, im Gefühl, in der Verlegenheit des Ausdrucks erfunden wurden – welch ein Glück gehört dazu, dasselbe Gefühl zu treffen? und endlich da im Wörterbuche von der Art die Wörter, und die Bedeu-tungen Eines Worts aus so verschidnen Zeiten, Anläßen und Denkarten gesammlet werden sollen, und sich also diese augenblickliche Bestimmungen ins Unendliche vermehren – wie vervielfältigt sich da die Mühe! Welch ein Scharfsinn in diese Umstände und Bedürfniße einzudringen, und welche Mäßigung, bei den Auslegungen verschiedner Zeiten darinn Maas zu halten! Welche Känntniß und Biegsamkeit der Seele gehört dazu, sich so ganz diesen rohen Witz, diese kühne Phantasie, dies Nationalgefühl fremder Zeiten zu geben und es nach den unsrigen zu modernisiren! Aber eben damit würde auch nicht bloß in die Geschichte, Denkart und Litteratur des Landes, sondern überhaupt in die dunkle Gegend der Menschlichen Seele eine Fackel getragen, wo sich die Begriffe durchkreuzen und verwickeln! wo die verschiedenste Gefühle einander erzeugen; wo eine dringende Gelegenheit alle Kräfte der Seele aufbietet und die ganze Erfindungskunst, der sie fähig ist, zeiget. Jeder Schritt wäre in einem solchen Werk Entdeckung! und jede neue Bemerkung der vollständigste Beweis von der Menschlichkeit des Ursprungs der Sprache.

Schultens[+] hat sich an der Entwicklung einiger solchen *Originum* der Hebräischen Sprache Ruhm erworben: jede Entwicklung ist eine Probe meiner Regel: ich glaube aber, vieler Ursachen wegen, nicht, daß die *Origines* der ersten menschlichen Sprache, wenn es auch die Hebräische wäre, je vollständig entwickelt werden können – – –

Ich folgre noch eine Anmerkung, die zu allgemein und wichtig ist, um übergangen zu werden. Der Grund der kühnen Wortmetaphern lag in der ersten Erfindung; aber wie? wenn spät nachher, wenn schon alles Bedürfniß weggefallen ist, aus bloßer Nachahmungssucht oder Liebe zum Alterthum dergleichen Wort- und Bildergattungen bleiben? und gar noch ausgedehnt und erhöhet werden? Denn, o denn wird der erhabne Unsinn, das aufgedunsne Wortspiel daraus, was es im Anfang eigentlich nicht war. Dort wars kühner, männlicher Witz, der denn vielleicht am wenigsten spielen wollte, wenn er am meisten zu spielen schien! es war rohe Erhabenheit der Phantasie, die solch Gefühl in solchem Worte herausarbeitete; aber nun im Gebrauche schaaler Nachahmer, ohne solches Gefühl, ohne solche Gelegenheit – ach! Ampullen von Worten ohne Geist! und das ist das Schicksal aller derer Sprachen in spätern Zeiten gewesen, deren erste Formen so kühn waren.

Die spätern Französischen Dichter können sich nicht versteigen, weil die ersten Erfinder ihrer Sprache sich nicht verstiegen haben: ihre ganze Sprache ist Prose der gesunden Vernunft, und hat ursprünglich fast kein Poetisches Wort, das dem Dichter eigen wäre; aber die Morgenländer? die Griechen? die Engländer? und wir Deutschen?

Daraus folgt: daß je älter eine Sprache ist, je mehr solcher Kühnheiten in ihren Wurzeln ist, hat sie lange gelebt, sich lange fortgebildet; um so weniger muß man auf jede Kühnheit des Ursprungs losdringen, als wenn jeder dieser sich durchkreuzenden Begriffe auch jedesmal in jedem späten Gebrauch mitgedacht worden wäre. Die Metapher des Anfangs war Drang zu sprechen;[+] nimmt mans nachher in jedem Fall, wo das Wort schon geläufig geworden war und seine Schärfe abgenutzt hatte, für Fruchtbarkeit und Energie, alle solche Sonderbarkeiten zu verbinden – was für klägliche Beispiele wimmeln da in ganzen Schulen der Morgenländischen Sprachen!

Noch Eins. Wenn gar an solchen kühnen Wortkämpfen, an solchen Versetzungen der Gefühle in Einen Ausdruck, an solchen Durchkreuzungen der Ideen ohne Regel und Richtschnur – gewiße feine Begriffe eines Dogma, Eines Systems kleben – oder daran geheftet werden – oder daraus untersucht werden sollen; – Himmel! wie wenig waren diese Wortversuche einer werdenden oder früh gewordnen Sprache Definitionen eines Systems, und wie oft kommt man in den Fall Wortidole[+] zu schaffen, an die der Erfinder oder der spätere Gebrauch nicht dachte! – – Doch solche Anmerkungen wären unendlich; ich gehe zu einem neuen Canon:

III. »Je ursprünglicher eine Sprache ist, je häufiger solche Gefühle sich in ihr durchkreuzen; desto weniger können diese sich genau und logisch untergeordnet seyn. Die Sprache ist reich an Synonymen: bei aller wesentlichen Dürftigkeit hat sie den grösten unnöthigen Überfluß.«[+]

Die Verteidiger des Göttlichen Ursprunges, die in allem Göttliche Ordnung zu finden wissen, können ihn hier schwerlich finden und läugnen[*] die Synonyme. – Sie läugnen? wohlan nun, laß es seyn, daß unter den 50 Wörtern, die der Araber für

---

* Süßmilch § 9.[+]

den Löwen, unter den 200 die er für die Schlange, unter den 80 die er für den Honig, und mehr als 1000 die er fürs Schwert hat, sich feine Unterschiede finden, oder gefunden hätten, die aber verlohren gegangen wären – warum waren sie da, wenn sie verlohren gehen musten? Warum erfand Gott einen unnöthigen Wortschatz, den nur, wie die Araber sagen, ein Göttlicher Prophet in seinem ganzen Umfange faßen konnte? erfand er ins Leere der Vergeßenheit? Vergleichungsweise aber sind diese Worte doch immer Synonymen, in Betracht der vielen andern Ideen, für die Wörter gar mangeln – nun entwickle man doch darinn Göttliche Ordnung, daß Er, der den Plan der Sprache übersahe, für den Stein 70 Wörter erfand und für alle so nöthige Ideen, innerliche Gefühle, und Abstraktionen keine? daß er dort mit unnöthigem Überfluß überhäufte, hier in der grösten Dürftigkeit lies, zu stehlen, Metaphern zu usurpieren, halben Unsinn zu reden u.s.w.

Menschlich erklärt sich die Sache von selbst. So uneigentlich schwere, seltne Ideen ausgedrückt werden musten: so häufig konnten's die vorliegenden und leichten. Je unbekannter man mit der Natur war; von je mehrern Seiten man sie aus Unerfahrenheit ansehen und kaum wieder erkennen konnte; je weniger man *a priori* sondern nach sinnlichen Umständen erfand: desto mehr Synonyme! Je Mehrere erfanden, je umheriiirrender und abgetrennter sie erfanden, und doch nur meistens in Einem Kreise für Einerlei Sachen erfanden; wenn sie nachher zusammenkamen, wenn ihre Sprachen in einen Ocean von Wörterbuch floßen: desto mehr Synonyme! Verworfen konnten alle nicht werden, denn welche sollten's? Sie waren bei diesem Stamm, bei dieser Familie, bei diesem Dichter bräuchlich; es ward also, wie jener Arabische Wörterbuchschreiber sagt, da er 400 Wörter von Elend aufgezählt hatte, das vierhundersterste Elend, die Wörter des Elends aufzählen zu müßen. Eine solche Sprache ist reich, weil sie arm ist, weil ihre Erfinder noch nicht Plan genug hatten, arm zu werden – und der müßige Erfinder eben der unvollkommensten Sprache wäre Gott?

Die Analogien aller wilden Sprachen bestätigen meinen Satz: jede ist auf ihre Weise verschwenderisch und dürftig: nur jede auf eigne Art. Wenn der Araber für Stein, Cameel, Schwert, Schlange, (Dinge, unter denen er lebt!) so viel Wörter hat; so

ist die Ceylanische Sprache, den Neigungen ihres Volks gemäß, reich an Schmeicheleien, Titeln und Wortgepränge. Für das Wort »Frauenzimmer« hat sie nach Stand und Range zwölferlei Namen, da selbst wir unhöfliche Deutsche z. E. hierinn von unsern Nachbarn borgen müßen. Nach Stand und Range wird das Du und Ihr auf achterlei Weise gegeben, und das sowohl vom Tagelöhner, als vom Hofmanne: der Wust ist Form der Sprache. In Siam gibt es achterlei Manieren Ich und Wir zu sagen, nach dem der Herr mit dem Knechte oder der Knecht mit dem Herrn redet. Die Sprache der wilden Kariben ist beinahe in zwo Sprachen der Weiber und Männer vertheilt, und die gemeinsten Sachen: Bette, Mond, Sonne, Bogen benennen beide anders; welch ein Überfluß von Synonymen! Und doch haben eben diese Kariben nur vier Wörter für die Farben, auf die sie Alle andre beziehen müßen – welche Armuth! – Die Huronen haben jedesmal ein doppeltes *Verbum* für eine beseelte und unbeseelte Sache: so daß Sehen bei »einen Stein sehen« und Sehen bei »einen Menschen sehen!« immer zween verschiedne Ausdrücke sind – man verfolge das durch die ganze Natur – welch ein Reichthum! »Sich seines Eigenthums bedienen« oder »des Eigenthums deßen, mit dem man redet«, hat immer zwei verschiedne Wörter – welch ein Reichthum! In der Peruanischen Hauptsprache nennen sich die Geschlechter so sonderbar abgetrennt, daß die Schwester des Bruders und die Schwester der Schwester, das Kind des Vaters und der Mutter ganz verschieden heißt, und doch hat eben diese Sprache keinen wahren Pluralis! Jede dieser Synonymien hängt so sehr mit Sitte, Charakter und Ursprung des Volks zusammen; überall aber charakterisirt sich der erfindende Menschliche Geist. – Ein neuer Canon:
IV. »So wie die Menschliche Seele sich keiner Abstraktion aus dem Reiche der Geister erinnern kann, zu der sie nicht durch Gelegenheiten und Erweckungen der Sinne gelangte: so hat auch keine Sprache ein Abstraktum, zu dem sie nicht durch Ton und Gefühl gelangt wäre. Und je ursprünglicher die Sprache, desto weniger Abstraktionen, desto mehr Gefühle.« Ich kann in diesem unermäßlichen Felde wieder nur Blumen brechen:
Der ganze Bau der Morgenländischen Sprachen zeuget, daß alle ihre Abstrakta voraus Sinnlichkeiten gewesen: der Geist

war Wind, Hauch, Nachtsturm! Heilig hieß abgesondert, einsam: die Seele hieß der Othem: der Zorn das Schnauben der Nase u.s.w. Die allgemeinern Begriffe wurden ihr also erst später durch Abstraktion, Witz, Phantasie, Gleichniß, Analogie u.s.w. angebildet – im tiefsten Abgrunde der Sprache liegt keine Einzige!

Bei allen Wilden findet dasselbe nach Maaß der Cultur statt. In der Sprache von Barantola[+] wußte man nicht heilig und bei den Hottentotten nicht das Wort Geist zu finden. Alle Mißionarien in allen Weltheilen klagen über die Schwürigkeit, Christliche Begriffe den Wilden in ihren Sprachen mitzutheilen, und doch dörften diese Mittheilungen ja nimmer eine scholastische Dogmatik, sondern nur die gemeinen Begriffe des gemeinen Verstandes seyn. Wenn man hie und da Proben dieses Vortrages unter den Wilden, auch nur unter den ungebildeten Sprachen Europens z. E. der Lappländischen, Finnischen, Esthnischen übersetzt lieset, und die Sprachlehren und Wörterbücher dieser Völker siehet: so werden die Schwürigkeiten offenbar.

Will man den Mißionarien nicht glauben: so lese man die Philosophen, de la Condamine in Peru und am Amazonenstrome, Maupertuis in Lappland[+] u.s.w. Zeit, Dauer, Raum, Wesen, Stof, Körper, Tugend, Gerechtigkeit, Freiheit, Erkenntlichkeit – sind im Munde der Peruaner nicht, wenn sie gleich mit ihrer Vernunft oft zeigen, daß sie nach diesen Begriffen schließen, und mit ihren Thaten zeigen, daß sie die Tugenden haben. Solange sie die Idee nicht als Merkmal sich deutlich gemacht: so haben sie dazu kein Wort.

Wo also solche Worte in die Sprache hineingekommen; siehet man ihnen offenbar ihren Ursprung an. Die Kirchensprache der Rußischen Nation ist meistens Griechisch: die Christlichen Begriffe der Letten sind Deutsche Worte oder Deutsche Begriffe lettisirt. Der Mexicaner, der seinen armen Sünder ausdrücken will, mahlt ihn, wie einen Knienden, der Ohrenbeicht ableget, und seine Dreieinigkeit, wie drei Gesichte mit Scheinen. Man weiß, auf welchen Wegen die meisten Abstraktionen in unsre wissenschaftliche Sprache gekommen sind, in Theologie und Rechtsgelehrsamkeit, in Philosophie und andre. Man weiß, wie oft Scholastiker und Polemiker nicht einmal mit Worten ihrer Sprache streiten konnten und also Streitgewehr (Hypostasis und Substanz, ὁμοούσιος und ὁμοιούσιος[+]) aus denen Sprachen herüberholen musten, in denen die Begriffe abstrahirt, in denen das Streitgewehr geschärft war! Unsre ganze Psychologie, so verfeinert und bestimmt sie ist, hat kein eigentliches Wort.

Dies ist so wahr, daß es so gar Schwärmern und Entzückten nicht möglich ist, ihre neue Geheimniße aus der Natur, aus Himmel und Hölle anders als durch Bilder und sinnliche Vorstellungen zu charakterisiren. Schwedenborg[+] konnte seine Engel und Geister nicht anders als aus allen Sinnen zusammenwittern und der erhabne Klopstock, jenem die größeste Antithese! seinen Himmel und Hölle nicht anders als aus sinnlichen Materialien bauen. Der Neger wittert sich seine Götter vom Gipfel der Bäume herunter, und der Chingulese[+] erhört sich seinen Teufel aus dem Geklatsche der Wälder. Ich bin Einigen dieser Abstraktionen unter verschiednen Völkern, in verschiednen Sprachen nachgeschlichen, und habe die sonderbarsten Erfindungskunstgriffe des Menschlichen Geistes wahrgenommen; der Gegenstand ist viel zu groß; der Grund ist immer derselbe. Wenn der Wilde denkt, daß dies Ding einen Geist hat, so muß ein sinnliches Ding da seyn, aus dem er sich den Geist abstrahirt.[+] Nur hat die Abstraktion ihre sehr verschiedne Arten, Stuffen, und Methoden. Das leichteste Beispiel, daß keine Nation in ihrer Sprache mehr und andre Wörter habe, als sie abstrahiren gelernt, sind die ohne Zweifel sehr leichte Abstraktionen, die Zahlen. Wie wenige haben die meisten Wilden, so reich, vortreflich und ausgebildet ihre Sprachen seyn mögen! nie mehr, als sie brauchten. Der handelnde Phönicier war der Erste, der die Rechenkunst erfand: der seine Heerde überzählende Hirte lernt auch zählen: die Jagdnationen, die nie vielzälige Geschäfte haben, wißen eine Armee nicht anders zu bezeichnen, als wie Haare auf dem Haupt! wer mag sie zählen? wer, der nie so weit hinauf gezählet hat, hat dazu Worte?

Ists möglich, von allen diesen Spuren des wandelnden, Sprachschaffenden Geistes wegzusehen, und Ursprung in den Wolken zu suchen? Was hat man für einen Beweis von Einem einzigen Worte, was nur Gott erfinden konnte? Exsistiert in irgendeiner Sprache nur ein Einziger reiner, allgemeiner Begriff, der dem Menschen vom Himmel gekommen? wo ist er auch nur möglich*? – Und was für 100000 Gründe und Analogien, und Beweise von der Genesis der Sprache in der Menschlichen Seele, nach den Menschlichen Sinnen, und Seharten! Was für Beweise von der Fortwandrung der Sprache mit der Vernunft, und ihrer Entwicklung aus derselben unter allen Völkern, Weltgürteln und Umständen! welches Ohr ist, das diese allgemeine Stimme der Nationen nicht höre?

Und doch seh ich mit Verwunderung, daß Hr. Süßmilch sich wieder mit mir begegne und auf dem Wege Göttliche Ordnung finde, wo ich die allermenschlichste entdecke**. »Daß man noch zur Zeit keine Sprache entdeckt hat, die ganz zu Künsten und Wißenschaften ungeschickt gewesen« was zeugt denn das anders, als daß keine Sprache Viehisch, daß sie alle Menschlich sind? Wo hat man denn einen Menschen entdeckt, der ganz zu Künsten und Wißenschaften ungeschickt wäre, und war das ein Wunder? oder nicht eben die gemeinste Sache, weil er Mensch war? »Alle Mißionarien haben mit den wildesten Völkern reden und sie überzeugen können: das konnte ohne Schlüße und Gründe nicht geschehen: ihre Sprachen mußten also *terminos abstractos* enthalten u.s.w.« Und wenn das, so wars Göttliche Ordnung? oder war es nicht eben die Menschlichste Sache, sich Worte zu abstrahiren, wo man sie brauchte? Und welches Volk hat je eine einzige Abstraktion in seiner Sprache gehabt, die es sich nicht selbst erworben? Und waren denn bei allen Völkern gleich viel? Konnten die Mißionarien sich überall gleich leicht ausdrucken, oder hat man nicht das Gegentheil aus allen Weltheilen gelesen? Und wie druckten sie sich denn aus, als daß sie ihre neuen Begriffe der Sprache nach Analogie derselben anbogen? Und geschahe dies überall auf gleiche Art? – Über das Faktum wäre so Viel, so Viel zu sagen! der Schluß sagt gar das Gegentheil. Eben weil die Menschliche Vernunft nicht ohne Abstraktion seyn kann: und jede Abstraktion nicht ohne Sprache

---

* Die beste Abhandlung, die ich über diese Materie kenne, ist eines Engländers: Things divine and supernatural conceived by analogy with things natural and human, Lond. 1733, by the author of the procedure, extent and limits of human understanding.⁺

** Süßmilch § 11.

wird: so muß die Sprache auch in jedem Volk Abstraktionen enthalten, das ist, ein Abdruck der Vernunft seyn, von der sie ein Werkzeug gewesen. Wie aber jede nur so viel enthält, als das Volk hat machen können, und keine einzige, die ohne Sinne gemacht wäre, als welches ihr ursprünglich sinnlicher Ausdruck zeigt: so ist nirgends Göttliche Ordnung zu sehen, als – so fern die Sprache durchaus Menschlich ist.

V. Endlich »da jede Grammatik nur eine Philosophie über die Sprache, und eine Methode ihres Gebrauchs ist: so muß je ursprünglicher die Sprache, desto weniger Grammatik in ihr seyn, und die älteste ist blos das vorangezeigte Wörterbuch der Natur!« Ich reiße einige Steigerungen ab.

1. Deklinationen und Conjugationen sind nichts anders, als Verkürzungen und Bestimmungen des Gebrauchs der *Nominum* und *Verborum* nach Zahl, Zeit, und Art, und Person. Je roher also eine Sprache, desto unregelmäßiger ist sie in diesen Bestimmungen, und zeigt bei jedem Schritte den Gang der Menschlichen Vernunft. Hintenan ohne Kunst des Gebrauchs, ist sie simples Wörterbuch.

2. Wie *Verba* einer Sprache eher sind als die von ihnen rund abstrahirten *Nomina*: so auch Anfangs um so mehr Conjugationen, je weniger man Begriffe unter einander zu ordnen gelernt hat. Wie viel haben die Morgenländer! und doch sinds eigentlich keine, denn was gibts noch immer für Verpflanzungen und Umwerfungen der *Verborum* aus Conjugation in Conjugation! Die Sache ist ganz natürlich. Da nichts den Menschen so angeht, und wenigstens so sprachartig ihn trift, als was er erzälen soll, Thaten, Handlungen, Begebenheiten: so müßen sich ursprünglich eine solche Menge Thaten und Begebenheiten sammeln, daß fast für jeden Zustand ein neues *Verbum* wird. »In der Huronischen Sprache wird Alles conjugirt. Eine Kunst, die nicht kann erkläret werden, läßt darinn von den Zeitwörtern, die Nenn- die Für- die Zuwörter unterscheiden. Die einfachen Zeitwörter haben eine doppelte Conjugation, Eine für sich und Eine, die sich auf andre Dinge beziehet. Die dritten Personen haben die beiden Geschlechter. Was die *Tempora* anbetrift, findet man die feinen Unterschiede, die man z. E. im Griechischen bemerket; ja wenn man die Erzälung einer Reise thun will, so drückt man sich

verschieden aus, wenn man sie zu Lande und zu Waßer gethan
hat. Die *Activa* vervielfältigen sich so oft, als es Sachen gibt,
die unter das Thun kommen: das Wort eßen verändert sich
mit jeder eßbaren Sache. Das Thun einer beseelten Sache wird
anders ausgedrückt: als einer unbeseelten. Sich seines und des
Eigenthums deßen bedienen, mit dem man redet, hat zweierlei
Ausdruck u.s.w.« Man denke sich alle diese Vielheit von *Verbis, Modis, Temporibus*, Personen, Zuständen, Geschlechtern
u.s.w. welche Mühe und Kunst, das einigermaassen unter einander zu bringen? aus dem, was ganz Wörterbuch war, eini-
germaßen Grammatik zu machen! – Des P. Leri Grammatik
der Topinambuer in Brasilien zeigt ebendasselbe!+ – Denn
wie das erste Wörterbuch der Menschlichen Seele eine lebendige Epopee der tönenden, handelnden Natur war: so war die
erste Grammatik fast nichts, als ein Philosophischer
Versuch, diese Epopee zur regelmäßigern Geschichte zu
machen. Sie zerarbeitet sich also mit lauter *Verbis*, und arbeitet in einem Chaos, was für die Dichtkunst unerschöpflich,
mehr geordnet, sehr reich für die Bestimmung der Geschichte; am spätsten aber für Axiome und Demonstratio-
nen brauchbar ist.

3. Das Wort, was unmittelbar auf den Schall der Natur, nachahmend, folgte: folgte schon einem Vergangnen: *Praeterita*
sind also die Wurzeln der *Verborum*, aber *Praeterita*,
die noch fast für die Gegenwart gelten. *A priori* ist das
Faktum sonderbar und unerklärlich, da die gegenwärtige
Zeit die erste seyn müßte, wie sie es auch in allen spätergebildeten Sprachen geworden; nach der Geschichte der Spracherfindung konnte es nicht anders seyn. Die Gegenwart zeigt
man, aber das Vergangne muß man erzählen. Und da man
dies auf so viel Art erzählen konnte, und Anfangs im Bedürfniß Worte zu finden es so vielfältig thun muste: so wurden in allen alten Sprachen viel *Praeterita*, aber nur ein
oder kein *Praesens*. Deßen hatte sich nun in den gebildetern
Zeiten Dichtkunst und Geschichte sehr; die Philosophie aber
sehr wenig zu erfreuen, weil die keinen verwirrenden Vorrath
liebt. – Hier sind wieder Huronen, Brasilianer, Morgenländer,
und Griechen gleich: überall Spuren vom Gange des Menschlichen Geistes!

4. Alle neuere philosophische Sprachen haben das *Nomen* fei-

ner, das *Verbum* weniger, aber regelmäßiger modificirt: denn die Sprache erwuchs mehr zur kalten Beschauung deßen, was da ist und was gewesen ist, als daß sie noch ein unregelmäßig stammelndes Gemisch von dem, was etwa gewesen ist, geblieben wäre. Jenes gewöhnte man sich nach Einander zu sagen und also durch *Numeros* und Artikel und *Casus* u.s.w. zu bestimmen; die alten Erfinder wollten Alles auf Einmal sagen, nicht blos, was gethan wäre, sondern wer es gethan? wenn? wie und wo es geschehen*? Sie brachten also in die *Nomina* gleich den Zustand: in jede Person des *Verbi* gleich das *Genus*: sie unterschieden gleich durch *prae*- und *afformativa*: durch *af*- und *suffixa*: *Verbum* und *Adverbium*, *Verbum* und *Nomen* und Alles floß zusammen. Je später, desto mehr wurde unterschieden und hergezählt: aus den Hauchen wurden Artikel, aus den Ansätzen Personen, aus den Vorsätzen *Modi* oder *Adverbia*: die Theile der Rede floßen aus einander: nun ward allmälich Grammatik. So ist diese Kunst zu reden, diese Philosophie über die Sprache erst langsam und Schritt vor Schritt, Jahrhunderte und Zeiten hinabgebildet, und der Erste Kopf, der an eine wahre Philosophie der Grammatik, an »die Kunst zu reden!« denkt, muß gewiß erst die Geschichte derselben durch Völker und Stuffen hinab überdacht haben. Hätten wir doch eine solche Geschichte! Sie wäre mit allen ihren Fortgängen und Abweichungen eine Charte von der Menschlichkeit der Sprache.

5. Aber wie hat eine Sprache ganz ohne Grammatik bestehen können? ein bloßer Zusammenfluß von Bildern und Empfindungen ohne Zusammenhang und Bestimmung? Für beide war gesorgt: es war lebende Sprache. Da gab die große Einstimmung der Geberden gleichsam den Takt, und die Sphäre, wohin es gehörte; und der große Reichthum der Bestimmungen, der im Wörterbuch selbst lag, ersetzte die Kunst der Grammatik. Sehet die alte Schrift der Mexicaner! sie malen lauter Einzelne Bilder; wo kein Bild in die Sinne fällt, haben sie sich über Striche vereinigt, und den Zusammenhang zu allem muß die Welt geben, in die es gehört, aus

---

* Roußeau hat diesen Satz in seiner Hypothese divinirt, den ich hier bestimme und beweise.+

der es geweißagt wird. Diese Weißagungskunst, aus einzelnen Zeichen Zusammenhang zu errathen – wie weit können sie noch nur Einzelne Stumme und Taube treiben! und wenn diese Kunst selbst mit zur Sprache gehört, von Jugend auf, als Sprache, mit gelernt wird; wenn sie sich mit der Tradition von Geschlechtern immer mehr erleichtert und vervollkommet: so sehe ich Nichts Unbegreifliches. – – – Je mehr sie aber erleichtert wird, desto mehr nimmt sie ab; desto mehr wird Grammatik – und das ist Stuffengang des Menschlichen Geistes!

Proben davon sind z. E. des la Loubère Nachrichten von der Siamischen Sprache: wie ähnlich ist sie noch dem Zusammenhange der Morgenländer, insonderheit ehe durch spätere Bildung noch mehr Construction in sie[+] hineinkam. Der Siamer will sagen: »wäre ich zu Siam, so wäre ich vergnügt!« Und sagt: »wenn ich seyn Stadt Siam; ich wohl Herz viel!« – Er will das Vater Unser beten: und muß sagen: »Vater, uns seyn Himmel! Namen Gottes wollen heiligen aller Ort u.s.w.« – wie morgenländisch und ursprünglich ist das? gerade so zusammenhangend, als eine Mexicanische Bilderschrift, oder das Stammeln der Ungelehrigen aus fremden Sprachen!

6. Ich muß hier noch eine Sonderbarkeit erklären, die ich auch in Herrn Süßmilchs Göttlicher Ordnung mißverstanden sehe: »nehmlich die Mannichfaltigkeit der Bedeutungen Eines Worts nach dem Unterschiede kleiner Artikulationen!« Ich finde diesen Kunstgrif fast unter allen Wilden, wie ihn z. E. Garcilaßo di Vega von den Peruanern, Condamine von den Brasilianern, la Loubère von den Siamesen, Resnel[+] von den Nordamerikanern anführt. Ich finde ihn eben so bei den alten Sprachen, z. E. der Chinesischen und den Morgenländischen, vorzüglich der Hebräischen, wo ein kleiner Schall, Accent, Hauch die ganze Bedeutung ändert, und ich finde doch Nichts als etwas sehr Menschliches in ihm, Dürftigkeit und Bequemlichkeit der Erfinder! Sie hatten ein neues Wort nöthig; und da das müßige Erfinden aus leerem Kopf so schwer ist: so nahmen sie ein ähnliches mit der Veränderung vielleicht nur Eines Hauchs. Das war Gesetz der Sparsamkeit, ihnen anfangs bei ihren sich durchwebenden Gefühlen sehr natürlich und bei ihrer mächtigern Aussprache der Wörter noch ziemlich bequem; aber für einen Fremden, der

sein Ohr nicht von Jugend auf daran gewöhnt hat, und dem die Sprache jetzt mit Phlegma, wo der Schall halb im Munde bleibt, vorgezischt wird, macht dies Gesetz der Sparsamkeit und Nothdurft die Rede unvernehmlich und unaussprechlich. Je mehr eine gesunde Grammatik in die Sprachen Haushaltung eingeführt; desto minder wird diese Kargheit nöthig – also gerade das Gegentheil, als Kennzeichen Göttlicher Erfindung, wo der Erfinder sich gewiß sehr schlecht zu helfen gewußt, wenn er so etwas nöthig hatte.

7. Am offenbarsten wird endlich der Fortgang der Sprache durch die Vernunft und der Vernunft durch die Sprache, wenn diese schon einige Schritte gethan, wenn in ihr schon Stücke der Kunst, z. B. Gedichte, exsistieren, wenn Schrift erfunden ist, wenn sich Eine Gattung der Schreibart nach der andern ausbildet. Da kann kein Schritt gethan, kein neues Wort erfunden, keine neue glückliche Form in Gang gebracht werden, wo nicht Abdruck der Menschlichen Seele liege. Da kommen durch Gedichte, Sylbenmaaße, Wahl der stärksten Worte und Farben, Ordnung und Schwung der Bilder: da kommt durch Geschichte, Unterschied der Zeiten, Genauigkeit des Ausdrucks: da kommt endlich durch die Redner die völlige Rundung des Perioden in die Sprache. So wie nun vor jedem solchen Zusatz Nichts dergleichen vorher in der Sprache da lag, aber alles durch die menschliche Seele hineingebracht wurde und hineingebracht werden konnte: wo will man dieser Hervorbringung, dieser Fruchtbarkeit Gränzen setzen? wo will man sagen: hier fing die Menschliche Seele zu würken an, aber eher nicht? Hat sie das Feinste, das Schwerste erfinden können, warum nicht das Leichteste? Konnte sie zu Stande bringen, warum nicht Versuche machen, warum nicht anfangen? Denn was war doch der Anfang, als die Produktion Eines Einzigen Worts, als Zeichen der Vernunft, und das muste sie, blind und stumm in ihrem Innern, so wahr sie Vernunft besaß.

Ich bilde mir ein, das Können der Erfindung Menschlicher Sprache sei mit dem, was ich gesagt, von innen aus der Menschlichen Seele; von außen aus der Organisation des Menschen, und aus der Analogie aller Sprachen und Völker, theils in den Bestandtheilen aller Rede, theils im ganzen großen Fortgange der Sprache mit der Vernunft so bewiesen, daß, wer dem Menschen nicht Vernunft abspricht, oder, was ebensoviel ist, wer nur weiß, was Vernunft ist: wer sich ferner je um die Elemente der Sprache Philosophisch bekümmert; wer dazu die Beschaffenheit und Geschichte der Sprachen auf dem Erdboden mit dem Auge des Beobachters in Rücksicht genommen; der kann nicht einen Augenblick zweifeln, wenn ich auch weiter kein Wort mehr hinzusetzte. Die Genesis in der Menschlichen Seele ist so demonstrativ, als irgendein Philosophischer Beweis, und die äußere Analogie aller Zeiten, Sprachen und Völker solch ein Grad der Wahrscheinlichkeit, als bei der gewißesten Sache der Geschichte möglich ist. Indeßen, um auf immer allen Einwendungen vorzubeugen, und den Satz gleichsam auch äußerlich so gewiß zu machen, als eine Philosophische Wahrheit seyn kann: so laßet uns noch aus allen äußern Umständen und aus der ganzen Analogie der Menschlichen Natur beweisen: daß der Mensch sich seine Sprache hat erfinden *müßen?* und unter welchen Umständen er sie sich am füglichsten habe erfinden können?

ZWEITER THEIL.

Auf welchem Wege der Mensch sich am füglichsten hat
Sprache erfinden können und müßen?

Die Natur gibt keine Kräfte umsonst. Wenn sie also dem
Menschen nicht blos Fähigkeiten gab, Sprache zu erfinden,
sondern auch diese Fähigkeit zum Unterscheidungscharakter
seines Wesens, und zur Triebfeder seiner vorzüglichen Richtung machte: so kam diese Kraft nicht anders als lebend, aus
ihrer Hand, und so konnte sie nicht anders, als in eine Sphäre
gesetzt seyn, wo sie würken muste. Laßet uns einige dieser
Umstände und Anliegenheiten genauer betrachten, die sogleich den Menschen, da er mit der nächsten Anlage sich Sprache zu bilden, in die Welt trat, sogleich zur Sprache veranlaß-
ten, und da dieser Anliegenheiten viel sind, so bringe ich sie
unter gewiße Hauptgesetze seiner Natur und seines Geschlechts:

Erstes Naturgesetz.

Der Mensch ist ein freidenkendes, thätiges Wesen, dessen Kräfte in Progreßion fortwürken; darum sei er ein
Geschöpf der Sprache!
Als nacktes, Instinktloses Thier betrachtet, ist der Mensch das
elendeste der Wesen. Da ist kein dunkler, angebohrner Trieb,
der ihn in sein Element und in seinen Würkungskreis, zu
seinem Unterhalt und an sein Geschäfte zeucht. Kein Geruch
und keine Witterung, die ihn auf die Kräuter hinreiße, damit
er seinen Hunger stille! Kein blinder, Mechanischer Lehrmeister, der für ihn sein Nest baue! Schwach und unterliegend,
dem Zwist der Elemente, dem Hunger, allen Gefahren, den
Klauen aller stärkern Thiere, einem tausendfachen Tode überlaßen, stehet Er da! einsam und Einzeln! ohne den unmittelbaren Unterricht seiner Schöpferin und ohne die sichere Leitung
ihrer Hand, von allen Seiten also verlohren – – –
Doch so lebhaft dies Bild ausgemahlt werde: so ists nicht das
Bild des Menschen – es ist nur Eine Seite seiner Oberfläche

und auch die stehet im falschen Licht. Wenn Verstand und Besonnenheit die Naturgabe seiner Gattung ist: so mußte diese sich so gleich äußern, da sich die schwächere Sinnlichkeit, und alle das Klägliche seiner Entbehrungen äußerte. Das Instinktlose, elende Geschöpf, was so verlaßen aus den Händen der Natur kam, war auch vom ersten Augenblicke an, das freithätige vernünftige Geschöpf, das sich selbst helfen sollte, und nicht anders, als konnte. Alle Mängel und Bedürfniße, als Thier, waren dringende Anläße, sich mit allen Kräften als Mensch zu zeigen: so wie diese Kräfte der Menschheit nicht etwa blos schwache Schadloshaltungen gegen die ihm versagten größern Thiervollkommenheiten waren, wie unsre neue Philosophie, die große Gönnerin der Thiere! will: sondern sie waren ohne Vergleichung und eigentliche Gegeneinandermessung seine Art! Der Mittelpunkt seiner Schwere, die Hauptrichtung seiner Seelenwürkungen fiel so auf diesen Verstand, auf Menschliche Besonnenheit hin, wie bei der Biene so gleich aufs Saugen und Bauen.

Wenn es nun bewiesen ist, daß nicht die mindeste Handlung seines Verstandes, ohne Merkwort, geschehen konnte: so war auch das erste Moment der Besinnung, Moment zu innerer Entstehung der Sprache.

Man laße ihm zu dieser ersten deutlichen Besinnung soviel Zeit, als man will: man laße, nach Buffons Manier (nur philosophischer, als er,) dies gewordne Geschöpf sich allmälich sammlen: man vergeße aber nicht, daß gleich[+] vom Ersten Momente an kein Thier, sondern ein Mensch, zwar noch kein Geschöpf von Besinnung, aber schon von Besonnenheit ins Universum erwache. Nicht wie eine große, schwerfällige, unbehülfliche Maschiene, die gehen sollte, und mit starren Gliedern nicht gehen kann: die sehen, hören, kosten sollte, und mit starren Säften im Auge, mit verhärtetem Ohr und mit versteinter Zunge nichts von alle diesem kann – Leute, die Zweifel der Art machen, sollten doch bedenken, daß dieser Mensch nicht aus Platons Höle[+], aus einem finstern Kerker, wo er von seinem ersten Augenblick des Lebens, eine Reihe von Jahren hin, ohne Licht und Bewegung sich mit offnen Augen blind, und mit gesunden Gliedern ungelenk geseßen, sondern daß er aus den Händen der Natur, im frischesten Zustande seiner Kräfte und Säfte, und mit der besten, nächsten Anlage kam, vom Ersten Augenblicke sich zu entwickeln. Über die ersten Momente der Sammlung muß freilich die schaffende Vorsicht, gewaltet haben – – doch das ist nicht Werk der Philosophie, das Wunderbare in diesen Momenten zu erklären; sowenig sie seine Schöpfung erklären kann. Sie nimmt ihn im Ersten Zustande der freien Thätigkeit, im ersten vollen Gefühl seines gesunden Daseyns, und erklärt also diese Momente nur Menschlich.

Nun kann ich mich auf das Vorige beziehen. Da hier keine Metaphysische Trennung der Sinne statt findet, da die ganze Maschiene empfindet, und gleich vom dunkeln Gefühl heraufarbeitet zur Besinnung, da dieser Punkt, die Empfindung des ersten deutlichen Merkmals, eben auf das Gehör, den mittlern Sinn zwischen Auge und Gefühl trift: so ist die Genesis der Sprache ein so inneres Dringniß, wie der Drang des Embryons zur Geburt bei dem Moment seiner Reife. Die ganze Natur stürmt auf den Menschen, um seine Kräfte, um seine Sinne zu entwickeln, bis er Mensch sei. Und wie von diesem Zustande die Sprache anfängt, so

ist die ganze Kette von Zuständen in der Menschlichen Seele von der Art, daß jeder die Sprache fortbildet –

Dies große Gesetz der Naturordnung will ich ins Licht stellen.

Thiere verbinden ihre Gedanken, dunkel, oder klar, aber nicht deutlich. So wie freilich die Gattungen, die nach Lebensart und Nervenbau dem Menschen am nächsten stehen, die Thiere des Feldes, oft viel Erinnerung, viel Gedächtniß, und in manchen Fällen ein stärkeres als der Mensch zeigen: so ists nur immer sinnliches Gedächtniß; und keines hat die Erinnerung je durch Eine Handlung bewiesen, daß es für sein ganzes Geschlecht seinen Zustand verbeßert, und Erfahrungen generalisirt hätte, um sie in der Folge zu nutzen. Der Hund kann freilich die Geberde erkennen, die ihn geschlagen, und der Fuchs den unsichern Ort, wo ihm nachgestellt wurde, fliehen; aber keins von Beiden sich Eine allgemeine Reflexion aufklären, wie es dieser Schlagdrohenden Geberde und dieser Hinterlist der Jäger je auf immer entgehen könnte. Es blieb also nur immer bei dem Einzelnen sinnlichen Falle hangen, und sein Gedächtniß wurde eine Reihe dieser sinnlichen Fälle, die sich produciren und reproduciren – aber nie durch Überlegung verbunden: ein Mannichfaltiges ohne deutliche Einheit: ein Traum sehr sinnlicher, klarer, lebhafter Vorstellungen, ohne ein Hauptgesetz des hellen Wachens, das diesen Traum ordne.

Freilich ist unter diesen Geschlechtern und Gattungen noch ein großer Unterschied. Je enger der Kreis, je stärker die Sinnlichkeit und der Trieb, je einförmiger die Kunstfähigkeit und das Werk des Lebens ist: desto weniger ist, wenigstens für uns, die geringste Progreßion durch Erfahrung merklich. Die Biene bauet in ihrer Kindheit so, wie im hohen Alter, und wird zu Ende der Welt so bauen, als im Beginn der Schöpfung. Sie sind einzelne Punkte, leuchtende Funken aus dem Licht der Vollkommenheit Gottes, die aber immer einzeln leuchten. Ein erfahrner Fuchs hingegen unterscheidet sich schon sehr von dem ersten Lehrlinge der Jagd: er kennet schon viele Kunstgriffe voraus und sucht ihnen zu entweichen – – aber woher kennt er sie? und wie sucht er ihnen zu entweichen? weil er sie voraus unmittelbar erfahren, und weil unmittelbar aus solcher Erfahrung das Gesetz dieser Handlung folget. In keinem Falle würkt deutliche Reflexion, denn werden nicht immer die klügsten Füchse noch jetzt so berückt, wie vom ersten Jäger in der Welt? Bei dem Menschen waltet offenbar ein andres Naturgesetz über die Succeßion seiner Ideen, Besonnenheit: sie waltet noch selbst im sinnlichsten Zustande, nur minder merklich. Das unwißendste Geschöpf, wenn er auf die Welt kommt; aber so gleich wird er Lehrling der Natur auf eine Weise wie kein Thier: Ein Tag nicht blos lehrt den andern: sondern jede Minute des Tages die andre: jeder Gedanke den andern. Der Kunstgrif ist seiner Seele wesentlich, nichts für diesen Augenblick zu lernen, sondern alles, entweder an das zu reihen, was sie schon wuste, oder für das, was sie künftig daran zu knüpfen gedenkt: sie berechnet also ihren Vorrath, den sie gesammlet, oder noch zu sammlen gedenkt: und so wird sie eine Kraft, unverrückt zu sammlen. Solch eine Kette geht bis an den Tod fort: gleichsam nie der ganze Mensch, immer in Entwicklung, im Fortgange, in Vervollkommung. Eine Würksamkeit hebt sich durch die andre: Eine baut auf die Andre: Eine entwickelt sich aus der Andren. Es werden Lebensalter, Epochen, die wir nur nach den Stuffen der Merklichkeit benennen, die aber, weil der Mensch nie fühlt, wie er wächset, sondern nur immer wie er gewachsen ist, sich in ein Unendlichkleines theilen laßen. Wir wachsen immer aus einer Kindheit, so alt wir seyn mögen, sind immer im Gange, unruhig, ungesättigt: das Wesentliche unsres Lebens ist nie Genuß, sondern immer Progreßion, und wir sind nie Menschen gewesen, bis wir – zu Ende gelebt haben; dahingegen die Biene, Biene war, als sie ihre erste Zelle bauete.

Zu allen Zeiten würkt freilich dies Gesetz der Vervollkommung, der Progreßion durch Besonnenheit, nicht gleich merklich: ist aber das minder Merkliche deßwegen nicht da? Im Traume, im Gedankentraume, denkt der Mensch nicht so ordentlich und deutlich, als wachend: deßwegen aber denkt er noch immer als ein Mensch – als Mensch in einem Mittelzustande; nie als ein völliges Thier. Bei einem Gesunden müßen seine Träume so gut eine Regel der Verbindung haben, als seine wachenden Gedanken; nur daß es nicht dieselbe Regel seyn, oder diese so einförmig würken kann; selbst diese Ausnahmen zeugen also von der Gültigkeit des Hauptgesetzes, und die offenbaren Krankheiten und unnatürlichen Zustände, Ohnmachten, Verrückungen u.s.w. zeugen es noch mehr. Nicht jede Handlung der Seele ist unmittelbar eine Folge der Besinnung; jede aber eine Folge der Besonnenheit: keine, so wie sie beim Menschen geschiehet, könnte sich äußern, wenn der Mensch nicht Mensch wäre, und nach solchem Naturgesetz dächte.

Konnte nun der erste Zustand der Besinnung des Menschen nicht ohne Wort der Seele würklich werden: so werden alle Zustände der Besonnenheit in ihm Sprachmäßig: seine Kette von Gedanken wird eine Kette von Worten.

Will ich damit sagen, daß der Mensch jede Empfindung seines dunkelsten Gefühls zu einem Worte machen? oder sie nicht anders als mittelst eines Worts empfinden könne? – Unsinn wäre es, dies zu sagen, da gerade umgekehrt bewiesen ist: was sich blos durchs dunkle Gefühl empfinden läßt, ist keines Worts für uns fähig, weil es keines deutlichen Merkmals fähig ist. Die Basis der Menschheit ist also, wenn wir von willkührlicher Sprache reden, unaussprechlich. – – Aber ist denn Basis die ganze Figur? Fußgestelle die ganze Bildsäule? Ist der Mensch seiner ganzen Natur nach denn eine blos dunkel fühlende Auster? Laßet uns also den ganzen Faden seiner Gedanken nehmen; da er von Besonnenheit gewebt ist: da sich in ihm kein Zustand findet, der im ganzen genommen, nicht selbst Besinnung sey, oder doch in Besinnung aufgeklärt werden könne: da bei ihm das Gefühl nicht herrschet, sondern die ganze Mitte seiner Natur auf feinere Sinne, Gesicht und Gehör, fällt, und diese ihm immerfort Sprache geben: so folgt, daß im Ganzen genommen

»auch kein Zustand in der Menschlichen Seele sey, der nicht Wortfähig oder würklich durch Worte der Seele bestimmt werde«.

Es müste der dunkelste Schwärmer oder ein Vieh, der abstrakteste Götterseher oder eine träumende Monade seyn, der ganz ohne Worte dächte. Und in der Menschlichen Seele ist, wie wir selbst in Träumen und bei Verrückten sehen, kein solcher Zustand möglich. So kühn es klinge so ists wahr: der Mensch empfindet mit dem Verstande und spricht, indem er denkt. – – Und indem er nun immer so fortdenket und, wie wir gesehen, jeden Gedanken in der Stille mit dem vorigen und der Zukunft zusammenhält, so muß

»jeder Zustand, der durch Reflexion so verkettet ist, beßer denken, mithin auch beßer sprechen«.

Laßet ihm den freien Gebrauch seiner Sinne: da der Mittelpunkt dieses Gebrauchs in Gesicht und Gehör fällt, wo Jenes ihm Merkmal und dieses Ton zum Merkmale gibt: so wird mit jedem leichtern, gebildetern Gebrauch dieser Sinne, ihm Sprache fortgebildet. Laßet ihm den freien Gebrauch seiner Seelenkräfte. Da der Mittelpunkt ihres Gebrauchs auf Besonnenheit fällt, mithin nicht ohne Sprache ist, so wird mit jedem leichtern, gebildetern Gebrauch der Besonnenheit, ihm Sprache mehr gebildet. Folglich wird die Fortbildung der Sprache dem Menschen so natürlich, als seine Natur selbst.

Wer ist nun, der den Umfang der Kräfte einer Menschenseele kenne, wenn sie sich zumal in aller Anstrengung gegen Schwürigkeiten und Gefahren äußern? Wer ist, der den Grad der Vollkommenheit abwiege, zu dem sie durch eine beständige, innig verwickelte, so vielfache Fortbildung gelangen kann? Und da alles auf Sprache hinausläuft, wie ansehnlich, was ein Einzelner Mensch zur Sprache sammlen muß! Muste sich schon der Blinde und Stumme auf seinem einsamen Eilande eine dürftige Sprache schaffen; der Mensch, der Lehrling aller Sinne! der Lehrling der ganzen Welt! wie weit reicher muß er werden! Was soll er genießen? Sinne, Geruch, Witterung für die Kräuter, die ihm gesund; Abneigung für die, so ihm schädlich sind, hat die Natur ihm nicht gegeben; er muß also versuchen, schmecken, wie die Europäer in Amerika den Thieren absehen, was eßbar sey? sich also Merkmale der Kräuter, mithin Sprache sammlen! Er hat nicht Stärke gnug, um dem Löwen zu begegnen; er entweiche also ferne von ihm, kenne ihn von fern an seinem Schalle, und um ihm Menschlich und mit Bedacht entweichen zu können, lerne er ihn und hundert andre schädliche Thiere deutlich erkennen, mithin sie nennen! Je mehr er nun Erfahrungen sammlet, verschiedne Dinge und von verschiednen Seiten kennen lernt, desto reicher wird seine Sprache! Je öfter er diese Erfahrungen siehet und die Merkmale bei sich wiederholet, desto fester und geläufiger wird seine Sprache. Je mehr er unterscheidet und unter einander ordnet, desto ordentlicher wird seine Sprache! Dies Jahre durch, in einem muntern Leben, in steten Abwechselungen, in beständigem Kampf mit Schwürigkeiten und Nothdurft, mit beständiger Neuheit der Gegenstände fortgesetzt: ist der Anfang zur Sprache unbeträchtlich? Und siehe! es ist nur das Leben eines Einzigen Menschen!

Ein stummer Mensch, in dem Verstande, wie es die Thiere sind, der auch nicht in seiner Seele Worte denken könnte, wäre das traurigste, sinnloseste, verlaßneste Geschöpf der Schöpfung: und der größeste Widerspruch mit sich selbst! Im ganzen Universum gleichsam allein; an nichts geheftet und für alles da, durch nichts gesichert, und durch sich selbst noch minder, muß der Mensch entweder unterliegen oder über alles herrschen, mit Plan einer Weisheit, deren kein Thier fähig ist, von allem deutlichen Besitz nehmen, oder umkommen! Sei Nichts, oder Monarch der Schöpfung durch Verstand! Vergehe[+], oder schaffe dir Sprache! Und wenn sich nun in diesem andringenden Kraise von Bedürfnißen alle Seelenkräfte sammlen: wenn die ganze Menschheit, Mensch zu seyn, kämpfet – wie viel kann erfunden, gethan, geordnet werden!?

Wir gesellschaftlichen Menschen denken uns in einen solchen Zustand nur immer mit Zittern hinein: »ei, wenn der Mensch sich gegen Alles auf so langsame, schwache, unhinreichende Art erst retten soll – durch Vernunft, durch Überlegung? wie langsam überlegt diese! und wie schnell, wie andringend sind seine Bedürfniße, seine Gefahren!« – – Es kann dieser Einwurf freilich mit Beispielen sehr ausgeschmückt werden; er streitet aber immer gegen eine ganz andre Spitze, als die wir vertheidigen. Unsre Gesellschaft, die viele Menschen zusammengebracht, daß sie mit ihren Fähigkeiten und Verrichtungen Eins seyn sollen, muß also von Jugend auf Fähigkeiten vertheilen und Gelegenheiten ausspenden, daß Eine vor$^+$ der andern gebildet werde. So wird der Eine Mensch für die Gesellschaft gleichsam ganz Algebra, ganz Vernunft; so wie sie am andern blos Herz, Muth und Faust braucht: der nutzt ihr, daß er kein Genie und viel Fleiß; jener, daß er Genie in Einem und in allem Andern nichts habe. Jedes Triebrad muß sein Verhältniß und Stelle haben: sonst machen sie kein Ganzes Einer Maschiene – Aber daß man diese Vertheilung der Seelenkräfte, da man alle andre merklich erstickt, um in *Einer* andre zu übertreffen, nicht in den Zustand eines natürlichen Menschen übertrage! Setzet einen Philosophen, in der Gesellschaft geboren und erzogen, der Nichts als seinen Kopf zu denken und seine Hand zum Schreiben geübet, setzet ihn mit Einmal aus allem Schutz und gegenseitigen Bequemlichkeiten, die ihm die Gesellschaft für seine einseitigen Dienste leistet, hinaus: er soll sich selbst in einem unbekannten Lande Unterhalt suchen, und gegen die Thiere kämpfen und in Allem eigner Schutzgott seyn – wie verlegen! er hat dazu weder Sinne noch Kräfte, noch Übung in beiden! Vielleicht hat er in den Irrgängen seiner Abstraktion, Geruch und Gesicht und Gehör, und rasche Erfindungsgabe – und gewiß jenen Muth, jene schnelle Entschließung verloren, die sich nur unter Gefahren bildet und äußert, die in steter, neuer Würksamkeit seyn will, oder sie entschläft. Ist er nun in Jahren, wo der Lebensquell seiner Geister schon stille steht, oder zu vertrocknen anfängt: so wird es freilich ewig zu spät seyn, ihn in diesen Kreis hineinbilden zu wollen – aber ist denn das der gegebne Fall? Alle die Versuche zur Sprache, die ich anführe, werden durchaus nicht gemacht, um Philosophische Versuche zu seyn: die Merkmale der Kräuter nicht ausgefunden, wie sie Linné$^+$ claßificiret: die ersten Erfahrungen sind nicht kalte, Vernunftlangsame, sorgsam abstrahirende Experimente, wie sie der müßige, einsame Philosoph macht, wenn er der Natur in ihrem verborgnen Gange nachschleicht, und nicht mehr wissen will, daß, sondern wie sie würke? Daran war eben dem ersten Naturbewohner am wenigsten gelegen. Muste es ihm demonstrirt werden, daß das oder jenes Kraut giftig sey? War er denn so mehr als viehisch, daß er hierinn nicht einmal dem Vieh nachahmte? und wars nötig, daß er vom Löwen angefallen würde, um sich vor ihm zu fürchten? Ist seine Schüchternheit mit seiner Schwachheit, und seine Besonnenheit mit aller Feinheit seiner Seelenkräfte verbunden, nicht gnug, ihm einen behaglichen Zustand von selbst zu verschaffen, da die Natur selbst sie dazu für gnugsam erkannt? Da wir also durchaus keinen schüchternen, abstrakten Stubenphilosophen zum Erfinder der Sprache brauchen; da der rohe Naturmensch, der noch seine Seele so ganz, wie seinen Körper, aus Einem Stück fühlet, uns mehr als alle Sprachschaffende Akademien, und doch nichts minder, als ein Gelehrter ist – was wollen wir diesen denn zum Muster nehmen? Wollen wir einander Staub in die Augen streuen, um bewiesen zu haben, der Mensch könne nicht sehen?

Süßmilch ist hier wieder der Gegner, mit dem ich kämpfe. Er hat einen ganzen Abschnitt* darauf verwandt, um zu zeigen, »wie unmöglich sich der Mensch eine Sprache hat fortbilden können, wenn er sie auch durch Nachahmung erfunden hätte!« Daß das Erfinden durch bloße Nachahmung ohne Menschliche Seele Unsinn sey, ist bewiesen, und wäre der Vertheidiger des Göttlichen Ursprungs dieser Sache demonstrativ gewiß gewesen, daß es Unsinn sey; so traue ich ihm zu, daß er gegen ihn nicht ein Menge von halbwahren Gründen zusammengetragen hätte, die jetzt gegen eine Menschliche Erfindung der Sprache durch Verstand sämmtlich nichts beweisen. Ich kann unmöglich den ganzen Abschnitt, so verflochten mit willkührlichangenommenen Heischesätzen und falschen Axiomen über die Natur der Sprache er ist, hier ganz auseinander setzen, weil der Verfasser immer in einem gewissen Licht erschiene, in dem er hier nicht erscheinen soll – ich nehme also nur so viel heraus, als nöthig ist, nehmlich, daß in seinen Einwürfen die Natur einer sich fortbildenden

* Abschn. 3.

Menschlichen Sprache und einer sich fortbildenden Menschlichen Seele durchaus verkannt sei.

»Wenn man annimmt, daß die Einwohner der ersten Welt nur aus etlichen tausend Familien bestanden hätten, da das Licht des Verstandes durch den Gebrauch der Sprache schon so helle geschienen, daß sie eingesehen, was die Sprache sei, und daß sie also an die Verbeßerung dieses herrlichen Mittels haben können anfangen zu denken: so …*« Aber von allen diesen Vordersätzen nimmt niemand nichts an. Muste mans erst in tausend Generationen einsehen, was Sprache sei? Der erste Mensch sahe es ein, da er den ersten Gedanken dachte. Muste man erst in tausend Generationen so weit kommen, es einzusehen, daß die Sprache zu verbeßern gut sei? Der erste Mensch sahe es ein, da er seine ersten Merkmale beßer ordnen, berichtigen, unterscheiden und zusammensetzen lernte, und verbeßerte jedesmal unmittelbar die Sprache, da er so Etwas von Neuem lernte. Und denn, wie hätte sich doch durch tausend Generationen hin das Licht des Verstandes durch die Sprache so helle aufklären können, wenn im Ablauf dieser Generationen sich nicht schon Sprache aufgeklärt hätte. Also Aufklärung ohne Verbeßerung! und hinter einer Verbeßerung tausend Familien hinunter noch der Anfang zu einer Verbeßerung unmöglich? Das ist geradezu wiedersprechend. – – –

»Würde aber nicht, als ein ganz unentbehrlich Hülfsmittel dieses Philosophischen und Philologischen *Collegii* Schrift müßen angenommen werden?« Nein! denn es war durchaus kein Philosophisch und Philologisch *Collegium*, diese erste natürliche, lebendige, Menschliche Fortbildung der Sprache: und was kann denn der Philosoph und Philolog in seinem todten Museum an einer Sprache verbeßern, die in aller ihrer Würksamkeit lebt?

»Sollen denn nun alle Völker auf gleiche Weise mit der Verbeßerung zu Werke gegangen seyn?« Ganz auf gleiche Weise, denn sie gingen alle Menschlich: so daß wir uns hier in den wesentlichsten Rudimenten der Sprache Einen für alle anzunehmen getrauen. Wenn das aber das gröste Wunder seyn soll, daß alle Sprachen acht *partes orationis*+ haben**: so ist wieder das Faktum falsch, und der Schluß unrichtig. Nicht alle Spra-

---

* S. 80. 81.   ** § 31. 34.

chen haben von allen Zeiten herunter achte gehabt: sondern der erste Philosophische Blick in die Bauart einer Sprache zeigt, daß diese achte sich aus einander entwickelt. In den ältesten sind *Verba* eher gewesen, als *Nomina*, und vielleicht Interjektionen eher, als selbst regelmäßige *Verba*. In den spätern sind *Nomina* mit *Verbis* gleich zusammen abgeleitet; allein selbst von der Griechischen sagts Aristoteles[+], daß auch in ihr dies anfangs alle Redetheile gewesen, und die andern sich nur später durch die Grammatiker aus jenen entwickelt. Von der Huronischen habe ich eben dasselbe gelesen, und von den Morgenländischen ists offenbar – – ja was ists denn endlich für ein Kunststück, die willkührliche und zum Theil unphilosophische Abstraktion der Grammatiker in acht *partes orationis*? Ist die so regelmäßig und Göttlich, als die Form einer Bienenzelle? Und wenn sies wäre, ist sie nicht durchaus aus der Menschlichen Seele erklärbar und als nothwendig gezeigt?

»Und was sollte die Menschen zu dieser höchst sauren Arbeit der Verbeßerung gereizet haben?«[+] O durchaus keine saure, spekulative Stubenarbeit! durchaus keine Abstrakte Verbeßerung *a priori*! und also auch gewiß keine Anreizungen dazu, die nur in unserm Zustande der verfeinerten Gesellschaft statt finden. Ich muß hier meinen Gegner ganz verlaßen. Er nimmt an, daß »die ersten Verbeßerer recht gute Philosophische Köpfe gewesen seyn müsten, die gewiß weiter und tiefer gesehen, als die meisten Gelehrte jetzt in Ansehung der Sprache und ihrer innern Beschaffenheit zu thun pflegen«. Er nimmt an, daß »diese Gelehrte überall erkannt haben müsten, daß ihre Sprache unvollkommen und daß sie einer Verbesserung nicht nur fähig sondern auch bedürftig sei«. Er nimmt an, daß »sie den Zweck der Sprache haben gehörig beurteilen müßen u.s.w. daß die Vorstellung dieses zu erlangenden Gutes hinlänglich, stark und lebhaft gnug gewesen seyn müße, um ein Bewegungsgrund zur Übernehmung dieser schweren Arbeit zu werden«.[+] Kurz der Philosoph unsres Zeitalters wollte sich nicht einen Schritt auch aus allem Zufälligen deßelben hinauswagen, und wie konnte er denn nach solchem Gesichtspunkt von der Entstehung einer Sprache schreiben? Freilich, in unserm Jahrhundert hätte sie so wenig entstehen können, als sie entstehen darf!

Aber kennen wir denn nicht jetzt schon die Menschen in so verschiednen Zeitaltern, Gegenden und Stuffen der Bildung, daß uns dies so veränderte große Schauspiel nicht sicherer auf die erste Scene schließen lehrte? Wißen wir denn nicht, daß eben in den Winkeln der Erde, wo noch die Vernunft am wenigsten in die feine, gesellschaftliche, vielseitige, gelehrte Form gegoßen ist, noch Sinnlichkeit, und roher Scharfsinn, und Schlauheit, und muthige Würksamkeit! und Leidenschaft und Erfindungsgeist – die ganze ungetheilte Menschliche Seele am lebhaftesten würke? am lebhaftesten würke, weil sie noch auf keine langweilige Regeln gebracht, immer in einem Kreise von Bedürfnißen, von Gefahren, von andringenden Erfordernißen ganz lebt, und sich also immer neu und ganz fühlt. Da, nur da zeigt sie Kräfte, sich Sprache zu bilden und fortzubilden! Da hat sie Sinnlichkeit und gleichsam Instinkt gnug, um den ganzen Laut und alle sich äußernde Merkmale der lebenden Natur so ganz zu empfinden, wie wir nicht mehr können: und wenn die Besinnung alsdenn Eins derselben lostrennet, es so stark und innig zu nennen, als wirs nicht nennen würden. Je minder die Seelenkräfte noch entwickelt und jede zu einer eignen Sphäre abgerichtet ist: desto stärker würken alle zusammen: desto inniger ist der Mittelpunkt ihrer Intensität; nehmet aber diesen großen unzerbrechlichen Pfeilbund aus einander und ihr könnt sie alle zerbrechen, und denn läßt sich gewiß nicht mit Einem Stabe das Wunder thun, gewiß nicht mit der Einzigen kalten Abstraktionsgabe der Philosophen je Sprache erfinden – war das aber unsre Frage? Drang jener Weltsinn nicht tiefer? Und waren bei dem beständigen Zusammenstrom aller Sinne, in deßen Mittelpunkt immer der innere Sinn wachte, nicht immer neue Merkmale, Ordnungen, Gesichtspunkte, schnelle Schlußarten gegenwärtig, und also immer neue Bereicherungen der Sprache? Und empfing also zu dieser, wenn man nicht auf acht *partes orationis* rechnen will, die Menschliche Seele nicht ihre besten Eingebungen, solange sie noch ohne alle Anreizungen der Gesellschaft sich nur selbst desto mächtiger anreizte, sich alle die Thätigkeit der Empfindung und des Gedankens gab, die sie sich nach innerm Drang und äußern Erfordernißen geben muste – da gebar sich Sprache mit der ganzen Entwicklung der Menschlichen Kräfte.

84

Es ist für mich unbegreiflich, wie unser Jahrhundert so tief in die Schatten, in die dunkeln Werkstäten des Kunstmäßigen sich verlieren kann, ohne auch nicht einmal das weite, helle Licht der uneingekerkerten Natur erkennen zu wollen. Aus den größesten Heldenthaten des Menschlichen Geistes, die er nur im Zusammenstoß der lebendigen Welt thun und äußern konnte, sind Schulübungen im Staube unsrer Lehrkerker; aus den Meisterstücken Menschlicher Dichtkunst und Beredsamkeit Kindereien geworden, an welchen greise Kinder und junge Kinder Phrases lernen und Regeln klauben. Wir haschen ihre Formalitäten und haben ihren Geist verloren: wir lernen ihre Sprache und fühlen nicht die lebendige Welt ihrer Gedanken. Derselbe Fall ists mit unsern Urtheilen über das Meisterstück des Menschlichen Geistes, die Bildung der Sprache überhaupt. Da soll uns das tote Nachdenken Dinge lehren, die blos aus dem lebendigen Hauche der Welt, aus dem Geiste der großen würksamen Natur den Menschen beseelen, ihn aufruffen und fortbilden konnten. Da sollen die stumpfen, späten Gesetze der Grammatiker das Göttlichste seyn, was wir verehren, und vergeßen die wahre göttliche Sprachnatur, die sich mit dem Menschlichen Geiste vereint[+] bildete: so unregelmäßig sie auch scheine. Die Sprachbildung ist in die Schatten der Schule gewichen, aus denen sie Nichts mehr für die lebendige Welt würket: drum soll auch nie eine helle Welt gewesen seyn, in der die ersten Sprachenbilder[+] leben, fühlen, schaffen und dichten musten. – Ich beruffe mich auf das Gefühl derer, die den Menschen im Grunde seiner Kräfte, und das Kräftige, Mächtige, Große in den Sprachen der Wilden und Wesen der Sprache überhaupt nicht verkennen – daher fahre ich fort:

Zweites Naturgesetz.

Der Mensch ist in seiner Bestimmung ein Geschöpf der Heerde, der Gesellschaft: die Fortbildung einer Sprache wird ihm also natürlich, wesentlich, nothwendig.

Das Menschliche Weib hat keine Jahreszeit der Brunst, wie die Thierweiber: Und die Zeugungskraft des Mannes ist nicht so ungebändigt, aber fortwährend. Wenn nun Störche und

Tauben Ehen haben: so wüste ich nicht, warum sie der Mensch aus mehrern Ursachen nicht hätte?

Der Mensch gegen den struppichten Bär und den borstigen Igel gesetzt, ist ein schwächeres, dürftigeres, nackteres Thier: es hat Hölen nöthig, und diese werden, mit den vorigen Veranlaßungen, sehr natürlich gemeinschaftliche Hölen.

Der Mensch ist ein schwächeres Thier, was in mehrern Himmelsgegenden sehr übel den Jahrszeiten ausgesetzt wäre: das menschliche Weib hat also, als Schwangere, als Gebärerin, einer gesellschaftlichen Hülfe mehr nöthig, als der Straus, der seine Eier in die Wüste leget.

Endlich insonderheit das Menschliche Junge, der auf die Welt gesetzte Säugling, wie sehr ist er ein Vasall Menschlicher Hülfe und geselliger Erbarmung. Aus einem Zustande, wo er als Pflanze am Herzen seiner Mutter hing, wird er auf die Erde geworfen – das schwächste, Hülfloseste Geschöpf unter allen Thieren, wenn nicht Mütterliche Brüste da wären, ihn zu nähren, und Väterliche Knie entgegen kämen, ihn als Sohn aufzunehmen. Wem wird hiemit nicht Haushaltung der Natur zur Gesellung der Menschheit vorleuchtend? und zwar die so unmittelbar, so nahe am Instinkt, als es bei einem besonnenen Geschöpf seyn konnte!

Ich muß den letzten Punkt mehr entwickeln, denn in ihm zeigt sich das Werk der Natur am augenscheinlichsten, und mein Schluß wird hieraus nur desto schneller. + Wenn man alles, wie unsre groben Epikuräer, aus blinder Wohllust oder unmittelbarem Eigennutz erklären will – wer kann das Gefühl der Eltern gegen Kinder erklären? und die starken Bande, die dadurch bewürkt werden? Siehe! dieser arme Erdbewohner kommt elend auf die Welt, ohne zu wißen, daß er elend sei: ist der Erbarmung bedürftig, ohne daß er sich ihrer im mindsten werth machen könnte: er weinet – aber selbst dies Weinen müßte so beschwerlich werden, als das Geheul des Philoktet, der doch so viel Verdienste hatte, den Griechen, die ihn der wüsten Insel übergaben. Hier müßten also eben, nach unsrer kalten Philosophie die Bande der Natur am ehesten reißen, wo sie am stärksten würkten! Die Mutter hat sich der Frucht, die ihr so viel Ungemach machte, endlich mit Schmerzen entledigt: kommts blos aufs Vergnügen und neue Wollust an: so wirft sie sie weg. Der Vater hat in wenigen Minuten seine Brunst gekühlet – was soll er sich weiter um Mutter und Kind, als Gegenstände seiner Mühe, bekümmern: er läuft, wie Roußeaus Mannthier, in den Wald und sucht sich einen andern Gegenstand seines thierischen Vergnügens. Wie ganz umgekehrt ist hier die Ordnung der Natur, bei Thieren und Menschen und wie weiser! Eben die Schmerzen und Ungemächlichkeiten vermehren die Mütterliche Liebe! eben das Bejammerns- und nicht Liebenswürdige des Säuglings, das Schwache, Hinfällige seines Temperaments, die beschwerliche, verdrießliche Mühe der Erziehung verdoppelt die Regungen seiner Eltern! Die Mutter sieht den Sohn mit wärmerer Wallung an, der ihr die meisten Schmerzen gekostet, der ihr am öftersten mit seinem Abschiede gedrohet, auf den ihre meisten Zähren des Kummers floßen. Der Vater sieht den Sohn mit wärmerer Wallung an, den er frühe aus einer Gefahr riß, den er mit der größten Mühwaltung erzog, der ihm in Unterricht und Bildung das meiste kostete. Und so weiß auch im Ganzen des Geschlechts die Natur aus der Schwachheit Stärke zu machen. Eben deßwegen kommt der Mensch so schwach, so dürftig, so verlaßen von dem Unterricht der Natur, so ganz ohne Fertigkeiten und Talente auf die Welt, wie kein Thier, damit er, wie kein Thier, eine Erziehung genieße und das Menschliche Geschlecht, wie kein Thiergeschlecht, ein innigverbundnes Ganze werde!

Die jungen Enten entschlupfen der Henne, die sie ausgebrütet, und hören, vergnügt in dem Elemente plätschernd, in das sie der Ruf der mütterlichen Natur hinzog, die warnende ruffende Stimme ihrer Stiefmutter nicht, die am Ufer jammert. So würde es das Menschenkind auch machen, wenn es mit dem Instinkt der Ente auf die Welt käme. Jeder Vogel bringt die Geschicklichkeit, Nester zu bauen, aus seinem Ei und nimmt sie auch, ohne sie fortzupflanzen, in sein Grab: die Natur unterrichtet für ihn. Alles bleibt also Einzeln, das unmittelbare Werk der Natur und so wird keine Progreßion der Seele des Geschlechts, kein Ganzes, wie es die Natur am Menschen wollte. Den band sie also durch Noth und einen zuvorkommenden Elterntrieb, für den die Griechen das Wort ςοϱγή[+] hatten, zusammen, und so wurde ein Band des Unterrichts und der Erziehung ihm wesentlich. Da hatten Eltern den

Kreis ihrer Ideen nicht für sich gesammlet; er war zugleich da, um mitgetheilt zu werden, und der Sohn hat den Vortheil, den Reichthum ihres Geistes schon frühe, wie im Auszuge zu erben. Jene tragen die Schuld der Natur ab, indem sie lehren; diese füllen das Ideenlose Bedürfniß ihrer Natur aus, indem sie lernen: so wie sie nachher wieder ihre Schuld der Natur abtragen werden, diesen Reichtum mit eignem zu vermehren und ihn wieder weiter fortzupflanzen. Kein Einzelner Mensch ist für sich da; er ist in das Ganze des Geschlechts eingeschoben, er ist nur Eins für die fortgehende Folge.

Was dies auf die ganze Kette für Würkung thue, sehen wir später; hier schränken wir uns nur auf den Zusammenhang der ersten zween Ringe ein! auf die Bildung einer Familiendenkart durch den Unterricht der Erziehung und –

da der Unterricht der eignen Seele, der Ideenkreis der Eltern Sprache ist:[+] so wird die Fortbildung des Menschlichen Unterrichts durch den Geist der Familie, durch den die Natur das ganze Geschlecht verknüpft hat, auch Fortbildung der Sprache.

Warum hängt dieser Unmündige so schwach und unwißend an den Brüsten seiner Mutter, an den Knien seines Vaters? Damit er Lehrbegierig sey und Sprache lerne. Er ist schwach, damit sein Geschlecht stark werde. Nun theilt sich ihm mit der Sprache, die ganze Seele, die ganze Denkart seiner Erzeuger mit; aber eben deßwegen theilen sie es ihm gerne mit, weil es ihr Selbstgedachtes, Selbstgefühltes, Selbsterfundenes ist, was sie mittheilen. Der Säugling, der die ersten Worte stammlet, stammlet die Gefühle seiner Eltern wieder, und schwört mit jedem frühen Stammlen, nach dem sich seine Zunge und Seele bildet, diese Gefühle zu verewigen, so wahr er sie Vater- oder Muttersprache nennet. Lebenslang werden diese ersten Eindrücke seiner Kindheit, diese Bilder aus der Seele und dem Herzen seiner Eltern in ihm leben und würken: mit dem Wort wird das ganze Gefühl wiederkommen, was damals frühe seine Seele überströmte: mit der Idee des Worts alle Nebenideen, die ihm damals bei diesem neuen frühen Morgenausblick in das Reich der Schöpfung vorlagen – sie werden wiederkommen und mächtiger würken als die reine, klare Hauptidee selbst. Das wird also Familiendenkart, und

mithin Familiensprache. Da steht nun der kalte Philosoph*
und frägt: »durch welches Gesetz denn wohl die Menschen
ihre willkührlich erfundne Sprache einander hätten aufdringen
und den andern Theil hätten veranlaßen können, das Gesetz
anzunehmen?« Diese Frage, über die Roußeau so pathetisch
und ein andrer Schriftsteller⁺ so lange predigt, beantwortet
sich, wenn wir Einen Blick in die Ökonomie der Natur des
Menschlichen Geschlechts thun, von selbst, und wer kann
nun die vorigen Predigten aushalten?

Ists denn nicht Gesetz, und Verewigung gnug, diese Fa-
milienfortbildung der Sprache? Das Weib, in der Natur so
sehr der schwächere Theil, muß es nicht von dem erfahrnen,
versorgenden, Sprachbildenden Manne Gesetz annehmen? Ja
heißts Gesetz, was blos milde Wohlthat des Unterrichts ist?
Das schwache Kind, das so eigentlich ein Unmündiger heißt,
muß es nicht Sprache annehmen, da es mit ihr die Milch seiner
Mutter und den Geist seines Vaters genießet? Und muß diese
Sprache nicht verewigt werden, wenn etwas verewigt wird? O
die Gesetze der Natur sind mächtiger als alle Conventionen,
die die schlaue Politik schließet, und der weise Philosoph aufzählen will! Die Worte der Kindheit – diese unsre frühen
Gespielen in der Morgenröthe des Lebens! mit denen sich
unsre ganze Seele zusammen bildete –, wenn werden wir sie
verkennen? wenn werden wir sie vergeßen? Unsre Muttersprache war ja zugleich die erste Welt, die wir sahen, die
ersten Empfindungen, die wir fühlten, die erste Würksamkeit
und Freude, die wir genoßen! Die Nebenideen von Ort und
Zeit, von Liebe und Haß, von Freude und Thätigkeit, und was
die feurige, heraufwallende Jugendseele sich dabei dachte,
wird alles mit verewigt – nun wird die Sprache schon
Stamm!

Und je kleiner dieser Stamm ist, desto mehr gewinnt er
an innerer Stärke. Unsre Väter, die nichts selbst gedacht,
nichts selbst erfunden; die Alles Mechanisch gelernt haben –
was bekümmern sich die um Unterricht ihrer Söhne? um Verewigung deßen, was sie ja selbst nicht besitzen? Aber der erste
Vater, die ersten dürftigen Spracherfinder, die fast an jedem
Worte die Arbeit ihrer Seele hingaben, die überall in der Sprache noch den warmen Schweis fühlten, den er ihrer Würksam-

* Roußeau.

keit gekostet – welchen Informator konnten die bestellen? Die ganze Sprache ihrer Kinder war ein Dialekt ihrer Gedanken, ein Loblied ihrer Thaten, wie die Lieder Oßians auf seinen Vater Fingal.[+]

Roußeau und andre haben so viel Paradoxien über den Ursprung und das Anrecht des ersten Eigenthums gemacht; und hätte der Erste nur die Natur seines geliebten Thiermenschen befragt: so hätte der ihm geantwortet. Warum gehört diese Blume der Biene, die auf ihr sauget? Die Biene wird antworten: weil mich die Natur zu diesem Saugen gemacht hat! mein Instinkt, der auf diese und keine andre Blume hinfällt, ist mir Diktator gnug, der mir sie und ihren Garten zum Eigenthum anweise! Und wenn wir nun den ersten Menschen fragen: wer hat dir das Recht auf diese Kräuter gegeben? was kann er antworten, als: die Natur, die mir Besinnung gab! Diese Kräuter habe ich mit Mühe kennen gelernt, mit Mühe habe ich sie mein Weib und meinen Sohn kennen gelehrt! Wir alle leben von ihnen! Ich habe mehr Recht daran, als die Biene, die darauf summet, und das Vieh, das darauf weidet; denn die haben alle die Mühe des Kennenlernens und Kennenlehrens nicht gehabt! Jeder Gedanke also, den ich darauf gezeichnet, ist ein Siegel meines Eigenthums, und wer mich davon vertreibet, der nimmt mir nicht blos mein Leben, wenn ich diesen Unterhalt nicht wieder finde; sondern würklich auch den Werth meiner verlebten Jahre, meinen Schweiß, meine Mühe, meine Gedanken, meine Sprache – ich habe sie mir erworben! Und sollte für den Erstling der Menschheit eine solche Signatur der Seele auf eine Sache, durch Kennenlernen, durch Merkmal, durch Sprache, nicht mehr Recht des Eigenthums seyn als ein Stempel in der Münze?

Wieviel Ordnung und Ausbildung bekommt die Sprache also schon eben damit, daß sie Väterliche Lehre wird! Wer lernt nicht, indem er lehret? Wer versichert sich nicht seiner Ideen, wer mustert nicht seine Worte, indem er sie andern mittheilt, und sie so oft von den Lippen des Unmündigen stammeln höret? Hier gewinnt also schon die Sprache eine Form der Kunst, der Methode! Hier wurde die erste Grammatik, die ein Abdruck der Menschlichen Seele und ihrer natürlichen Logik war, schon durch eine scharfprüfende Censur berichtigt.

Roußeau, der hier, wie gewöhnlich nach seiner Art, aufrufft: »was hatte denn die Mutter ihrem Kinde, Viel zu sagen? hatte das Kind nicht seiner Mutter mehr zu sagen? woher lernte denn dies schon Sprache, sie seine Mutter zu lehren?«[+], macht aber auch hier, wie nach seiner Art gewöhnlich, ein Panisches Feldgeschrei. Allerdings hatte die Mutter mehr das Kind zu lehren, als das Kind die Mutter – weil Jene es mehr lehren konnte, und der Mütterliche Instinkt, Liebe und Mitleiden, den Roußeau aus Barmherzigkeit den Thieren zugibt und aus Großmuth seinem Geschlecht versagt, sie zu diesem Unterricht, wie der Überfluß der Milch zum Säugen zwang. Sehen wir denn nicht selbst an manchen Thieren, daß die Ältern ihre Jungen zu ihrer Lebensart gewöhnen? und wenn denn nun ein Vater seinen Sohn von früher Jugend an zur Jagd gewöhnte, ging dies ohne Unterricht und Sprache ab? »Ja! ein solches Wörterdiktiren zeigt schon eine gebildete Sprache an, die man lehrt; nicht eine, die sich erst bildet!«[+] Und ist das wieder ein Unterschied, der Ausnahme mache? Freilich war die Sprache schon im Vater und in der Mutter gebildet, die sie die Kinder lehrten, aber dorfte deßwegen schon die Sprache ganz gebildet seyn, auch selbst die, die sie sie nicht lehrten? Und konnten denn die Kinder in einer neuen, weitern, feinern Welt nichts mehr dazu erfinden? Und ist denn eine zum Theil gebildete, sich weiter fortbildende Sprache ein Wiederspruch? Wenn ist die Französische, durch Akademien und Autoren und Wörterbücher so gebildete Sprache, denn so zu Ende gebildet, daß sie sich nicht mit jedem neuen originalen Autor, ja mit jedem Kopfe, der neuen Ton in die Gesellschaft bringt, neu bilden oder mißbilden müßte? – Mit solchen Paralogismen sind die Verfechter der gegenseitigen Meinung behangen – man urtheile, ob es lohne, sich auf jede Kleinigkeit ihrer Einwürfe einzulaßen.

Ein andrer z. B. sagt: »wie doch die Menschen wohl je aus Nothdurft ihre Sprache hätten fortbilden wollen, wenn sie Lukrezens[+] *mutum et turpe pecus* gewesen wären?« und läßt sich auf eine Menge halbwahrer Instanzen der Wilden ein. Ich antworte blos: Niemals! Niemals hätten sie es wollen und können, wenn sie ein *mutum pecus* gewesen: denn da hatten sie ja keine Sprache? Sind aber die Wilden von der Art? ist denn die barbarischte Menschliche Nation ohne Sprache?

Und ists denn je der Mensch, als in der Abstraktion der Philosophen und also in ihrem Gehirn gewesen?

Er fragt: »ob denn wohl, da alle Thiere Zwang scheuen, und alle Menschen Faulheit lieben, es je von den Orenocks des Condamine erwartet werden könne, daß sie ihre langgedehnte, achtsylbige, schwere und höchstbeschwerliche Sprache ändern und verbeßern sollten?« Und ich antworte: Zuerst ist wieder das Faktum unrichtig, wie fast alle, die er anführt*. »Ihre langgedehnte, achtsylbige Sprache?« Das ist sie nicht! Condamine sagt blos: sie sei so unaussprechlich und eigenorganisirt, daß, wo sie drei oder vier Sylben aussprechen, wir sieben bis acht schreiben müsten, und doch hätten wir sie noch nicht ganz geschrieben – heißt das: sie ist langgedehnt, achtsylbigt? Und schwer, höchstbeschwerlich? Für wen ist sie dies anders als für Fremde? Und für die sollen sie sie ausbessern? für einen kommenden Franzosen, der je kaum eine Sprache als die seinige, ohne sie zu verstümmeln, lernt, sie verbeßern, sie also franzisiren? Haben aber deßwegen die Orenoker noch nichts in ihrer Sprache gebildet? ja sich noch gar keine Sprache gebildet, weil sie nicht den Genius, der ihnen so eigen ist, für einen herabschiffenden Fremdling vertauschen mögen? Ja gesetzt, sie bildeten auch nichts mehr in ihrer Sprache, auch nicht für sich – ist man denn nie gewachsen, wenn man nicht mehr wächst? Und haben denn die Wilden nichts gethan, weil sie nichts gern ohne Not thun?

Und welcher Schatz ist Familiensprache für ein werdendes Geschlecht! Fast in allen kleinen Nationen aller Welttheile, so wenig gebildet sie auch seyn mögen, sind Lieder von ihren Vätern, Gesänge von den Thaten ihrer Vorfahren der Schatz ihrer Sprache, und Geschichte, und Dichtkunst; ihre Weisheit und ihre Aufmunterung; ihr Unterricht und ihre Spiele und Tänze. Die Griechen sangen von ihren Argonauten, von Herkules und Bacchus, von Helden und Trojabezwingern: und die Celten von den Vätern ihrer Stämme, von Fingal und Oßian! Unter Peruanern und Nordamerikanern, auf den Caraibischen und Marianischen Inseln herrscht noch dieser Ursprung der Stammessprache in den Liedern ihrer Stämme und Väter, so wie fast in allen Theilen der Welt Vater

---

* Süßmilch [S. 92].

und Mutter ähnliche Namen haben. Nur läßt sich auch eben hier anmerken, warum unter so manchen Völkern, von denen wir Beispiele angeführt, das Männliche und Weibliche Geschlecht fast zwo verschiedne Sprachen haben, nehmlich weil beide nach den Sitten der Nation, als das edle und unedle Geschlecht, fast zwei ganz abgetrennte Völker ausmachen, die nicht einmal zusammen speisen. Nachdem nun die Erziehung väterlich oder mütterlich war: so mußte auch die Sprache Vater- oder Muttersprache werden, so wie nach der Sitte der Römer sie gar häusliche Knechtssprache *(lingua vernacula)* ward.[+]

Drittes Naturgesetz.

So wie das ganze Menschliche Geschlecht unmöglich eine Heerde bleiben konnte: so konnte es auch nicht Eine Sprache behalten. Es wird also eine Bildung verschiedner Nationalsprachen.

Im eigentlichen Metaphysischen Verstande ist schon nie Eine Sprache bei Mann und Weib, Vater und Sohn, Kind und Greis möglich. Man gehe z. E. unter den Morgenländern die langen und kurzen Vokale, die mancherlei Hauche und Kehlbuchstaben, die leichte und so mannichfaltige Verwechselung der Buchstaben von Einerlei Organ, die Ruhe- und Sprachzeichen, mit allen Verschiedenheiten, die sich schriftlich so schwer ausdrücken laßen, durch: Ton und Accent: Vermehrung und Verringerung deßelben und hundert andre zufällige Kleinigkeiten in den Elementen der Sprache: und bemerke auf der andern Seite die Verschiedenheit der Sprachwerkzeuge bei beiderlei Geschlecht, in der Jugend und im Alter, auch nur bei zween gleichen Menschen nach so manchen Zufällen und Einzelheiten, die den Bau dieser Organe verändern, bei so manchen Gewohnheiten, die zur zweiten Natur werden u.s.w. So wenig als es zween Menschen ganz von Einerlei Gestalt und Gesichtszügen: so wenig kann es zwo Sprachen, auch nur der Aussprache nach, im Munde zweener Menschen geben, die doch nur Eine Sprache wären.

Jedes Geschlecht wird in seine Sprache Haus- und Familienton bringen: das wird, der Aussprache nach, verschiedne Mundart.

Clima, Luft und Waßer, Speise und Trank, werden auf die Sprachwerkzeuge und natürlich auch auf die Sprache einfließen.

Die Sitte der Gesellschaft und die mächtige Göttin der Gewohnheit werden bald nach Geberden und Anstand diese Eigenheiten und jene Verschiedenheiten einführen; mithin wird ein Dialect. −+ Ein Philosophischer Versuch über die verwandten Spracharten der Morgenländer wäre der angenehmste Beweis dieser Sätze.

Das war nur Aussprache. Aber Worte selbst, Sinn, Seele der Sprache − welch ein unendliches Feld von Verschiedenheiten! Wir haben gesehen, wie die ältesten Sprachen voller Synonyme haben werden müssen, und wenn nun von diesen Synonymen dem Einen dies, dem andern Jenes geläufiger, seinem Sehepunkt angemeßner, seinem Empfindungskreise ursprünglicher, in seiner Lebensbahn öfter vorkommend, kurz von mehrerm Eindruck auf ihn wurde; so gabs Lieblingsworte, eigne Worte, Idiotismen, ein Idiom der Sprache.

Bei jenem ging Jenes Wort aus; das blieb. Jenes ward durch einen Nebengesichtspunkt von der Hauptsache weggebogen; hier veränderte sich mit der Zeitfolge der Geist des Hauptbegrifs selbst − da wurden also eigne Biegungen, Ableitungen, Veränderungen, Vor- und Zusätze und Versetzungen und Wegnahmen von ganzen und halben Bedeutungen − ein neues Idiom! Und das alles so natürlich, als Sprache dem Menschen Sinn seiner Seele ist.

Je lebendiger eine Sprache; je näher sie ihrem Ursprunge, und also noch in den Zeiten der Jugend und des Wachsthums ist: desto veränderlicher. Ist sie nur in Büchern da, wo sie nach Regeln gelernt, nur in Wißenschaften und nicht im lebendigen Umgange gebraucht wird, wo sie ihre bestimmte Zahl von Gegenständen und von Anwendungen hat, wo also ihr Wörterbuch geschloßen, ihre Grammatik geregelt, ihre Sphäre fixirt ist − eine solche Sprache kann noch eher im Merklichen unverändert bleiben, und doch auch da nur im Merklichen − −

Allein Eine im wilden, freien Leben, im Reich der grossen, weiten Schöpfung, noch ohne förmlich geprägte Regeln, noch ohne Bücher und Buchstaben und angenommene Meisterstücke; so dürftig und unvollendet, um noch täglich bereichert werden zu müßen, und so jugendlich gelenkig, um es noch täglich auf den ersten Wink der Aufmerksamkeit, auf den ersten Befehl der Leidenschaft und Empfindung werden zu können – sie muß sich verändern in jeder neuen Welt, die man sieht, in jeder Methode, nach der man denkt und fortdenkt. Ägyptische Gesetze der Einförmigkeit können hier nicht das Gegenteil bewürken.

Nun ist offenbar der ganze Erdboden für das Menschengeschlecht und dies für den ganzen Erdboden gemacht – (ich sage nicht jeder Bewohner der Erde, jedes Volk ist plötzlich durch den raschesten Übersprung für das entgegengesetzteste Clima und so für alle Weltzonen; sondern das ganze Geschlecht für den ganzen Erdkreis). Wo wir uns umher sehen, da ist der Mensch so zu Hause, wie die Landthiere, die ursprünglich für diese Gegend bestimmet sind. Er dauret in Grönland unter dem Eise und bratet sich in Guinea unter der senkrechten Sonne; ist auf seinem Felde, wenn er in Lappland mit dem Rennthier über den Schnee schlüpft, und wenn er die Arabische Wüste mit dem durstigen Kameel durchtrabet. Die Höle der Troglodyten und die Bergspitzen der Kabylen, der Rauchcamin der Ostiaken und der goldne Pallast des Moguls enthält – Menschen. Für die ist die Erde am Pol geplättet und am Äquator erhöhet: für die wälzt sie sich so und nicht anders um die Sonne: für die sind ihre Zonen und Jahreszeiten und Veränderungen – und diese sind wieder für die Zonen, für die Jahreszeiten und Veränderungen der Erde. Das Naturgesetz ist also auch hier sichtbar: Menschen sollen überall auf der Erde wohnen, da jede Thiergattung bloß ihr Land und engere Sphäre haben: der Erdbewohner wird sichtbar. Und ist das, so wird auch seine Sprache Sprache der Erde. Eine neue in jeder neuen Welt; Nationalsprache in jeder Nation – ich kann alle vorige Bestimmungsursachen der Veränderung nicht wiederholen – die Sprache wird ein Proteus auf der runden Oberfläche der Erde.

Manche neue Modephilosophen[+] haben diesen Proteus so wenig feßeln und in seiner wahren Gestalt erblicken können, daß es ihnen wahrscheinlicher vorgekommen, daß die Natur in jeden großen Erdstrich so gut ein paar Menschen, zu Stammältern habe hinschaffen können, wie in jedes Clima eigne Thiere. Diese hätten sich sodann solch eine eigne Land- und Nationalsprache erfunden, wie ihr ganzer Bau nur für dies Land sei gemacht worden. Der kleine Lappländer mit seiner Sprache und mit seinem dünnen Bart, mit seinen Geschicklichkeiten und seinem Temperament sei ein so ursprünglich Lappländisches Menschenthier als sein Rennthier; und der Neger mit seiner Haut, mit seiner Tintblasenschwärze, mit seinen Lippen, und Haar und Truthünersprache, und Dummheit und Faulheit sey ein natürlicher Bruder der Affen desselben Climas. Es sei so wenig Ähnlichkeit zwischen den Sprachen der Erde auszuträumen, als zwischen den Bildungen der Menschengattungen; und es hieße sehr unweise von Gott gedacht, nur Ein Paar Menschen als Stammältern für die ganze Erde so schwach und schüchtern, zum Raube der Elemente und Thiere in einen Erdewinkel dahingesetzt und einem tausendfachen Ungefähr von Gefahren überlassen zu haben – –

Wenigstens, fährt eine weniger behauptende Meinung fort, wäre die Sprache eine natürliche Produktion des Menschlichen Geistes, die sich nur allmälich mit dem Menschengeschlecht nach fremden Climaten hingezogen hätte: so müste sie sich auch nur allmälich verändert haben. Man müste die Abänderung, den Fortzug und die Verwandtschaft der Völker im Verhältniße fortgehen sehen[+], und sich überall nach kleinen Nuancen von Denk- und Mund- und Lebensart genaue Rechenschaft geben können. Wer aber kann das? Findet man nicht in demselben Clima, ja dicht an einander in allen Welttheilen kleine Völker, die in Einerlei Kreise so verschiedne und entgegengesetzte Sprachen haben, daß alles ein Böhmischer Wald wird? Wer Reisebeschreibungen von Nord- und Südamerika, von Africa und Asien gelesen, dem dörfen nicht die Stämme dieses Waldes vorgerechnet werden – Hier, schließen diese Zweifler, hört also alle Menschliche Untersuchung auf.

Und weil diese letzten bloß zweiflen, so will ich versuchen, zu zeigen, daß hier die Untersuchung nicht aufhöre, sondern daß sich diese Verschiedenheit dicht an einander ebenso natürlich erklären laße, als die Einheit der Familiensprache in einer Nation.

Die Trennung der Familien in abgesonderte Nationen geht gewiß nicht nach den langweiligen Verhältnißen von Entfernung, Wanderung, neuer Beziehung und dergl., wie der mü-

ßige kalte Philosoph den Cirkel in der Hand auf der Land-
karte abmißt, und wie nach diesem Maaße große Bücher von
Verwandtschaften der Völker geschrieben worden, an denen
alles, nur die Regel nicht, wahr ist, nach der Alles berechnet
wurde. Thun wir einen Blick in die lebendige, würksame
Welt, so sind Triebfedern da, die die Verschiedenheit der
Sprache unter den nahen Völkern sehr natürlich veranlaßen
müßen, nur man wolle den Menschen nach keinem Lieblings-
system umzwingen. Er ist kein Roußeauscher Waldmann: er
hat Sprache. Er ist kein Hobbesischer Wolf[+]: Er hat eine
Familiensprache. Er ist aber auch in andern Verhältnißen kein
unzeitiges Lamm: Er kann sich also entgegengesetzte Natur,
Gewohnheit und Sprache bilden – kurz! der Grund von die-
ser Verschiedenheit so naher kleiner Völker in Sprache,
Denk- und Lebensart ist – gegenseitiger Familien- und
Nationalhaß.

Ohne alle Verschwärzung und Verketzerung der Menschlichen Natur können zween oder mehrere nahe Stämme, wenn
wir uns in ihre Familiendenkart setzen, nicht anders als bald
Gegenstände des Zwistes finden. Nicht blos, daß ähnliche Bedürfniße sie bald in einen Streit, wenn ich so sagen darf des
Hungers und Durstes verwickeln, wie sich z. E. zwo Rotten
von Hirten über Brunnen und Weide zanken, und nach Beschaffenheit der Weltgegenden oft sehr natürlich zanken dörfen; ein viel heißerer Funke glimmt ihr Feuer an – Eifersucht,
Gefühl der Ehre, Stolz auf ihr Geschlecht und ihren Vorzug.
Dieselbe Familienneigung, die, in sich selbst gekehrt, Stärke
der Eintracht Eines Stammes gab, macht außer sich gekehrt
gegen ein andres Geschlecht, Stärke der Zwietracht, Familienhaß: dort zogs viele zu Einem desto vester zusammen; hier
machts aus zwei Partheien gleich Feinde. Der Grund dieser
Feindschaft und ewigen Kriege ist in solchem Falle mehr edle
Menschliche Schwachheit, als niederträchtiges Laster.

Da die Menschheit auf dieser Stuffe der Bildung mehr Kräfte
der Würksamkeit als Güter des Besitzes hat: so ist auch der
Stolz auf jene mehr Ehrenpunkt, als das leidige Besitzthum
der letzten, wie in spätern Nervenlosen Zeiten. Ein braver
Mann zu seyn und einer braven Familie zugehören war aber
im damaligen Zeitalter fast Eins, da der Sohn in vielem Betracht noch eigentlicher als bei uns seine Tugend und Tapfer-

keit vom Vater erbte, lernte, und der ganze Stamm überhaupt bei allen Gelegenheiten für Einen braven Mann stand. Es ward also bald das Wort natürlich: wer nicht mit und aus uns ist, der ist unter uns! Der Fremdling ist schlechter als wir, ist Barbar. In diesem Verstande war Barbar das Losungswort der Verachtung: ein Fremder und zugleich ein Unedlerer, der uns an Weisheit oder Tapferkeit, oder was der Ehrenpunkt des Zeitalters sei, nicht gleichkommt.

Nun ist dies freilich, wie ein Engländer richtig anmerkt[+], wenn es blos auf Eigennutz und Sicherheit des Besitzes ankommt, kein Grund zum Haße, daß der Nachbar nicht so tapfer als wir ist: sondern wir sollten uns in der Stille darüber freuen. Allein, eben weil diese Meinung nur Meinung und von beiden Theilen, die gleiches Gefühl des Stammes haben, gleiche Meinung ist: so ist eben damit die Trompete des Krieges geblasen! Das gilt die Ehre; das weckt den Stolz und Muth des ganzen Stammes! von beiden Seiten Helden und Patrioten! Und weil jeden die Ursache des Krieges traf; und jeder sie einsehen, und fühlen konnte, so wurde der Nationalhaß in ewigen, bittern Kriegen verewigt, und da war die zweite Synonyme fertig: wer nicht mit mir ist, ist gegen mich. Barbar und Gehäßiger! Fremdling, Feind! wie bei den Römern ursprünglich das Wort *hostis*[*].

Das dritte folgte unmittelbar, völlige Trennung und Absonderung. Wer wollte mit einem solchen Feinde, dem verächtlichen Barbar, was gemein haben? keine Familiengebräuche, kein Andenken an Einen Ursprung, und am wenigsten Sprache, da Sprache eigentlich Merkwort des Geschlechts, Band der Familie, Werkzeug des Unterrichts, Heldengesang von den Thaten der Väter, und die Stimme derselben aus ihren Gräbern war. Die konnte also unmöglich Einerlei bleiben, und so schuf dasselbe Familiengefühl, das Eine Sprache gebildet hatte, da es Nationalhaß wurde, oft Verschiedenheit, völlige Verschiedenheit der Sprache. Er ist Barbar, er redet eine fremde Sprache – die dritte, so gewöhnliche Synonyme.

So umgekehrt die Etymologie dieser Worte scheine, so beweiset doch die Geschichte aller kleinen Völker und Sprachen,

---

* Voss. Etymolog.[+]

über die die Frage gilt, völlig ihre Wahrheit; die Absätze der Etymologie sind auch nur Abstraktionen, nicht Trennungen in der Geschichte. Alle solche nahen Polyglotten sind zugleich die grimmigsten, unversöhnlichsten Feinde: und zwar alle nicht aus Raub und Habsucht, da sie meistens nicht plündern, sondern nur tödten und verwüsten, und dem Schatten ihrer Väter opfern.[+] Schatten der Väter sind die Gottheiten und die einzigen unsichtbaren Maschienen der ganzen blutigen Epopee, wie in den Gesängen Oßians. Sie sinds, die den Anführer in Träumen wecken und beleben, und denen er seine Nächte wacht: sie sinds, deren Namen seine Begleiter in Schwüren und Gesängen nennen: sie sinds, denen man die Gefangnen in allen Martern weihet, und sie sinds auch gegentheils, die den Gemarterten in seinen Gesängen und Todesliedern stärken. Verewigter Familienhaß ist also die Ursache ihrer Kriege, ihrer so eifersüchtigen Abtrennungen in Völker, die oft kaum nur Familien gleichen, und nach aller Wahrscheinlichkeit auch der völligen Unterschiede ihrer Gebräuche und Sprachen.

Eine Morgenländische Urkunde über die Trennung der Sprachen* (die ich hier nur als ein Poetisches Fragment zur Archäologie der Völkergeschichte betrachte) bestätigt durch eine sehr Dichterische Erzählung, was so viel Nationen aller Weltheile durch ihr Beispiel bestätigen. Nicht allmälich verwandelten sich die Sprachen, wie sie der Philosoph durch Wanderungen vervielfältigt; die Völker vereinigten sich, sagt das Poem, zu Einem großen Werke; da floß über sie der Taumel der Verwirrung und der Vielheit der Sprachen – daß sie abließen und sich trennten – was war dies als eine schnelle Verbitterung und Zwietracht, zu der eben ein solches grosses Werk den reichsten Anlaß gab? Da wachte der vielleicht bei einer kleinen Gelegenheit beleidigte Familiengeist auf: Bund und Absicht zerschlug sich: der Funke der Uneinigkeit schoß in Flammen: sie flogen aus einander: und thaten das jetzt und so heftiger, dem sie durch ihr Werk hatten zuvor kommen wollen: sie verwirrten das Eine ihres Ursprungs, ihre Sprache. So wurden verschiedne Völker und da, sagt der spätere Bericht, heißen[+] noch die Trümmer: Verwirrung

* 1. Mos. 11.

der Völker! – wer den Geist der Morgenländer in ihren oft so umhergeholten Einkleidungen und Epischwunderbaren Geschichten kennet (ich will hier für die Theologie keine höhere Veranstaltung ausschließen) der wird vielleicht den sinnlich gemachten Hauptgedanken nicht verkennen, daß Veruneinigung über einer großen gemeinschaftlichen Absicht, und nicht blos die Völkerwandrung mit eine Ursache zu so vielen Sprachen geworden.

Dies Morgenländische Zeugniß, (was ich doch überdem hier nur als Poem anführen wollte,) dahingestellet: siehet man, daß die Vielheit der Sprachen keinen Einwurf gegen das Natürliche und Menschliche der Fortbildung einer Sprache abgeben könne. Hier und da können freilich Berge durch Erdbeben hervorgehoben seyn; allein folgt denn daraus, daß die Erde im ganzen mit ihren Gebürgen und Strömen und Meeren nicht ihre Gestalt aus Wasser könne gewonnen haben? – – Nur freilich wird auch eben damit den Etymologisten und Völkerforschern ein nützlicher Stein der Behutsamkeit auf die Zunge gelegt[+], aus den Sprachunähnlichkeiten nicht zu despotisch auf ihre Abstammung zu schließen. Es können Familien sehr nahe verwandt seyn, und doch Ursache gehabt haben, die Verwandtschaft der Wapen zu unterdrücken. Der Geist solcher kleinen Völker gibt dazu Ursache gnug.

Viertes Naturgesetz.

So wie nach aller Wahrscheinlichkeit das Menschliche Geschlecht ein Progreßives Ganze von Einem Ursprunge in Einer großen Haushaltung ausmacht: so auch alle Sprachen, und mit ihnen die ganze Kette der Bildung.

Der sonderbare charakteristische Plan ist bemerkt, der über einen Menschen waltet: seine Seele ist gewohnt, immer das, was sie sieht, zu reihen, mit dem, was sie sahe, und durch Besonnenheit wird also ein progreßives Eins aller Zustände des Lebens – mithin Fortbildung der Sprache.

Der sonderbare charakteristische Plan ist bemerkt, der über Ein Menschengeschlecht waltet, daß durch die Kette des Unterrichts Eltern und Kinder Eins werden, und jedes Glied also nur von der Natur zwischen zwei andre hingeschoben wird, um zu empfangen und mitzutheilen – dadurch wird Fortbildung der Sprache.

Endlich geht dieser sonderbare Plan auch aufs ganze Menschengeschlecht fort; und dadurch wird eine Fortbildung im höchsten Verstande, die aus den beiden vorigen unmittelbar folgt.

Jedes Individuum ist Mensch, folglich denkt er die Kette seines Lebens fort. Jedes Individuum ist Sohn oder Tochter: ward durch Unterricht gebildet: folglich bekam es immer einen Theil der Gedankenschätze seiner Vorfahren frühe mit, und wird sie nach seiner Art weiter reichen – also ist auf gewiße Weise kein Gedanke, keine Erfindung, keine Vervollkommung, die nicht weiter, fast ins Unendliche reiche. So wie ich keine Handlung thun, keinen Gedanken denken kann, der nicht auf die ganze Unermäßlichkeit meines Daseyns natürlich hinwürke; so nicht ich und kein Geschöpf meiner Gattung, was nicht mit Jedem auch für die ganze Gattung und für das fortgehende Ganze der ganzen Gattung würke. Jedes treibt immer eine grosse oder kleine Welle: jedes verändert den Zustand der Einzelnen Seele, mithin das Ganze dieser Zustände; würkt immer auf andre; verändert auch in diesen etwas – der erste Gedanke in der Ersten Menschlichen Seele hängt mit dem letzten in der letzten Menschlichen Seele zusammen.

Wäre Sprache dem Menschen so angebohren, als den Bienen der Honigbau; so zerfiele mit Einmal dies größeste prächtigste Gebäude in Trümmern! Jeder brächte sich sein wenig Sprache auf die Welt, oder da doch das auf die Welt bringen, für eine Vernunft nichts heißt, als sie sich gleich erfinden – welch ein trauriges Einzelne wird jeder Mensch! Jeder erfindet seine Rudimente, stirbt über ihnen, und nimmt sie ins Grab, wie die Biene ihren Kunstbau: der Nachfolger kommt, quält sich über denselben Anfängen, kommt eben so weit, oder eben so wenig weit, stirbt – und so gehts ins Unendliche. Man siehet, der Plan, der über die Thiere geht, die nichts erfinden, kann nicht über Geschöpfe gehen, die erfinden müßen, oder es wird ein Planloser Plan! Erfindet jedes für sich allein, so wird unnütze Mühe ins Unendliche vervielfältigt[+], und der erfindende Verstand seines besten Preises beraubt, zu wachsen.

Was für Grund hätte ich nun irgendwo in der Kette stillezustehen, und nicht, solange ich denselben Plan wahrnehme, auch auf die Sprache hinaufzuschließen? Kam ich auf die Welt, um sogleich in den Unterricht der Meinigen eintreten zu müßen; so mein Vater, so der erste Sohn des ersten Stammvaters auch, und wie ich meine Gedanken um mich und in meine Abfolge breite: so mein Vater, so sein Stammvater; so der erste aller Väter. Die Kette reicht fort und steht nur bei Einem, dem Ersten stille: so sind wir alle seine Söhne: von ihm fängt sich Geschlecht, Unterricht, Sprache an. Er hat zu erfinden angefangen; wir alle haben ihm nacherfunden, bilden und mißbilden. Kein Gedanke in Einer menschlichen Seele war verloren; nie aber war auch Eine Fertigkeit dieses Geschlechts auf Einmal ganz da wie bei den Thieren: zufolge der ganzen Ökonomie war sie immer im Fortschritte, im Gange: nichts Erfundnes, wie der Bau einer Zelle, sondern Alles im Erfinden, im Fortwürken, strebend. In diesem Gesichtspunkt wie groß wird die Sprache! Eine Schatzkammer Menschlicher Gedanken, wo jeder auf seine Art etwas beitrug! eine Summe der Würksamkeit aller Menschlichen Seelen.

Höchstens – tritt hier die vorige Philosophie die den Menschen gern als ein Land- und Domainengut betrachten möchte, dazwischen –, höchstens dürfte diese Kette doch wohl nur bis an jeden Einzelnen Ersten Stammvater Eines Landes reichen, von dem sich sein Geschlecht wie seine Landsprache erzeugte*. Ich wüste nicht, warum sie nur bis dahin und nicht weiter reichen sollte? warum diese Landesväter nicht wieder unter sich einen Erdenvater könnten gehabt haben, da die ganze fortgehende Ähnlichkeit der Haushaltung dieses Geschlechts es so fordert. Ja, hörten wir den Einwurf, »als wenns weise gewesen wäre, Ein schwaches, elendes Menschenpaar in Einen Winkel der Erde zum Raube der Gefahr auszustellen?« und als wenns weiser gewesen wäre, viele solche schwache Menschenpaare Einzeln in verschiedene Winkel der Erde zum Raube zehnfach ärgerer Gefahren zu machen? Der Fall wagender Unvorsichtigkeit ist nicht blos überall derselbe, sondern er wird auch mit jeder Vervielfältigung unendlich vermehrt. Ein Menschenpaar, irgendwo, im besten, be-

* Philosophie de l'histoire etc. etc. +

quemsten Clima der Erde, wo die Jahreszeit ihrer Nacktheit am wenigsten strenge ist, wo der fruchtbare Boden den Bedürfnißen ihrer Unerfahrenheit von selbst zu statten kommt, wo gleichsam Alles umhergelagert ist wie eine Werkstäte, um der Kindheit ihrer Künste zu Hülfe zu kommen – ist dies Paar nicht weiser versorgt, als jedes andre Menschliche Landthier, was unter dem unfreundlichsten Himmel in Lappland, oder Grönland, mit der ganzen Dürftigkeit der nackten erfrornen Natur umgeben, den Klauen eben so dürftiger, hungriger und um so grausamerer Thiere, mithin unendlich mehrern Ungemächlichkeiten ausgesetzt ist? Die Sicherheit der Erhaltung nimmt also ab, je mehr die ursprünglichen Erdemenschen verdoppelt werden. Und denn wie lange bleibt das Paar im seligen Clima Ein Paar? Es wird bald Familie, bald kleines Volk, und wenn es sich nun, als Volk, ausbreitet: es kommt in ein ander Land – es kommt schon als Volk hinein – wie weiser! wie sicherer! Viel an Anzahl, mit gehärteten Körpern, mit versuchten Seelen, ja mit dem ganzen Schatze von Erfahrungen ihrer Vorfahren beerbt – wie vielfach also verstärkte und verdoppelte Seelen! Nun sind sie fähig, sich bald zu Landgeschöpfen dieser Gegend zu vervollkommen! Sie werden in kurzem so eingebohren, als die Thiere des Clima mit Lebensart, Denkart und Sprache – beweiset nicht aber eben dies den natürlichen Fortgang des Menschlichen Geistes, der sich aus einem gewißen Mittelpunkt zu Allem bilden kann? Es kommt nie auf eine Menge bloßer Zahlen, sondern auf die Gültigkeit und Progreßion ihrer Bedeutung: nie auf eine Menge schwacher Subjekte, sondern auf Kräfte an, mit denen sie würken. Diese würken eben im simpelsten Verhältniß am stärksten; und nur die Bande umfangen also das ganze Geschlecht, die von Einem Punkte der Verknüpfung ausgehen.

Ich laße mich in keine weitere Gründe dieses einstämmigen Ursprungs ein: daß z. E. noch keine wahren Data von neuen Menschengattungen, die diesen Namen, wie die Thiergattungen, verdienten, aufgefunden sind; daß die offenbar allmäliche und fortgehende Bevölkerung der Erde gerade das Gegentheil von eingebohrnen Landthieren zeige; daß die Kette der Cultur und ähnlicher Gewohnheiten es auch, nur dunkler, zeige u.s.w.; ich bleibe bei der Sprache. Wären die Menschen Nationalthiere, wo Jedes die seinige sich ganz unabhängig und abgetrennt von andern selbst erfunden hätte: so müste diese gewiß eine Verschiedenartigkeit zeigen, als vielleicht die Einwohner des Saturns und der Erde gegen einander haben mögen – und doch geht bei uns offenbar Alles auf Einem Grunde fort. Auf einem Grunde nicht blos was die Form, sondern was würklich den Gang des Menschlichen Geistes betrift: denn unter allen Völkern der Erde ist die Grammatik beinahe auf Einerlei Art gebaut. Die einzige Chinesische macht, meines Wißens, eine wesentliche Ausnahme, die ich mir aber als Ausnahme sehr zu erklären getraue – wie viel Chinesergrammatiken, und wie viele Arten derselben müßten seyn, wenn die Erde voll Spracherfindender Landthiere gewesen wäre!

Woher kommts, daß so viel Völker ein Alphabet haben, und daß doch fast nur Ein Alphabet auf dem Erdboden sey?[+] Der sonderbare, und schwere Gedanke, sich aus den Bestandtheilen der willkührlichen Worte, aus Lauten, willkührliche Zeichen zu bilden, ist so springend, so verwickelt, so sonderbar, daß es gewiß unerklärlich wäre, wie Viele und so Viele auf den Einen so entfernten Gedanken, und alle ganz auf Eine Art auf ihn gefallen wären. Daß sie Alle die weit natürlichern Zeichen, die Bilder von Sachen vorbeiließen und Hauche malten, unter allen möglichen Dieselben Zwanzig mahlten, und sich gegen die übrigen fehlenden dürftig behalfen, daß zu diesen Zwanzig so viele Dieselben willkührlichen Zeichen nahmen – wird hier nicht Überlieferung sichtbar? Die Morgenländischen Alphabete sind im Grunde Eins: das Griechische, Lateinische, Runische, Deutsche u.s.w. Ableitungen: das Deutsche hat also noch mit dem Koptischen Buchstaben gemein und Irrländer sind kühn gnug gewesen, den Homer für eine Übersetzung aus ihrer Sprache zu erklären. Wer kann, so wenig oder viel er drauf rechne, im Grunde der Sprachen Verwandtschaft ganz verkennen? Wie Ein Menschenvolk nur auf der Erde wohnet, so auch nur Eine Menschensprache: wie aber diese große Gattung sich in so viele kleine Landarten nationalisirt hat: so ihre Sprachen nicht anders.

Viele haben sich mit den Stammlisten dieser Sprachengeschlechter versucht; ich versuche es nicht – denn wie viele, viele Nebenursachen konnten in dieser Abstammung, und in der Känntlichkeit dieser Abstammung Veränderungen machen, auf die der Etymologisirende Philosoph nicht rechnen kann und die seinen Stammbaum trügen. Zudem sind unter den Reisebeschreibern und selbst Mißionarien so wenig wahre Sprachphilosophen gewesen, die uns von dem Genius und dem charakteristischen Grunde ihrer Völkersprachen hätten Nachricht geben können oder wollen, daß man im Allgemeinen hier noch in der Irre gehet. Sie geben Verzeichniße von Wörtern – und aus dem Schällenkrame soll man schließen! Die Regeln der wahren Sprachdeduktion sind auch so fein, daß wenige – – doch das ist Alles nicht mein Werk! Im Ganzen bleibt das Naturgesetz sichtbar: Sprache pflanze und bilde sich mit dem Menschlichen Geschlechte fort; in diesem Gesetze zähle ich nur Hauptarten auf, die verschiedne Dimension geben.

I. Jeder Mensch hat freilich alle Fähigkeiten, die sein ganzes Geschlecht; und jede Nation die Fähigkeiten, die alle Nationen haben; es ist indeßen doch wahr, daß eine Gesellschaft mehr als ein Mensch, und das ganze Menschliche Geschlecht mehr als ein Einzelnes Volk erfinde; und das zwar nicht blos nach Menge der Köpfe, sondern nach vielfach- und innigvermehrtern Verhältnißen. Man sollte denken, daß ein einsamer Mensch, ohne drängende Bedürfniße, mit aller Gemächlichkeit der Lebensart z. E. viel mehr Sprache erfinden; daß seine Muße ihn dazu antreiben werde, seine Seelenkräfte zu üben, mithin immer etwas Neues zu erdenken u.s.w.; allein das Gentheil ist klar. Er wird ohne Gesellschaft immer auf gewiße Weise verwildern, und bald in Unthätigkeit ermatten, wenn er sich nur erst in den Mittelpunkt gesetzt hat, seine nöthigsten Bedürfniße zu befriedigen. Er ist immer eine Blume, die aus ihren Wurzeln gerißen, von ihrem Stamm gebrochen daliegt und welkt. – – Setzt ihn in Gesellschaft und mehrere Bedürfniße: er habe für sich und andre zu sorgen; man sollte denken, diese neue Lasten nehmen ihm die Freiheit sich emporzuheben; dieser Zuwachs von Peinlichkeiten die Muße zu erfinden; aber gerade umgekehrt. Das Bedürfniß strengt ihn an: die Peinlichkeit weckt ihn: die Rastlosigkeit hält seine Seele in Bewegung: er wird desto mehr thun, je wundersamer es wird, daß ers thue. So wächst also die Fortbildung einer Sprache von einem Einzelnen bis zu einem Familienmenschen schon in sehr zusammengesetztem Verhältniß. Alles andre abgerechnet, wie wenig würde doch der Einsame, selbst der einsame Sprachenphilosoph, auf seiner wüsten Insel erfinden! wie viel mehr und stärker der Stammvater, der Familienmann: die Natur hat also diese Fortbildung gewählet.

II. Eine einzelne, abgetrennte Familie, denkt man, wird ihre Sprache bei Bequemlichkeit und Muße mehr ausbilden können, als bei Zerstreuungen, Krieg gegen einen andern Stamm u.s.w.; allein nichts weniger. Je mehr sie gegen andre gekehrt ist, desto stärker wird sie in sich zusammengedrängt: desto mehr setzt sie sich auf ihre Wurzel, macht die Thaten ihrer Vorfahren zu Liedern, zu Aufruffungen, zu ewigen Denkmalen: erhält dieses Sprachandenken um desto reiner und patriotischer – die Fortbildung der Sprache, als Mundart der Väter, geht desto stärker fort: darum hat die Natur diese Fortbildung gewählet.

III. Mit der Zeit aber setzt sich dieser Stamm, wenn er in eine kleine Nation angewachsen ist, auch in seinen Cirkel fest. Er hat seinen gemeßnen Kreis von Bedürfnißen und für diese auch Sprache. Weiter gehet er nicht, wie wir an allen kleinen sogenannten Barbarischen Nationen sehen. Mit ihren Nothwendigkeiten abgetheilt, können sie Jahrhunderte lang in der sonderbarsten Unwißenheit bleiben, wie jene Inseln ohne Feuer, und so viel andre Völker ohne die leichtesten Mechanischen Künste.+ Es ist als ob sie nicht Augen hätten, zu sehen was ihnen vorliegt. Daher alsdenn das Geschrei andrer Völker auf solche, als auf dumme, unmenschliche Barbaren; da wir alle doch vor weniger Zeit ebendieselben Barbaren waren, und diese Känntniße nur von andern Völkern bekamen! Daher auch das Geschrei so mancher Philosophen über diese Dummheit, als die unbegreiflichste Sache, da doch nach der Analogie der ganzen Haushaltung mit unsrem Geschlecht nichts begreiflicher ist, als sie! – Hier hat die Natur eine neue Kette geknüpft, die Überlieferung von Volk zu Volk! So haben sich Künste, Wißenschaften, Cultur und Sprache in einer großen Progreßion Nationen hin verfeinert – das feinste Band der Fortbildung, was die Natur gewählet.

Wir Deutsche würden noch ruhig, wie die Amerikaner, in unsern Wäldern leben, oder vielmehr noch in ihnen rauh kriegen und Helden seyn, wenn die Kette fremder Kultur nicht so nah an uns gedrängt, und mit der Gewalt ganzer Jahrhunderte uns genöthigt hätte, mit einzugreifen. Der Römer holte so seine Bildung aus Griechenland, der Grieche bekam sie aus Asien und Ägypten: Ägypten aus Asien, China vielleicht aus Ägypten – so geht die Kette von Einem ersten Ringe fort und wird vielleicht einmal über die Erde reichen. Die Kunst, die einen Griechischen Pallast bauete, zeigt sich bei dem Wilden schon im Bau einer Waldhütte; wie die Malerei Mengs und Dürers[+] schon im rohesten Grunde auf dem rothbemalten Schilde Hermanns[+] glänzte. Der Eskimau vor seinem Kriegsheere hat schon alle Keime zu einem künftigen Demosthen, und jene Nation von Bildhauern am Amazonenstrome[*] vielleicht tausend künftige Phidias. Laßet nur andre Nationen vor- und jene umrücken: so ist alles, wenigstens in den gemässigten Zonen, wie in der alten Welt. Ägypter und Griechen, und Römer und Neuere thaten nichts als fortbauen; Perser, Tataren, Gothen und Pfaffen kommen dazwischen und machen Trümmern; desto frischer bauet sichs aus und nach und auf solchen alten Trümmern weiter. Die Kette einer gewißen Vervollkommung der Kunst geht über alles fort (ob gleich andre Eigenschaften der Natur wiederum dagegen leiden) und so auch über die Sprache. Die Arabische ist ohne Zweifel hundertmal feiner, als ihre Mutter im ersten rohen Anfange: unser Deutsch ohne Zweifel feiner, als das alte Celtische: die Grammatik der Griechen konnte beßer seyn und werden, als die Morgenländische, denn sie war Tochter: die Römische Philosophischer als die Griechische, die Französische als die Römische: – ist der Zwerg auf den Schultern des Riesen nicht immer größer, als der Riese selbst?

Nun sieht man auf Einmal, wie trüglich der Beweis für die Göttlichkeit der Sprache aus ihrer Ordnung und Schönheit werde – Ordnung und Schönheit sind da, aber wenn? wie und woher gekommen? Ist denn diese so bewunderte Sprache, die Sprache des Ursprungs? oder nicht schon das Kind ganzer Jahrhunderte, und vieler Nationen? Siehe! an diesem grossen Gebäude haben Nationen, und Welttheile und Zeitalter gebauet; und darum konnte jene arme Hütte nicht der Ursprung der Baukunst seyn? darum muste gleich ein Gott die Men-

---

[*] de la Condamine.

schen solchen Pallast bauen lehren? weil Menschen gleich solchen Pallast nicht hätten bauen können – welch ein Schluß! und welch ein Schluß überhaupt ists: diese große Brücke zwischen zwo Bergen begreife ich nicht ganz, wie sie gebauet sei – – folglich hat sie der Teufel gebauet! Es gehört ein großer Grad Kühnheit oder Unwißenheit dazu, zu läugnen, daß sich nicht die Sprache mit dem Menschlichen Geschlecht nach allen Stuffen und Veränderungen fortgebildet: das zeigt Geschichte und Dichtkunst, Beredsamkeit und Grammatik, ja, wenn alles nicht, so Vernunft. Hat sie sich nun ewig so fortgebildet und nie zu bilden angefangen? oder immer Menschlich gebildet, so daß Vernunft nicht ohne sie, und sie ohne Vernunft nicht gehen konnte – und mit Einmal ist ihr Anfang anders? und das so ohne Sinn und Grund anders, wie wir Anfangs gezeigt? In allen Fällen wird die Hypothese eines Göttlichen Ursprungs in der Sprache – versteckter, feiner Unsinn!

Ich wiederhole das mit Bedacht gesagte, harte Wort Unsinn! und will mich zum Schluß erklären. Was heißt ein Göttlicher Ursprung der Sprache als

entweder: ich kann die Sprache aus der Menschlichen Natur nicht erklären, folglich ist sie Göttlich – ist Sinn in dem Schluße? Der Gegner sagt: ich kann sie aus der Menschlichen Natur und aus ihr vollständig erklären – wer hat mehr gesagt? Jener versteckt sich hinter eine Decke und ruft hervor: Hier ist Gott! dieser stellt sich sichtbar auf den Schauplatz, handelt – – »sehet! ich bin ein Mensch!«

oder ein höherer Ursprung sagt: weil ich die Menschliche Sprache nicht aus der Menschlichen Natur erklären kann: so kann durchaus keiner sie erklären – sie ist durchaus unerklärbar: ist in dem Schluße Folge? Der Gegner sagt: mir ist kein Element der Sprache in ihrem Beginn, und in jeder ihrer Progreßion aus der Menschlichen Seele unbegreiflich: ja die ganze Menschliche Seele wird mir unerklärbar, wenn ich in ihr nicht Sprache setze, das ganze Menschliche Geschlecht bleibt nicht das Naturgeschlecht mehr, wenns nicht die Sprache fortbildet – wer hat mehr gesagt? – wer sagt Sinn?

oder endlich die höhere Hypothese sagt gar: nicht blos keiner kann die Sprache aus der Menschlichen Seele begreifen:

sondern ich sehe auch deutlich die Ursache, warum sie ihrer Natur und der Analogie ihres Geschlechts nach durchaus für Menschen unerfindbar war. Ja ich sehe in der Sprache und im Wesen der Gottheit die Ursache deutlich, warum keiner als Gott sie erfinden konnte. Nun bekäme zwar der Schluß Folge; aber nun wird er auch der gräßlichste Unsinn. Er wird so beweisbar als jener Beweis der Türken von der Göttlichkeit des Korans: »wer anders, als der Prophet Gottes konnte so schreiben?« Und wer anders als ein Prophet Gottes kann auch wißen, daß nur der Prophet Gottes so schreiben konnte? Niemand als Gott konnte die Sprache erfinden! Niemand als Gott kann aber auch einsehen, daß niemand, als Gott, sie erfinden konnte! Und welche Hand kann es wagen, nicht blos etwa Sprache und die Menschliche Seele, sondern Sprache und Gottheit auszumeßen?

Ein höherer Ursprung hat nichts für sich, selbst nicht das Zeugnis der Morgenländischen Schrift, auf die er sich beruft: denn diese gibt offenbar der Sprache einen Menschlichen Anfang durch Namennennung der Thiere. Die Menschliche Erfindung hat Alles für – und durchaus Nichts gegen sich: Wesen der Menschlichen Seele und Element der Sprache; Analogie des Menschlichen Geschlechts und Analogie der Fortgänge der Sprache – das große Beispiel aller Völker, Zeiten und Theile der Welt!

Der höhere Ursprung ist, so fromm er scheine, durchaus ungöttlich: Bei jedem Schritte verkleinert er Gott durch die niedrigsten, unvollkommensten Anthropomorphien. Der Menschliche zeigt Gott im größesten Lichte: sein Werk, eine Menschliche Seele, durch sich selbst, eine Sprache schaffend und fortschaffend, weil sie sein Werk, eine Menschliche Seele ist. Sie bauet sich diesen Sinn der Vernunft, als eine Schöpferin, als ein Bild seines Wesens. Der Ursprung der Sprache wird also nur auf eine würdige Art Göttlich, sofern er Menschlich ist.[+]

Der höhere Ursprung ist zu nichts nütze, und äußerst schädlich. Er zerstört alle Würksamkeit der Menschlichen Seele, erklärt nichts, und macht alles, alle Psychologie, und alle Wißenschaften unerklärlich – denn mit der Sprache haben ja die Menschen alle Samen von Känntnißen von Gott empfangen? Nichts ist also aus der Menschlichen Seele? Der Anfang jeder Kunst, Wißenschaft, und Känntniß also ist immer unbegreiflich? – Der Menschliche läßt keinen Schritt thun ohne Aussichten, und die fruchtbarsten Erklärungen in allen Theilen der Philosophie, und in allen Gattungen und Vorträgen der Sprache. Der Verfaßer hat einige hier geliefert und kann davon eine Menge liefern.– – – –

Wie würde er sich freuen, wenn er mit dieser Abhandlung eine Hypothese verdränge, die von allen Seiten betrachtet, dem Menschlichen Geist nur zum Nebel und zur Unehre ist, und es zu lange dazu gewesen! Er hat eben deßwegen das Gebot der Akademie übertreten und keine Hypothese geliefert: denn was wärs, wenn Eine Hypothese die andre auf- oder gleichwöge? und wie pflegt man, was die Form einer Hypothese hat, zu betrachten, als wie Philosophischen Roman – Roußeau's, Condillacs und andrer? Er befliß sich lieber, veste Data aus der Menschlichen Seele, der Menschlichen Organisation, dem Bau aller alten und wilden Sprachen, und der ganzen Haushaltung des Menschlichen Geschlechts zu sammlen, und seinen Satz so zu beweisen, wie die vesteste Philosophische Wahrheit bewiesen werden kann. Er glaubt also mit seinem Ungehorsam den Willen der Akademie eher erreicht zu haben, als er sich sonst erreichen ließ – – –

KOMMENTAR

Editorische Notiz

Der vorgelegte Text folgt, mit wenigen in den Anmerkungen verzeichneten Ausnahmen, dem von Reinhold Steig in der Suphan-Ausgabe (vgl. Bibliographie Nr. 2) festgelegten Text, der jeweils mit den Varianten sowie dem von Claus Träger vorgelegten Manuskript (Bibliographie Nr. 1) und dem Text der zweiten Ausgabe von 1789 (Bibliographie Nr. 3) verglichen wurde. Die Abweichungen von Steigs Textfassung beschränken sich auf Stellen, in denen eine Verdeutlichung der Aussage Herders durch die Wahl der klarsten Textvariante zu erzielen war; nicht angestrebt wurde eine Vereinheitlichung von Sprachstil und Orthographie Herders, um die Einheit von schöpferischem Sprachgebrauch, rhetorischer Emphase und gedanklichem Ablauf, die dem Text die von den Zeitgenossen gerühmte Eleganz verleiht, nicht zu beeinträchtigen. – Die beigefügten Materialien wurden, mit Ausnahme des Mendelssohn–Dokuments (Materialien 6), alle vom Herausgeber ins Deutsche übersetzt (aus den angegebenen Vorlagen); dieses Verfahren schien angezeigt, da teilweise vorhandene Übersetzungen des 18. Jahrhunderts nicht zur Verfügung standen, andererseits auch Klarheit und Lesbarkeit der Dokumente für den Zweck der Edition entscheidend waren. Für etwaige Irrtümer ist allein der Herausgeber verantwortlich.

Einzelhinweise*

7/14 *Vocabula sunt:* Das Motto entstammt – geringfügig verändert – der kleinen Schrift Ciceros ›Ad C. Trebatium Topica‹ (Kap. 8, 35), die sich, im Anschluß an Aristoteles' ›Topiké‹ mit der rhetorischen Erfindungskunst beschäftigt. Die »notatio«, als »argumentum ex vi verbi« (Kap. 2, 8 und 10) stellt einen wichtigen Teil ihrer Anwendung dar: »Multa etiam ex notatione sumuntur. ea est autem, cum ex vi nominis argumentum elicitur : quam Graeci ἐτυμολογίαν vocant, id est, verbum ex verbo, veriloquium. Nos autem novitatem verbi non satis apti fugientes, genus hoc notationem appellamus, quia sunt verba rerum notae. Itaque hoc idem Aristoteles σύμβολον appellat, quod Latine est nota.« – Herder nimmt hier einen alten Kernsatz der Sprachtheorie des 17. Jahrhunderts zum Motto (vgl. Padley (92), S. 184 ff.), versucht aber, gegenüber dem Postulat, daß Zeichen (»no-

---

* In Klammern gesetzte Zahlen bei Autorenangaben verweisen auf die Nummern der Bibliographie, S. 234 ff.

tae«) Abstraktionen darstellen, ihm die einfachere Ansicht Bacons von der Ding-Nähe aller Zeichen zurückzugeben. Gleichzeitig stimmt das Motto auf den Tenor der ›Abhandlung‹ ein: die Argumente zum Ursprung der Sprache entstammen etymologischen Konstruktionen, sind »verbum ex verbo«.

9/5 *Schon als Thier hat der Mensch Sprache:* Der scheinbar so provokante Satz, mit dem Herder die ›Abhandlung‹ eröffnet, ist durch die ›Fragmente zu einer Archäologie des Morgenlandes‹ (1769) vorbereitet: »Der Mensch unter den Thieren der Erde! ein edler Zug der alten Morgenländischen Einfalt! Er, aus Erde gebauet, von der Erde sich nährend, in Erde zerfallend – was ist er, als ein Thier der Erde!« Der Ansatz wendet sich explizit gegen die cartesianische Betrachtung des Tieres als einer Maschine, die mit La Mettries ›L'homme machine‹ (1747) noch auf den Menschen ausgedehnt wurde: »O Mensch, die grausam vornehme Naturlehre ist nicht immer gewesen, daß die Thiere Nichts als Empfindungslose Maschienen, und der Mensch der Einzige Liebling Gottes, das Einzig Genießende sei im der allweiten Reiche der Schöpfung! … Thier unter Thieren! – aber der Mensch ist ein göttlich geadeltes Thier!« (vgl. Suphan-Ausg. (16) Bd. 6, S. 25 u. 26).

9/10 *Philoktet:* Philoktet hatte Bogen und Pfeile des Herakles geerbt und mit ihnen am trojanischen Krieg teilgenommen. Wegen einer unheilbaren Verwundung, deren Schmerzen ihn zu ständigem Geschrei trieb, hatte ihn Odysseus auf der Insel Lemnos ausgesetzt, mußte ihn aber von dort zurückholen, da Troja nur mit Hilfe seiner Waffen fallen konnte. Vgl. hierzu Sophokles' gleichnamige Tragödie (409 v. Chr.) und ihre moderne Bearbeitung durch Heiner Müller (1958/64).

9/27 *auf andere Geschöpfe gerichtet:* Herder unterschätzt die Bemühungen seiner Zeitgenossen um die rationale Analyse der Töne etwas: seit Galileis und Mersennes Studien zur Akustik wird die mechanisch-mathematische Erforschung von Schallerscheinungen intensiv betrieben, wie Arbeiten von Gassendi, Rameau, d'Alembert oder Euler (unter dem Einfluß von Leibniz und Newton) belegen. Herders eigene Theorie der Konsonanz aller Weltkörper scheint noch – und in diesem Sinn ist die Betrachtung des Menschen als einer »empfindenden Maschine« zu verstehen – in der Tradition des magnetischen Weltbildes von Athanasius Kircher (1601-1680) zu stehen; vgl. hierzu dessen ›Phonurgia Nova‹, Kempten 1673 (dt. ›Neue Hall- und Tonkunst‹, Nördlingen 1684). Dabei ist seine Leistung für die Psychologie des Gehörs sicher außergewöhnlich in dieser Zeit, wenn auch in entscheidenden Aspekten durch Mendelssohns Condillac-Kritik unterstützt (s. dazu Kommentar, S. 156ff.). – Vgl. hierzu generell die Artikel ›Akustik – Geschichte‹ und ›Gehörpsychologie‹ in: Friedrich

Blume (Hg.), Die Musik in Geschichte und Gegenwart. Allgemeine Enzyklopädie der Musik. Kassel/Basel 1949 ff., Bd. 1, Sp. 211-224 und Bd. 4, Sp. 1571-1609.

9/32 sehr zweifle: Die Bedenklichkeiten Herders dürften von Hallers mechanischer Physiologie herrühren, vor allem aus deren Bestreben, die Reizbarkeit der Muskelfasern von der Tätigkeit der Nerven zu separieren und damit die als »metaphysisch« denunzierten Fragen des Lebens- und Nervengeistes aus der Physiologie auszuschalten. An den Nerven hängt aber, wie Herders Zeitgenosse Ernst Platner 1772 formuliert, die Möglichkeit einer fundierten Psychologie und Anthropologie, da sie die Träger der »äußeren Impression« sind, die im Gehirn – als dem Zentrum des »sensorium commune« – zu einer »inneren Impression« umgesetzt wird. Dieser Prozeß entzieht sich vorläufig einer mechanischen Deutung. Vgl. Ernst Platner, Anthropologie für Ärzte und Weltweise. Leipzig 1772, Zweites Hauptstück: Von der Erzeugung der Ideen, S. 49-103.

10/5 Jede laut: Lesart nach Steig (2), S. 6.

11/10 beschreitet: von mhd. schrîten (be-steigen, sich schwingen).

11/10 Hektor in der Iliade: Hektor feuert in der ›Ilias‹ (8. Gesang, V. 184-197) seine vier Pferde an, ihm die gute Pflege von seinem Weib Andromache durch Schnelligkeit zu vergelten. Die Stelle erscheint mir für Herders Intention nicht sonderlich ergiebig; möglicherweise sollte es statt »Hektor« im Text »Achill« heißen: denn dieser führt (19. Gesang, V. 400-424) mit seinem Pferd Xanthos ein Gespräch, in dem dieses ihm seinen baldigen Tod verkündet.

12/16 Sokrates: In Platons ›Phaidon‹ knüpft Sokrates an die Empfindung beim Abnehmen der Fesseln vor seiner Hinrichtung einige Betrachtungen über die merkwürdige Verbindung von Lust und Schmerz, aus der Äsop eine Fabel hätte machen können (Phaidon 60b-c); Mendelssohn hat diese Stelle in seinen ›Phaedon oder über die Unsterblichkeit der Seele‹ (1767) übernommen: »Die Götter wollten die streitenden Empfindungen miteinander vereinigen; als aber dieses sich nicht thun liess, knüpften sie dieselben an beiden Enden zusammen, und seit der Zeit folgen sie sich einander beständig auf dem Fusse nach.« (Schriften, Ausg. Brasch (29), Bd. I, S. 163).

13/6 Shaw: Herrn Thomas Shaws . . . Reisen oder Anmerkungen verschiedene Theile der Barbarey und der Levante betreffend. Nach der zweyten englischen Ausgabe ins Deutsche übersetzt . . . Leipzig 1765. Vgl. dort S. 211 Anm.

13/23 bringen laßen: Süßmilchs Argumentation, der Herder hier widerspricht, um ihr am Schluß der ›Abhandlung‹ scheinbar sorglos zuzustimmen (s. Text S. 104), lautet: die Vielfalt der physischen Dinge verlangt Vielfalt der sprachlichen Zeichen, um einen adäquaten Diskurs zu führen. Um der Ökonomie der Sprachzeichen willen, die sowohl logisch (vgl. Locke, Darstellung S. 167) und historisch (vgl. Wachter, *Materialien* 5)ein belangvolles Argument darstellt, gibt es diese Begrenzung der Anzahl der Sprachlaute, wie Süßmilch in Anm. zu § 6 ausführt: »Es ist eine anmerkungswürdige Sache, daß in allen uns bekanten Sprachen, [. . .] die verschiedene und vielfache Bestimmung der Schalle durch etliche und zwanzig Buchstaben geschehe. Man beweiset in der Algebra, daß die Veränderungen der Schalle durch die verschiedenen Zusammensetzungen von 24 Buchstaben viele Millionen mahl geschehen könne. Es waren also nicht einmahl so viele nöthig. Wir wissen auch aus denen Nachrichten des Alterthums daß im Anfange [. . .] etwa nur 12 bis 15 Buchstaben sind gebraucht worden, und wir hätten uns auch damit begnügen können.« (Vgl. (42), S. 21 Anm.) – Als Süßmilchs – und Herders – gemeinsame Quelle kann Lamy's ›Rhétorique‹ (Buch I, Kap. I: Des Organes de la voix. Comment se forme la parole. (23), S. 1-5, hierzu S. 3) gelten, wobei Herder noch auf Wachter (s. *Materialien* 5) zurückgreift.

13/30 *Organon:* Neues Organon oder Gedanken über die Erforschung und Bezeichnung des Wahren und dessen Unterscheidung vom Irrtum und Schein. Durch Johann Heinrich Lambert. Leipzig 1764. – Vgl. hierzu II, §§ 84/85, S. 46ff.; zu Lamberts Einfluß auf Herder vgl. auch Nisbet (69), S. 92ff.

14/9 *Rasles:* Herders Quelle ist Bd. 17 der ›Lettres édifiantes et curieuses, écrites des missions étrangères, par quelques Missionaires de la Compagnie de Jesus‹. Paris 1726.

14/13 *die Sprache:* Lesart nach der zweiten Auflage, vgl. (3), S. 9.

14/15 *Chaumonot:* Herder schrieb »Chaumont«; Korrektur nach Irmscher (5), S. 125.

14/20 *Garcilaßo di Vega:* Garcilaso de la Vega (1530-1568), erster peruanischer Chronist, unehelicher Sohn eines spanischen Conquistadors und einer Inka-Prinzissin. Seine ›Comentarios Reales que tratan del origen de los Incas‹ waren Herder (nach Steig (2), S. 716) in einer französischen Übersetzung von 1704 bekannt. Es handelt sich hier um eines der bekanntesten Werke nicht-europäischer Kulturbeschreibung, das auch in Pufendorfs ›De iure naturae et gentium‹ vielfach zitiert wird; vgl. Denzer (84), S. 353.

14/23 *Condamine:* Relation abrégée d'un voyage fait dans l'intérieur de l'Amérique méridionale. Par Charles Marie de la Condamine. Paris 1745. Vgl. S. 66.

14/28 *Loubere:* Du royaume de Siam par Monsieur de la Loubère. Paris 1691. Vgl. II, S. 93.

15/33 *Spiritus:* Zeichen der griechischen Schrift, um den aspirierten (»Sp. asper«: z. B. ἅγιος /hágios: heilig) und nichtaspirierten (»Sp. lenis«: z. B. ἄγειν /ágein: handeln) Anlautvokal zu unterscheiden.

16/22   *eine Sonderbarkeit . . . bekannt ist:* Lesart folgt der zweiten Auflage, vgl. (3), S. 12.

16/29   *Maschiene:* »Maschine« oder »Mechanismus« und »Organismus« sind keineswegs unproblematische Synonyma, wie Irmscher (5) behauptet (S. 126 Anm. 16). Vgl. hierzu Proß (96), S. 57-60. Herders Begriff der »empfindenden Maschine« korrigiert bereits die cartesianische Auffassung von der Mechanik tierischer Körper, wo er scheinbar noch mit ihr übereinstimmt; verdeutlichen läßt sich dies durch Reimarus' Betrachtung der Analogie von Körper und Seele: »Die Seele ist gewiß nicht einer Art und eines Wesens mit einer Maschine; und dennoch ist in beyder Veränderungen eine Analogie oder entfernte Aehnlichkeit, daß die Veränderungen in jedes Kräften und Zustande einen zureichenden Grund haben müssen.« Vgl. (38), § 15, S. 22.

16/40   *von Märchen unterscheidet:* Athanasius Kircher, in Rom lebender Jesuit aus Deutschland, setzte in zahlreichen Werken die Tradition fort, die seit der Renaissance die Hieroglyphen als Schlüssel zu einer Geheimwissenschaft betrachtete; z. B. in seinem dreibdg. ›Oedipus Aegyptiacus‹ (Rom 1652-55). Bereits im 17. Jahrh. war Kircher dabei auf heftige Kritik gestoßen (vgl. Morhof, Polyhistor (33) Bd. I, S. 725). Herders Kritik scheint durch Warburtons heftigen Angriff auf Kircher veranlaßt zu sein; vgl. The divine legation of Moses (46) Bd. II, S. 156. – Johann Georg Wachter gehört, wie Kircher, zu den universal gebildeten Gelehrten des 17./18. Jahrhunderts, allerdings mit wesentlich weniger spekulativen Interessen (1673-1757); er beschäftigte sich mit dem Spinozismus, mit Naturrecht und Münzkunde, als sein Hauptgebiet betrachtete er jedoch die Etymologie, in der er zum wichtigen Vorläufer der Germanischen Philologie wurde (1737 erschien sein Hauptwerk: Glossarium Germanicum, continens origines et antiquitates totius linguae Germanicae, et omnium pene vocabulorum, vigentium et desitorum). Das von Herder benutzte Werk ›Naturae et Scripturae Concordia‹ ist jedoch, wie auch Kirchers Werke, nicht frei von spekulativen Einflüssen, ohne allerdings damit seinem Hauptgedanken, der natürlich notwendigen Entwicklung von Sprache und Schrift, zu großen Eintrag zu tun. – Vgl. hierzu (neben *Materialien* 5)die Darstellung Wachters bei Raumer (55), S. 183-185.

17/8   *eindringender werde:* Vgl. hierzu vor allem die Entwürfe (1768/69) und die Erstfassung (1770) von Herders ›Plastik‹ (Suphan-Ausg. (16) Bd. 8, S. 88-115 und S. 116-163), worin unter Einfluß Mendelssohns und in Auseinandersetzung mit Winckelmann (Gedanken über die Nachahmung der griechischen Werke, 1755) und Lessing (Laokoon, 1766) der Primat des inneren Eindrucks vor dem Sehen als rein äußerlicher Apperzeption betont wird: wo das Auge in der Malerei nur Flächen erfasse, gehe das Gefühl von der Körperlichkeit aus, die am besten der Tastsinn vermittle. Parallel zu dessen Bevorzugung vor dem Auge geschieht die des Ohres in der Sprachschrift; Fragment 6 der ›Studien und Entwürfe zur Plastik‹ illustriert dies besonders deutlich: »Indem ich will, vielleicht auch denke, bewege ich mich; ich bekomme von vielen Sachen Ideen. Die sich nicht bewegen, die urtheile ich also todt; die sich bewegen, also die lebendigen. – So der Neger den rauschenden Baum als Gott, er betet ihn an. Im Leben supponire ich Seele also etc: Also Seele wird sinnlich durchs Gefühl blos erkannt, so fern sie sich durch Leben, durch Bewegung, durch Würkung, durch Handlung äußert; oder ich schließe, daß sie sich geäußert hat oder äußern wird.« (ebd., S. 100; vgl. hierzu auch den Text dieser Ausgabe, S. 43).

17/19 *Leri:* Mit dem Hinweis auf Jean de Lérys ›Histoire d'un voyage fait en la terre du Bresil, autrement dite l'Amerique‹ (Erstdruck 1578) zitiert Herder eine der bedeutendsten Reisebeschreibungen des 16. Jahrhunderts. Der Verfasser (1534-1613) gehörte zu einer Gruppe von Calvinisten, die 1557 die Möglichkeit zu missionarischer Arbeit und zur Errichtung eines Asyls für die immer stärker bedrohten Protestanten Frankreichs in Brasilien prüfen sollten. Das Unternehmen scheiterte 1558 an religiösen Auseinandersetzungen unter den Kolonisatoren selbst, 1560 endet die französ.-brasilianische Kolonialepisode mit dem Einzug der Portugiesen. – Lérys ethnologische Beobachtungen des Lebens der eingeborenen Tupinambaults haben noch den Beifall von Claude Lévi-Strauss (Traurige Tropen, 1955) gefunden.

17/22 *Charlevoix:* Histoire et description générale de la nouvelle France avec le journal Historique du voyage fait par Ordre du Roi dans l'Amérique septentrionale, par le P. de Charlevoix de la Compagnie de Jesus. Paris 1744.

17/39 *Lettre sur les aveugles . . . :* Diderots ›Lettre sur les aveugles à l'usage de ceux qui voient‹ erschien erstmals 1749 und trug ihrem Verfasser außer europäischem Ruhm auch über drei Monate Festungshaft in Vincennes ein (24. 7.-3. 11. 1749), vor allem wegen der Verteidigung des Deismus, die ein fiktives Gespräch zwischen dem sterbenden blinden Mathematiker Saunderson und einem Geistlichen enthielt. Die erste Linsenextraktion bei grauem Star hatte Jacques Daviel (1696-1762) erstmals 1745 erfolgreich durchgeführt, wodurch Diderots ›Brief‹, veranlaßt durch eine Staroperation im Haus Réaumurs, auch praktisch-wissenschaftliche Attraktivität erhielt. Vgl. den Text in (11a), Bd. I, S. 49-110.

18/19 *Empfindung tönet:* Vgl. hierzu vor allem die *Materialien 2* aus Lamy's ›Rhetorik‹ über die Funktion der Nebenideen. – Die Ansicht vom gemeinschaftsstiftenden Charakter begeisterter Rede (»Glossolalie«) dient Herder auch zur bibelkritischen Erläuterung des

Pfingstwunders (konzipiert 1774/75, Ausarbeitung und Erstdruck 1793/94: Von der Gabe der Sprachen am ersten christlichen Pfingstfest; vgl. Suphan-Ausgabe (16) Bd. 19, S. 1-59).

19/4 *willkührliche:* Herder mißversteht hier bewußt den Gehalt der konventionalistischen Sprachtheorie. »Willkürlich« ist die nicht sehr glückliche deutsche Fassung des Begriffes »arbitrium«, der die – von Saussure wieder aufgegriffene – Feststellung von der »Beliebigkeit des sprachlichen Zeichens« trifft: es gibt keinen substantiellen Zusammenhang zwischen den Lautkombinationen, die sich zum sprachlichen Zeichen fügen, und dem bezeichneten Gegenstand selbst. Die Instanz der Geltung ist die Gesellschaft. Herders Trennung zwischen »innerer« und »äußerer« Genese verlegt jedoch diesen Vorgang der Sanktionierung von Sprachzeichen unter die äußeren Fakten; daher der Widerwille, bei der Nachzeichnung der »notwendigen« »inwendigen« Genese das arbiträre gesellschaftliche Element zur Geltung kommen zu lassen. Vgl. dazu *Darstellung* S. 147.

19/7 *Condillac ist in dieser Anzahl:* Der zweite Teil von Condillacs ›Essai‹ (Erstdruck Amsterdam 1746) trägt den Titel ›Du langage et de la méthode‹. Hans Aarsleff hat in seinem bedeutenden Artikel ›The Tradition of Condillac‹ (59) der deutschen Herder-Philologie die Vernachlässigung dieses Autors zugunsten von Diderot und Rousseau vorgeworfen und dagegen die These aufgestellt, Herder habe nur eben diesen zweiten Teil von Condillacs Werk gelesen und daraus die Hauptanregungen für die ›Abhandlung‹ erhalten. Vgl. dazu *Darstellung* S. 156.

21/11 *Maupertuis kleine Schrift:* Pierre Louis Moreau de Maupertuis, Dissertation sur les différents moyens dont les hommes se sont servis pour exprimer leur idées. (1754 entst., Erstdruck 1756).

21/17 *Diodor:* Diodoros von Sizilien (1. Jahrh. v. Chr.) ist Verfasser einer populären griech. Weltgeschichte in 40 Büchern (Bibliotheké), die vom Anfang der Welt über die Geschichte der bekannten Kulturvölker bis zum Gallierkrieg Cäsars reicht; erhalten sind davon u. a. die Bände zur Urgeschichte (B. 1-5). Einen kleinen Auszug bieten die Ausschnitte aus Pufendorf *(Materialien 1).*

21/17 *Vitruv:* Röm. Baumeister (1. Jahrh. v. Chr.), widmete Augustus sein 10bdg. Werk ›De architectura‹. Im ersten Kapitel des zweiten Buches (›De priscorum hominum vita, et de initiis humanitatis, atque tectorum, et incrementis eorum‹) wird die Erfindung der Sprache mit der Nutzbarmachung des Feuers – als der Voraussetzung eines gemeinschaftlichen Lebens – verbunden. Die Invektive gegen die beiden Autoren ist, im Licht der Äußerung in den ›Fragmenten‹ Herders (s. Darstellung S. 144), rein rhetorisch; zu den beiden genannten müßte als dritter Lukrez hinzutreten, der sich von Diodor nur wenig unterscheidet, dessen Theorie von der Sprache als Bedürfnis für Herder im weiteren Verlauf der Abhandlung bedeutsam wird.

21/22 *Sprache erfinden lassen:* Herder setzt sich hier mit dem Exkurs zur Entstehung der Sprache im ersten Teil der Preisschrift Rousseaus von 1754 auseinander (vgl. (39), S. 51-56). Er kritisiert vor allem die Verschärfung des Dualismus zwischen dem Menschen des Natur- und des vergesellschafteten Zustandes, aus der die Unmöglichkeit resultiert, einen Übergang von den »cris de la nature« zu den gemäßigten Lauten der gemeinschaftsstiftenden Sprache zu konstruieren (vgl. ebd. S. 55/56). – Rousseau, selbst unbefriedigt von dem aporetischen Stand der Frage, hat sich im – erst posthum edierten – ›Essai sur l'origine des langues‹ (vgl. hierzu Derrida (85), S. 293-334) erneut damit befaßt und dann das Problem in einer Herder ähnlicheren Weise gelöst: nicht aus physischen, sondern aus moralischen Bedürfnissen, aus den Leidenschaften entsteht Sprache (vgl. *Materialien 7*).

21/28 *gesetzt sehen:* Zu den Etappen der Akademie-Debatte vgl. Aarsleff (59), S. 121 ff. und Pénisson (6), S. 17/18, an der neben Maupertuis und Süßmilch vor allem der Orientalist Michaelis mit seiner Preisschrift von 1759 (vgl. (30); auf ihn geht auch die Stellung der Frage zurück, die Herder erfolgreich beantwortete), Formey und Sulzer teilnahmen.

22/5 *weit ausholen:* Die Frage nach der Stellung des Menschen in der Natur, vor allem nach dem distinktiven Kriterium von Mensch – Tier war schon bei Pufendorf das entscheidende Moment der Sprachbildung – als interpretatorischer Tätigkeit auf einer der möglichen Zeichenebenen – gewesen. Lamy hatte die psychologische Seite des Problems, und Père Simon seine religionskritischen Implikationen hervorgehoben. Aus diesen drei Ansätzen konstituiert sich die Analyse Herders (vgl. den ersten Abschnitt der *Darstellung*).

22/24 *je stärker und sicherer ihre Triebe:* Lesart nach dem Akademie-Manuskript (vgl. (1), S. 18).

22/28 *Proportion:* Herder rationalisiert mit dieser Beobachtung der »umgekehrten Proportion« die schon der Alchimie entstammende Lehre vom Mischungsgrad der Elemente, der sich auf der Stufenfolge der Dinge vom Mineral, über Pflanzen, Insekten, Reptilien, Fische, Vögel und Säugetiere bis hin zum Menschen zunehmend kompliziert. Den Ansatzpunkt für die Formulierung des umgekehrt proportionalen Kräfteverhältnisses liefert Francis Bacon in seiner Ausdeutung des Prometheus-Mythos (De sapientia veterum, 1610): »Quamvis enim verbi Microcosmi elegantiam, Chymici nimis putidè, & ad literam acceperint, & detorserint, dum in homine omnem mineram, omne vegetabile & reliqua, aut aliquid eis proportionatum subesse volunt: manet tamen illud solidum et sanum quod diximus; corpus hominis omnium entium & maximè mistum, & maximè organicum reperiri, quo magis admirandas virtutes et facultates suscipit, & nanciscitur; simplicium enim corporum vires paucae sunt, licet certae & rapidae, qui[a] minimè per mixturam refractae, & comminutae, & libratae existunt; virtutis autem copia et excellentia in mistura & compositione habitat. Atque nihilominus homo in originibus suis videtur esse res inermis & nuda, & tarda in juvamentum sui, denique quae plurimis rebus indigeat.« (Zit. nach der Ausgabe Amsterdam 1685, S. 69) – Eine wichtige zeitgenössische Quelle ist Charles Bonnets ›Contemplation de la Nature‹ (1764, dt. 1765: ›Betrachtungen über die Natur‹), in deren drittem und viertem Teil das Thema der Stufenfolge des Organischen ausführlich abgehandelt wird (vgl. (10), Bd. I, S. 48-166).

22/32 *Numa:* Die Quellnymphe Egeria soll dem zweiten römischen König Numa Pompilius mit Ratschlägen bei der Einrichtung des römischen Kultus beigestanden haben (vgl. T. Livius, Ab urbe condita Buch I/19, 4/5). Herder entnahm das Beispiel vermutlich aus Reimarus' ›Betrachtungen über die Triebe der Thiere‹ (38), § 91.

22/36 *Traité sur les animaux:* Condillacs Werk erschien 1755 zu Amsterdam.

22/37 *Sur l'origine . . .:* Herder stört sich vor allem an der expliziten Parallele zwischen Mensch und Tier im Übergang vom Naturzustand zur »gezähmten« Zivilisation: »La nature traite tous les animaux abandonnés à ses soins avec une prédilection qui semble montrer combien elle est jalouse de ce droit. Le cheval, le chat, le taureau, l'âne même, ont la plupart une taille plus haute, tous une constituion plus robuste, plus de vigeur, de force et de courage dans les forêts que dans nos maisons: ils perdent la moitié de ces avantages en devenant domestiques, et l'on diroit que tous nos soins à bien traiter et nourrir ces animaux n'aboutissent qu'à les abâtardir. Il en est ainsi de l'homme même: en devenant sociable et esclave, il devient foible, craintif, rampant; et sa manière de vivre molle et efféminée achève d'énerver à la fois sa force et son courage. Ajoutons qu'entre les conditions sauvage et domestique la différence d'homme à homme doit être plus grande encore que celle de bête à bête: car, l'animal et l'homme ayant été traités également par la nature, toutes les commodités que l'homme se donne de plus qu' aux animaux qu'il apprivoise sont autant de causes, particulières qui le font dégénérer plus sensiblement.« (Vgl. (39) S. 45/46) Zu diesen »commodités« gehört auch die Sprache.

22/39 *Reimarus . . .:* Hermann Samuel Reimarus (1694-1768), sonst als Bibelkritiker innerhalb der gewohnten Grenzen aufgetreten, erregte nach seinem Tod größtes Aufsehen durch die Veröffentlichung radikaler Glaubenszweifel, die Lessing 1774 und 1777 als ›Fragmente eines Ungenannten‹ in den Wolfenbüttler Beiträgen zur Geschichte und Literatur publizierte. Sein Werk ›Allgemeine Betrachtungen über die Triebe der Thiere, hauptsächlich über ihren Kunsttrieb‹ (Hamburg 1760) wurde von Moses Mendelssohn in Nicolais Briefen, die Neueste Litteratur betreffend (Theil VIII, Nr. 130-131, St. XV-XVII, S. 233-279; Berlin 1762) rezensiert. – Die Physiologie der Tiere fand kurz nach Abschluß von Herders Sprachschrift eine weitere Darstellung in Joh. Aug. Unzers ›Erste Gründe einer Physiologie der eigentlichen thierischen Natur thierischer Körper‹, Leipzig 1771 (vgl. dazu Johann Heinrich Mercks Rezension in den Frankfurter gelehrten Anzeigen von 1772, Nr. XXVI vom 31. 3. 1772).

23/17 *Philosophie verwüsten:* Herder schließt sich hier an Mendelssohns Kritik von Reimarus' Begriff der »eingepflanzten blinden Neigung« an; vgl. Briefe die Neueste Litteratur betreffend, Theil VIII, Beschluß des 130. Briefes, Stück XVI. S. 241 ff., hierzu S. 250-256. Berlin 1762).

24/8 *ein dunkles ... ihrer Würkung:* Noch im Entwurf fehlte dieser Satz; nach Träger (vgl. (1), S. 117 Anm. 4) wurde er von Herder eigenhändig in das Akademie-Manuskript ergänzt. Die Einfügung erscheint mir im Begriff des »Einverständnisses« bedeutsam für die Parallele von soziohistorischer und phylogenetischer Entwicklung, die Herder zieht.

24/22 *die Scene ganz:* Sperrung nach dem Druck der 2. Auflage, vgl. (3), S. 25.

25/14 *des Lebens beraubt:* Quelle der Schilderung des Menschen als verwaisten Kindes der Natur, dem diese scheinbar alle Hilfe verweigert, ist ein Abschnitt aus der Kulturentstehungslehre des Lukrez (De rerum natura, Buch V, V. 222-234); diese Schilderung liefert den Begriffen der »infirmitas« oder »imbecillitas« bei Grotius und Pufendorf die Grundlage, von der die kulturelle Tätigkeit des Menschen ausgeht bzw. ausgehen muß. Und, analog zu der von Vico in der ersten ›Scienza Nuova‹ (1725) geäußerten Kritik an diesem Prinzip der Verlassenheit des Menschen, die dem sonstigen Verfahren der »natura daedala rerum«, der »Mutter Natur« des Lukrez bzw. der göttlichen Vorsehung widerspreche, entwickelt Herder seine Auffassung von der kompensatorischen Funktion der Sprachfähigkeit des Menschen. Vgl. hierzu Vico, Princìpi di una scienza nuova (1725), Buch I, Kap. V: Difetto di una sì fatta scienza per gli sistemi di Grozio, di Seldeno, di Pufendorfio; in: (43), S. 175-177.

25/34 *gediegen:* von mhd. »gedigen«: ausgewachsen, reif; metaph.: lauter, gehaltvoll.

26/2 *berechnen:* Herder gehorcht hier ganz dem Prinzip einer klassifikatorischen Analogie, die auf der Abstufung der Naturreiche Linnés (»Lapides crescunt. Vegetabilia crescunt et vivunt. Animalia crescunt, vivunt et sentiunt.«) und der kantianischen Logik der Naturbetrachtung fußt (vgl. Linné, Philosophia botanica. Stockholm/

Amsterdam 1751, Introductio § 3; und Kant, Der einzig mögliche Beweisgrund zu einer Demonstration des Daseyns Gottes (1763), II. Abt. 4. Betrachtung, Abschnitt 2, in: Vorkritische Schriften (21), S. 678-681). Die Geltung dieser Analogien wird jedoch durch die zunehmende Aufdeckung struktureller Verschiedenheiten der Naturreiche gefährdet, wie Bonnets ›Betrachtung über die Natur‹ deutlich zeigt (vgl. die Kritik der Analogie, die Bonnet der Ausg. von 1779 zu Teil VI, Kap. 5 als Anm. 1 hinzufügte: (10), Bd. I, S. 247/48). Noch flüchtet sich Herder in eine Logik der Naturgesetzlichkeiten »more geometrico«, bis ihm Kants Rezension der ›Ideen‹ die Unvereinbarkeit seines soziohistorisch-evolutionären Ansatzes mit der cartesianischen Logik drastisch vor Augen führt.

26/12   *genetischer Beweis:* Herders Begriff des »Genetischen« läßt sich nicht auf die Theorie der Sprache beschränken, wie Aarsleff den Titel der ›Abhandlung‹ deutet (vgl. (59), S. 94), sondern er muß in einem weiteren Rahmen, der von der stammesgeschichtlichen (»phylogenetischen«) und der soziohistorischen Konstituion des Menschen gleichzeitig umschrieben wird, gesehen werden; dabei ist die Frage nach der Genese zugleich ein Problem der Logik, als »Analyse der Bildung der Ordnungen von empirischen Folgen her« (Foucault (87), S. 109), und ein anthropologisch-kulturgeschichtliches Problem, das darin besteht, die Kategorie des Ursprungs aus dem Bereich des »sterilen Göttlichen« in den immanenten Raum der Geschichte zu verlegen (vgl. Dux' Nachwort zu Plessner (94), S. 279-285).

26/22   *als – er ein Mensch ist:* Sperrung nach dem Druck der zweiten Auflage, vgl. (3), S. 28.

26/38   *immer zu verbeßern:* Mit dem Gedanken der »unendlichen Progression« überwindet Herder die sterile Opposition von Natur- und vergesellschaftetem Zustand in Rousseaus zweitem ›Discours‹; obwohl ganz vom aufklärerischen Perfektibilitätsdenken geprägt, wird in Herders immanentem Geschichtsdenken damit eine der wichtigen Voraussetzungen für den Historismus geschaffen.

27/14   *so gilts mir gleich:* Die Nichtunterscheidung der geistigen Kräfte, die auf dem Leibniz-/Stahlschen Prinzip der Synergie beruht, bereitet die Auseinandersetzungen mit Kant in der ›Metakritik‹ vor. – Zu Recht hat Meinecke in dem »eignen Charakter der Menschheit« das Erbe des Pufendorfschen Naturrechts (in der säkularisierten »anthropozentrischen« Form, die Herder ihm gab) gefunden und deshalb Herder nur als Vorläufer des Historismus betrachtet bzw. von seinem Standpunkt aus kritisiert (vgl. (53), S. 419-431).

27/28   *in nichts anders bestehet:* Verfasser des unter dem allegorischen Namen ›Search‹ veröffentlichten Werks ›Light of Nature‹ (London 1768 ff.) ist Abraham Tucker. ›Knowall‹ (»Allwissend«) wäre sein allegorischer Gegenpart; man denke hierbei auch an Lessings Alternative von ewiger Suche nach Wahrheit, ohne sie zu erreichen und ihrem festen Besitz (wobei er sich für ersteres entscheidet).

29/6 *Besonnenheit:* Der Begriff der »Besonnenheit« als »freie Umschau« des Menschen hat seinen Ursprung im ›Kratylos‹ Platons: »Dieser Name »Mensch« bedeutet, daß die anderen Tiere von dem, was sie sehen, nichts betrachten noch vergleichen oder eigentlich anschauen, der Mensch aber, sobald er gesehen hat, auch zusammenstellt und anschaut. Daher wird unter allen Tieren der Mensch allein Mensch genannt, weil er zusammenschaut, was er gesehen hat.« (Kratylos 399 c; vgl. (35), S. 142).

30/14 *Die Vernunft . . . derselben findet:* Herder verbindet hier die Aussage der biologischen Präformationstheorie, » daß der Grund, warum der Körper so und nicht anders formirt wird, in der Seele liege«, mit der Gewißheit der mathematischen Deduktionsmethode. Dieses pseudo-cartesianische Vorgehen in der Biologie hatte bereits 1764 durch Caspar Friedrich Wolff herbe Kritik erfahren: denn Descartes zeigte bloß, »wie eine Erklärung aussehen müßte, und lehrte wie man philosophiren müßte, wenn man es würklich thun, und nicht nur den Schein, als ob man es gethan hätte, haben wollte.« Aber in der Präformationslehre von der Ausbildung des Körpers durch die Seele »wird der Grund, gesetzt, daß dieses wahr wäre, deswegen nicht angegeben, und es werden nicht aus ihm die Theile und ihre Zusammensetzung erklärt.« (C. F. Wolff, Theorie von der Generation, in zwo Abhandlungen erklärt und bewiesen. Berlin 1764; Zitate in obiger Reihenfolge S. 16, 6 u. 16).

30/20 *Bloße nackte . . . Formen sind:* Herder setzt hier die Kritik fort, die schon sein ›Versuch über das Seyn‹ aus der Studienzeit bei Kant enthält: »Der Begriff des logisch Möglichen ist ein willkürlich scientificscher Begriff, der weit später als die Realmöglichkeit, ihn voraussetzt, ohne ihn nicht verstanden werden kann; und also noch viel weniger das Wesen der Sache bestimmen wird.« Vgl. (19), S. 301 u. f. Herders Folgerung: »So ist das Sein – unzergliederbar – unverweisbar – der Mittelpunkt aller Gewißheit.« (ebd. S. 304) liefert den Ansatzpunkt für den Anschluß an Mendelssohns Evidenz-Philosophie (s. *Darstellung*, Abschn. 3). – Der Begriff der »plastischen Formen« entstammt Ralph Cudworths ›The True Intellectual System of the Universe‹, London 1678, einer der bedeutendsten neoplatonischen Schriften des 17. Jahrhunderts; sie besagen, daß hinter jeder körperlichen Erscheinung eine »bildende Natur« geistiger Art stehe. Die Präformationstheorie, an die Herder anschließt, beharrt auf der immanenten Wirklichkeit der Dinge, ohne jedoch den Vorgang wissenschaftlich demonstrieren zu können.

30/39 *Roußeau über die Ungleichheit etc.:* Vgl. (39), S. 48 ff.

31/26 *Es tut mir leid . . . Denkart vermeiden:* Dies ist eine jener maßlos überzogenen polemisch Passagen, die für die Deutung Herders als genialischen Neuerers ohne jeden Traditionshintergrund verantwortlich sind.

32/39   *Eine der schönsten Abhandlungen . . . :* Herder nimmt Bezug auf Johann Georg Sulzers ›Sur l'apperception et son influence sur nos jugemens‹. Zu Sulzers Psychologie und Erkenntnistheorie vgl. Dessoir (51), S. 196-201.

33/22   *Er erkannte . . . als Wort:* Das gesamte Beispiel ist Mendelssohns Nachwort zu seiner Übersetzung von Rousseaus zweitem ›Discours‹ entnommen; vgl. die Ausschnitte in *Materialien 6.*

34/13   *. . . daß sie es bleiben werde:* An dieser Stelle, an der Herder die herkömmlichen Theorien am schärfsten zurückzuweisen scheint, zeigt er in der Herleitung seines Merkmals-Konzepts die Bindung an die Tradition der »idée accessoire« bei Pufendorf, Lamy und Mendelssohn (s. *Materialien 1, 2* und *6*) am deutlichsten.

35/1   *. . . Menschenmöglichkeit der Sprache:* Die positive Einschätzung Süßmilchs, die Herder durchweg in der ›Abhandlung‹ zeigt, steht in krassem Gegensatz zur Diffamierung, die Süßmilch in der Sekundärliteratur (mit Ausnahme Aarsleffs) zuteil wird. Herder machte sich vielfach die Materialien seines Gegners zunutze, um sie in seinem Sinn umzuinterpretieren.

36/5   *. . . als der Gebrauch jener:* Damit beginnt Herder die Untersuchung der – wie Helmuth Plessner es genannt hat – »exzentrischen Positionalität« des Menschen, worin die eigentliche Neuheit des anthropologischen Denkens der ›Abhandlung‹ beruht; vgl. hierzu unten *Darstellung*, Anm. 37.

37/8   *. . . Vernunftsprache her?:* Damit sprechen zwei Argumente gegen den göttlichen Ursprung der Sprache: das »Papageienargument«, das der theologischen Überlieferung der freien Selbstbestimmung des Menschen widerspricht; und die Entwicklung der Sprache zur Abstraktion.

37/10   *. . . noch lebte:* Süßmilch war 1767 gestorben; schon in der Vorrede des ›Versuchs‹ schreibt er, daß ihn sein Gesundheitszustand gehindert habe, seine bereits 1756 entstandene Abhandlung nochmals umzuarbeiten.

37/12   *absichtslos:* Lesart folgt dem Zweitdruck von 1789, in dem »absichtslos« den Ausdruck »unwißend« ersetzt (vgl. (3), S. 45); das Bestreben, den Eindruck der Geringschätzung Süßmilchs zu vermeiden, läßt sich an der Beseitigung des mißverständlichen Ausdrucks erkennen.

37/31   *man kehre, wie man wolle . . . usw.:* Ein Stilvorbild dieser »reductio ad absurdum« findet sich im zweiten Buch von Bacons ›Novum Organum‹ in Aphorismus LX (in der Analyse des Gebrauchs von »humidus«); vgl. (9), S. 171/172.

38/1   *Menschen in Verartung:* Schärfer läßt sich der Gegensatz zwischen Herder und Rousseau in der Auffassung vom Naturzustand nicht formulieren; nach naturrechtlichen Grundsätzen wird bei Herder der Mensch erst humanes Wesen, wenn er in die Gesellschaft und die Geschichte eintritt, während das Beharren im Naturzustand »Verartung« ist – bei Rousseau jedoch der einzig glückliche und wahre Zustand; aus ihm herauszugehen, bedeutet Degeneration.

39/8   *Fälle der Abartung:* Vgl. hierzu die Liste von Beispielen des »homo ferus«, die Linné in seinem ›Systema Naturae‹ gibt; vgl. (24), S. 20; eine Gesamtübersicht liefert Lucien Malson in seinem Buch ›Die wilden Kinder‹, das auch die Dokumente Jean Itards zum berühten Fall des »Wilden von Aveyron« enthält (Frankfurt/Main 1972, S. 69-71). Von 1344 bis 1767 waren insgesamt 15 solcher Fälle bekannt geworden.

39/10   *beregte:* von mhd. swv. [be]regen/rëgen machen: in Bewegung setzen; anrühren, aufzeigen.

39/16   *Charaktereigenschaft, in so hohem Grade:* Lesart folgt dem Zweitdruck (vgl. (3), S. 48).

40/8   *... das Können nicht aufgehalten:* Diese durch Leibniz' ›Nouveaux Essais‹ vermittelte Ansicht von der biologischen Konditionierung der höheren Tiere zur Sprache (vgl. (25) Bd. 2: Buch III, §§ 1/2, S. 2-5) hatte durch Campers anatomische Untersuchungen über die Menschenaffen relativiert werden müssen (Pieter Camper, Kort Berigt wegens de Ontleding van verschiedene Orang-Utans. Amsterdam 1780; und: Nachricht vom Sprachwerkzeuge des Orang-Utan. In: Sämmtliche kleine Schriften, Leipzig 1785, Bd. 2). Schon im ersten Buch der ›Ideen‹ hatte Herder trotz dem Festhalten am einheitlichen Bauplan der Geschöpfe mit graduellen Abstufungen den Unterschied an Art stärker hervorgehoben, und Georg Forster hatte ihm darin – im Streit um Kants Menschenrassen-Begriff – sekundiert (vgl. Forster, Noch etwas über die Menschenraßen (1786). In: G. F., Werke II, hg. von Gerhard Steiner. Frankfurt/Main 1969, S. 85/86). Daher fügte Herder nun der Zweitauflage folgende Bemerkung hinzu: »Aus Campers Zergliederung des Orang-Outang (s. seine übersetzten kleinen Schriften), erhellet, daß diese Behauptung zu kühn ist; sie war indessen damals, als ich dieses schrieb, der Anatomiker gemeine Meinung.« (vgl. (3), S. 50) – Auch die moderne biologisch fundierte Sprachforschung sieht in der menschlichen Sprachfähigkeit eine »Manifestation artspezifischer kognitiver Merkmale«; vgl. Eric H. Lenneberg, Biologische Grundlagen der Sprache. Frankfurt/Main 1972, S. 455 u. ff.

40/35   *Das Ziel ... kann und muß?:* Dieser Begriff eines »archimedischen Punktes« findet sich in auffälliger Parallele in Goethes ›Rede zum Schäkespears Tag‹ (1771) wiederholt: »[Shakespeares]

Stücke drehen sich alle um den geheimen Punckt, den noch kein Philosoph gesehen und bestimmt hat ... « (vgl. Artemis-Ausgabe Bd. 4, S. 124).

40/37 ... *aus der Metaphysik* ... *psychologisch:* Die Gleichsetzung von Metaphysik und Psychologie bereitet die spätere Position Herders gegen Kant vor: wo dieser eine Neubegründung der Metaphysik anstrebte, vertritt Herder eine Auflösung aller Logik in Psychologie.

41/18 ... *Namengebung zu nennen:* Auch hier wird die Parallele zwischen phylogenetischer und soziohistorischer Situation des Menschen deutlich, wie in der Formulierung vom »dunklen sinnlichen Einverständniß« der Gattung »über ihre Bestimmung im Kreise ihrer Würkung« (s. Text S. 24): der Akt der artspezifischen Realisierung von Vernunft durch Sprache ist zugleich Akt der Souveränität, der von der gesellschaftlichen Konvention getragen wird (vgl. Pufendorf, *Materialien 1*).

41/25 *das Auge:* Vgl. hierzu Aristoteles' Schrift ›Über die Seele‹: »Wenn das Auge ein lebendes Wesen wäre, so wäre seine Seele der Gesichtssinn. Denn dieser macht das begriffliche Wesen des Auges aus. Das Auge aber ist die Materie des Gesichtssinns.« D. h. der Gesichtssinn ist die ursprüngliche Entelechie, die sich das konkrete körperliche Substrat – das Instrument des Auges – erst bildet (›De anima 412aff.; zit. nach Aristoteles, Hauptwerke. Hg. von Wilhelm Nestle, Leipzig 1934, S. 152). – Die Nähe zum aristotelischen Denken, in die sich Herder durch diese Parenthese setzt, widerspricht eigentlich seiner Kritik an der Möglichkeitskategorie; denn, wie Aristoteles an der selben Stelle fortfährt, kommt Wirklichkeit nur der Seele zu: »der Körper aber hat nur potentielles Sein« (ebd.). Wahrscheinlich ist die Parallele nur gelehrtes Ornament, inhaltlich jedoch auf der Leibniz-Stahlschen Physiologie beruhend.

41/34 *Mitteilungswort für andre!:* Damit tritt der soziohistorische Aspekt des psychologischen Akts explizit hervor; die Ablehnung der Konventionstheorie, die Herder immer wieder äußert, ist daher die rhetorische Ablehnung eines monokausalen Denkens, wie es sich in der Rudität, wie er sie Condillac vorwirft, kaum in der Tradition findet.

41/37 *Sic verba* ... *invenere* –: Horaz, Satiren I, 3 V. 103/104: »So erfanden sie Wörter und Namen, um mit ihrer Hilfe Laute und Empfindungen mit den Gegenständen in Verbindung zu setzen.«

42/36 *Philos. Transact.* ... *unter aveugle:* Die selbe Beispielreihe verwendet Herder bereits in den ›Kritischen Wäldern‹ (1769); vgl. (16) Bd. 4, S. 50f. und wiederum in der gleichzeitig mit der Sprachschrift entstandenen ›Plastik‹; vgl. (16) Bd. 8, S. 3-7 (vgl. die Auflösungen der erwähnten Werke durch den Hg. Carl Redlich, ebd. S. 659/60). Im Gegensatz zu Irmscher (vgl. (5), S. 127 Anm. 34) vermag ich hier keinen generellen Angriff auf das philosophische Denken der Aufklärung zu sehen, wenn Herder hier die Dominanz des Gesichtssinnes kritisiert; denn gemeinsam mit Mendelssohns »psychologisch-allegorischem Traumgesicht« – so der Untertitel der ›Bildsäule‹, an den ja auch der Untertitel von Herders ›Plastik‹ erinnert (»Einige Wahrnehmungen über Form und Gestalt aus Pygmalions bildendem Traume«) – und Diderots ›Blindenbrief‹ wird hier ein Versuch gemacht, die sensualistische Theorie aufklärerisch zu erweitern; vgl. hierzu generell den 2. Abschnitt der *Darstellung*.

43/39 *Diderot . . . aufhält:* Denis Diderot, Lettre sur les sourds et muets, à l'usage de ceux qui entendent et qui parlent. S. l., 1751. Herders Beurteilung ist oberflächlich polemisch; zur Bedeutung dieser Schrift vgl. Ulrich Rickens Aufsatz über Sensualismus und Rationalismus in der Sprachdiskussion der Aufklärung (98), bes. S. 466/67.

44/9 *Da führet sie alle Geschöpfe . . . was ich beweise:* Die Passage führt die Einheit der psychosozialen Fragestellung Lamys und des bibelkritischen Ansatzes von Père Simon auf der Basis von Pufendorf deutlich vor (vgl. *Materialien 1, 2, 3*); vgl. hierzu auch Herders Ausführungen in seinen bibelkritischen Werken, den ›Fragmenten zu einer Archäologie des Morgenlandes‹ (1769) und der ›Ältesten Urkunde des Menschengeschlechts‹ (1774 und 1776); vgl. (16) Bd. 6, S. 1-129 und ebd. S. 193-511 sowie Bd. 7, S. 1-172.

44/31 *Verba sind die ersten Machtelemente:* Hier durchbricht Herder traditionelle Vorstellungen (Süßmilch, Mendelssohn) am deutlichsten; aber vielleicht hat er hier von Condillac und Diderots ›Lettre sur les sourds et muets‹ Anregungen erhalten; vgl. Ricken (98).

44/40 *Bako:* Irmscher vermutet (vgl. (5), S. 128, Anm. 36), der Beleg müßte sich im ›Novum Organum‹ oder in ›De augmentis scientiarum‹ finden; dieser Nachweis ließ sich vorläufig nicht führen. Es ist aber auf eine Stelle von Buch 9 von ›De augmentis‹ zu verweisen, an der Bacon inhaltlich diese Aussage trifft, wenn er den Gebrauch der Vernunft im Bereich der Theologie von dem »in naturalibus« unterscheidet: die Deduktionsmethode, die von arbiträr-autoritativen Prinzipien ausgeht, welche der Vernunft nicht überprüfbar sind, besitzt in deren Bereich keinerlei Geltung (vgl. (9), S. 832/33).

46/5 *. . . in die ersten Namen!:* Vgl. den Ansatz Pufendorfs, den Lamy im Begriff der »idée accessoire« erweiterte *(Materialien 1, 2)*.

46/16 *alten, wilden Nation:* Lesart nach Steigs Vorschlag (vgl. (2), S. 54 Anm. 5).

46/21 *von ihrer Dryade:* statt »von dieser Dryade«: Lesart folgt der zweiten Auflage (3), S. 61.

47/6 *Doppelkinder:* vom mhd. topel, toppel: Würfelspiel; hier im übertragenen Sinn: Zufallskinder, Bastarde.

47/12   *nach dem Maaße des Gedächtnißes eingetheilt sey:* Vgl.
hierzu Süßmilch, Versuch (42), § 7 Anm., S. 22.

47/35   *daß nehmlich Poesie älter gewesen als Prosa!:* Neben Hamanns ›Aesthetica in nuce‹ (vgl. (15), S. 107) und Robert Lowths ›De
sacra poesia Hebraeorum‹ (1753) stützt sich Herder vor allem auf
Thomas Blackwell, An enquiry into the life and writings of Homer.
London ²1736, S. 36 ff.

48/7   *sei Gesang gewesen:* Die Anschauung geht auf die Schrift
›Vom Erhabenen‹ des Pseudo-Longinus (1. Jahrh. n. Chr.) zurück;
vgl. hierzu auch Herders ›Fragmente über die neuere deutsche Literatur‹, III/3; (16) Bd. 2, S. 69-75 und die entsprechenden Anm.

48/39   *Oeuvres . . . p. 232:* Oeuvres philosophiques latines et françoises de feu M. de Leibnitz, tirées de ses manuscrits qui se conservent
dans la Bibliothèque Royale à Hanovre et publiées par M. Rud. Eric
Raspe. Avec une Préface de M. Kaestner, Professeur en Mathématiques à Goettingue. A Amsterdam et à Leipzig 1765.

49/39   *Brown:* John Brown, Betrachtungen über die Poesie und
Musik nach ihrem Ursprunge, ihrer Vereinigung, Gewalt, Wachstum,
Trennung und Verderbnis. Leipzig 1769. – Übersetzer des 1763 erschienenen Werkes ist Johann Joachim Eschenburg.

50/3   *. . . membra poetae!:* Horaz, Sermones I/IV, V. 62.

50/34   *aus reiner Willkühr ausgedachte Sprache:* Vgl. die obigen
Anmerkungen zur scheinbar totalen Ablehnung der Konventionstheorie.

51/7   *sensorium commune:* Der Begriff des »sensorium commune«
umfaßt sinnliche Perzeption und reflektierende Tätigkeit in ihrem
steten Wechsel von hell-dunklen Eindrücken; seit Leibniz und Stahl
ein wichtiger Begriff der Psychophysiologie (vgl. hierzu auch Proß
(95), S. 112-115).

51/30   *alles Merkbare Gefühl nimmt:* Vgl. hierzu Leibniz, Die
Vernunftprinzipien der Natur und der Gnade (1714), bes. § 13 (in:
Hauptschriften Bd. II (26), S. 423-434, bes. S. 431/32) und die Behandlung der »petites perceptions« in der Vorrede zu den ›Nouveaux
Essais‹ (vgl. (25) Bd. I, S. XX-XXV).

52/6   *Buffon, Condillac und Bonnet:* Zu Buffon vgl. dessen Histoire naturelle de l'homme. In: Oeuvres complètes de Buffon. (Ausg.
Lacépède/Cuvier Bd. XXII, Paris 1830.) Des sens en général (ebd.
S. 129-203). – Zu Condillac vgl. dessen Traité des sensations (Erstdruck Paris/London 1754) und zu Bonnet dessen Essai de psychologie
ou considérations sur les opérations de l'âme, London 1755, sowie
dessen Essai analytique sur les facultés de l'âme, 1760. – Condillacs
und Bonnets genannte Werke wurden von Haller rezensiert: vgl. (14)
Bd. I, S. 125-133, S. 133-137 und S. 210-220). – Irmschers Vermutung,
daß Herder die Texte durch Lektüre von Holbachs ›Système de la

nature‹ gekannt habe, ist neben dem erwähnten Brief an Merck vom 12. 9. 1770 (vgl. (17), S. 214-219, bes. S. 217) wohl auf die berühmte Erwähnung des Textes im elften Buch von Goethes ›Dichtung und Wahrheit‹ gestützt; allerdings ist eine solche Festlegung angesichts des Rezensionswesens der Zeit schwierig (vgl. (5), S. 128/29, Anm. 45).

52/12 *Adreße:* »Geschicklichkeit« (franz.).

53/3 *Der jetzt . . . hinab ist:* Shakespeare, Ein Sommernachtstraum I/1, V. 146-148.

55/16 *wie Pope sagt:* Pope, Essay on Man I, V. 200: »Die of a Rose in aromatic pain.«

56/30 *Vernunft wird Gabe:* Lesart nach der zweiten Auflage (vgl. (3), S. 77).

57/23 *Sulzerschen Theorie des Vergnügens:* Vgl. Johann Georg Sulzer, Über den Ursprung der angenehmen und unangenehmen Empfindungen. Die erst in den Mémoires der Berliner Akademie publizierte Schrift (1751) erschien separat Berlin 1762, als deutsche Übersetzung des französ. Originals.

57/25 *vor:* Korrektur nach Vorschlag Steigs (2), S. 69 Anm. 7.

59/9 *Asiatisch:* Diese Deutung des »asiatischen« Stils ist ganz von Warburton geprägt; vgl. die Darstellung der Beziehung von Sprache und Schrift in *Materialien 4.*

60/19 *Schultens:* Albert Schultens, Origines Hebraeae. 2 Bde., Leyden 1724 und 1738. – Ab Beginn des Abschnitts I hat Herder aus diesem Werk zahlreiche Beispiele entnommen (s. Text, S. 57ff.).

61/13 *Drang zu sprechen:* Vgl. Lamys Nachdruck auf den »Drang zu sprechen« bei seiner Urhorde; vgl. *Materialien 2.*

61/27 *Wortidole:* Der Begriff schließt an Bacons Lehre von den vier Idolen an, die den Menschen bei der Beobachtung der Wirklichkeit verwirren; vgl. ›Novum Organum‹ Buch I, Axiom. XXXIX (s. (9), S. 163).

61/34 *unnöthigen Überfluß:* Vgl. hierzu die abgedruckten Passagen aus Warburton und Wachter (*Materialien 4* und 5).

61/39 *Süßmilch § 9:* Vgl. die Anmerkung zu diesem §, (42), S. 24.

64/8 *Barantola:* Nach Irmscher (5), S. 128 Anm. 57 eine Region an einem Nebenfluß des Indus namens Baran, jetzt in Pakistan.

64/22 *Maupertuis in Lappland:* Maupertuis hatte 1736 eine Lappland-Reise unternommen, deren Ergebnisse er in seiner Arbeit ›Sur la figure de la terre‹ (Amsterdam 1738) verwertete.

65/3 *Hypostasis und Substanz,* ὁμοούσιος *und* ὁμοιούσιος: Um die beiden ersten Begriffe bewegt sich besonders seit dem Auftreten des Naturrechts der Streit, in dem zwei Positionen möglich sind: entweder man bezeichnet mit den Naturrechtlern die Körperwelt als Substanz und die Kulturwelt als deren Modi (vgl. hierzu Proß (95), S. 245-249), oder man betrachtet, im Anschluß an Aristoteles' ›De anima‹ die Seele als Substanz und die Körperwelt als deren mögliche Hypostasen – ein Paradigma, das im cartesianisch-kantianischen Dualismus neue Ausformungen erfährt. – Das zweite Begriffspaar bezieht sich auf den Streit zwischen den Arianern, die eine Wesensähnlichkeit Christi mit Gott vertraten, und der Richtung des Athanasius, der die Anerkennung der absoluten Gottgleichheit forderte; seine Anschauung setzte sich auf dem Konzil von Nicäa (325) durch.

65/10 *Schwedenborg:* Anspielung auf Emanuel Swedenborgs ›Arcana coelestia‹, 8 Bde., London 1748-53, welche 1766 die heftige Kritik Kants und den damit verbundenen Ansatz zu einer Neubegründung der Metaphysik auslösten (vgl. Kants ›Träume eines Geistersehers, erläutert durch Träume der Metaphysik‹, in (21), S. 921-989; vgl. auch Richard Benz, Swedenborg in Deutschland. Frankfurt/Main 1947). In der negativen Antithese gegenüber Klopstocks positiv gesehenem ›Messias‹ folgt Herder Kants Verdikt.

65/16 *Chingulese:* Nach Irmscher Bewohner des Chingan, Gebirgszug im nordöstlichen China (vgl. (5), S. 129, Anm. 61).

65/24 *den Geist abstrahirt:* Intensiver mit dem Phänomen der animistischen Fetisch-Verehrung beschäftigte sich erstmals Charles de Brosses in seiner Abhandlung ›Des dieux fétiches‹, die 1785 unter dem Titel ›Ueber den Dienst der Fetischengötter‹ in Berlin und Stralsund in deutscher Übersetzung erschien.

66/39 *Lond. 1733:* Herder gab die Jahreszahl 1755; die Korrektur erfolgt nach Träger (1), S. VII. Verfasser des Werks ist Peter Browne.

68/12 *Des P. Leri . . . ebendasselbe:* Sowohl die Bezeichnung Lérys als Pater wie die Erwähnung einer »Grammatik« lassen vermuten, daß Herders Kenntnis dieser häufig erwähnten Schrift aus sekundären Quellen stammt – es gibt außer dem Reisebericht keine weitere Schrift zur Grammatik, sondern in ihr sind beiläufig Beobachtungen enthalten, die der Verfasser verstreut zur Sprache der Eingeborenen liefert.

69/39 *Roußeau . . . bestimme und beweise:* Rousseau äußert diese Formulierung implizit in der Vorstellung, daß die sprachliche Äußerung am Beginn grammatisch undifferenziert sein mußte und in einem oder wenigen Worten eine gesamte Aussage (»proposition entière«) enthielt (vgl. (39), S. 53/54). Der Gedanke selbst ist seit Lamy (s. *Materialien 2*) nicht neu; seine Begründung bei Rousseau hat Mendelssohn kritisiert, da Rousseau seiner Meinung nach darin zu viel Reflexion beim Naturmenschen voraussetzte (vgl. *Materialien 6*).

70/13 *Construction in sie:* Lesart nach der zweiten Auflage, vgl. (3), S. 99.

70/28 *Resnel:* Der Autor ist nicht nachweisbar; möglicherweise unterlief Herder ein Irrtum und er bezieht sich auf den eingangs genannten P. Rasles und dessen Bericht über die Abenakier.

74/26   *daß gleich:* Lesart (statt »daß es gleich«) nach Irmscher (5), S. 82.

74/35   *Platons Höle:* Anspielung auf das Höhlengleichnis in Platons ›Politeia‹, der Schrift über den Idealstaat (Buch 7, 514a-518b).

79/34   *Vergehe:* Lesart nach der zweiten Auflage, vgl. (3), S. 116.

80/10   *vor:* Lesart nach der zweiten Auflage, vgl. (3), S. 116.

80/39   *Linné:* Anspielung auf die verschiedenen botanischen Werke Linnés, vor allem die ›Philosophia botanica‹, Stockholm 1751.

82/37   *acht partes orationis:* Vgl. Aristoteles, Poetik (7), S. 56: es sind Buchstabe, Silbe, Konjunktion, Artikel, Nomen, Verbum, Casus und Satz.

83/7   *Aristoteles:* Herder bezieht sich hier nicht, wie für gewöhnlich zu lesen (so Irmscher (5), S. 130 Anm. 72), auf die der Sprache gewidmeten Abschnitte der Poetik (s. (9), S. 56-64), sondern auf die logische Untersuchung der ›Lehre vom Satz‹ (so der deutsche Titel der Schrift Περὶ ἑρμηνείας). Darin wird die einfache Aussage untersucht, als »ein Laut (eine Stimme, eine Verbindung von Worten), dazu bestimmt, den Bestand oder Nichtbestand eines Dinges mit Unterscheidung der Zeiten anzuzeigen.« Aristoteles versteht dabei unter einem Verbum ein Nomen (wenn es allein ausgesprochen wird), das die Fähigkeit der Zeitanzeige zusätzlich besitzt. (Vgl. hierzu den abgedruckten Abschnitt 16a-17a in: Karl Vorländer, Philosophie des Altertums. Geschichte der Philosophie I, Reinbek bei Hamburg 1963, S. 232-233).

83/19   . . . *gereizet haben?:* Vgl. Süßmilch (42), § 35, S. 84.

83/35   *»die ersten Verbeßerer . . . »diese Gelehrte . . . »sie den Zweck . . . Arbeit zu werden«:* ebd., § 35, S. 84/85.

85/21   *die sich . . . vereint bildete:* Lesart nach der 2. Aufl. (3), S. 125.

85/25   *Sprachenbilder:* Lesart nach der Akademie-Handschrift (1), S. 89 (statt »Sprachbildner«).

86/25   . . . *desto schneller:* Die folgende christliche Überformung des lukrezischen Naturzustandes ist bedingt durch die altruistische Gesellschaftstheorie der Aufklärung, wie sie vor allem der Shaftesbury-Schüler Francis Hutcheson, in Polemik gegen Hobbes und Mandeville, repräsentiert. Zur Entwicklung der Familiengesinnung vgl. auch die Quellenangaben in Anm. 122 der *Darstellung.*

87/38   ςοργή: Irmscher korrigiert unötigerweise die noch im 18. Jh. gebräuchlich Typographie ς zu στ (στοργή: (»elterliche Liebe«); vgl. (5), Anm. 74, S. 130; Pénissons Vermutung (vgl. (6), Anm. 8, S. 177), einer lautlichen Affinität von ςοργή zum deutschen Wort »Sorge« ist unzutreffend.

88/16f.   *Eltern Sprache:* Lesart nach Träger (1), S. 92 (statt »Elternsprache«).

89/5f.   *Roußeau . . . andrer Schriftsteller:* Vgl. (42), S. 56: » . . . on voit, du moins au peu de soin, qu'a pris la nature de rapprocher les hommes par des besoins mutuels et de leur faciliter l'usage de la parole, combien elle a peu préparé leur sociabilité, et combien elle a peu mis du sien dans tout ce qu'ils ont fait pour en établir les liens. En effet, il est impossible d'imaginer pourquoi, dans cet état primitif, un homme auroit plutôt besoin d'un autre homme, qu'un singe ou un loup de son semblable; ni, ce besoin supposé, quel motif pourroit engager l'autre à y pourvoir, ni même, en ce dernier cas, comment ils pourroient convenir entre eux des conditions.« – Der »andre Schriftsteller« läßt sich nicht ermitteln, aber es läge nahe, an Süßmilchs umständliche Herleitung seiner Anschauungen im dritten Teil zu denken (III. Abschnitt, worinn gezeigt wird, daß die Nachahmung, das gesellschaftliche Leben und die Noth unzulängliche Begriffe sind, um daraus die Entstehung einer ordentlichen und künstlichen Sprache herzuleiten; (42), S. 58 ff.).

90/4 ... *Vater Fingal:* An dieser Stelle haben Erich Heintel (vgl. (4), S. 71-73, Einschub unbezeichnet) und Pénisson (s. (6), S. 144-147, Einschub bezeichnet) einen Teil des handschriftlichen Entwurfs eingefügt, in dem Herder sich mit der Überlieferung von Wahrheit und Irrtum – in engem Anschluß an Bacon – durch die Tradition der Sprache befaßt; der Hg. konnte sich zu einem ähnlichen Vorgehen nicht entschließen. Ein Abdruck in den Materialien mußte aus Platzgründen entfallen; der interessante Text findet sich bei Steig als Anhang 5; vgl. (2), S. 152/53.

91/4 ... *seine Mutter zu lehren:* Vgl. (39), S. 52.

91/17 ... *die sich erst bildet!:* Ebd.

91/35 *Lukrezens:* Selbstverständlich müßte es »Horazens« heißen, aus dessen ›Sermones‹ (I/3, V. 100) das Zitat stammt. Herder verkürzt hier Süßmilchs Formulierung: »Gesetzt, daß es lucretianische Menschen auf der Erde gegeben habe, die nach dem Horaz nicht anders als *mutum et turpe pecus* haben können benannt werden ... « (vgl. (42), S. 88); die Gleichsetzung beider Autoren erscheint aber durchaus legitim und nicht als Fehler Herders, da Horaz nur Ideen von Lukrez wiedergibt.

93/11 *sie gar häusliche Knechtssprache ... ward:* Lesart folgt der zweiten Ausgabe, vgl. (3), S. 137.

94/7 *mithin wird ein Dialect:* Lesart folgt der zweiten Ausgabe, vgl. (3), S. 139.

95/34 *Manche neue Modephilosophen:* Vermutlich enthält die Stelle eine Attacke auf Voltaires ›Essai sur les moeurs et l'esprit des nations‹ (1769), der in Herders späterer Schrift ›Auch eine Philosophie der Geschichte zur Bildung der Menschheit‹ (1774) ein Lieblingsziel seiner Angriffe werden sollte (vgl. (16), Bd. 5, S. 475-594). – Bemerkenswert ist die sich äußernde Aversion gegen die Annahme einer

Polygenese der Menschheit; die Säkularisation des Ursprungsdenkens hat sich zwar vollzogen, aber noch läßt sie sich problemlos – wie Dathe mit seiner Interpretation dokumentiert (s. *Materialien 9*) – neben das Strukturmodell des göttlichen Ursprungs stellen; formale, »naturgesetzliche« – wenn auch pseudo-cartesianische – Vorstellungen sind dafür bei Herder verantwortlich, die theologischen Inhalte sind radikal liquidiert.

96/22 ... *fortgehen sehen:* Dies sollte das große Thema der ›Ideen zur Philosophie der Geschichte der Menschheit‹ (1784/91) werden (vgl. (16), Bd. 13/14).

97/10 *Hobbesischer Wolf:* Anspielung auf den Grundsatz von Hobbes' politischer Philosophie: »homo homini lupus«, auf dem die Legitimierung des Machtstaates des ›Leviathan‹ (1651) beruht.

98/9 *ein Engländer richtig anmerkt:* Irmscher hat als mögliche Quelle auf Hume verwiesen (vgl. (5), S. 131 Anm. 84); als Grundlage könnte tatsächlich Buch II/Sect. VII (Of the Passions/ Of malice and envy) gedient haben (vgl. (20), S. 420-429, s. bes. S. 426/27).

98/39 *Voss. Etymolog:* Anspielung auf das berühmte Werk des 1649 verstorbenen Philologen Gerhard Johannes Vossius ›Etymologicon linguae Latinae, cum praefixo de permutatione Literarum Tractatu‹. Die maßgebliche revidierte Ausgabe hatte dessen Sohn Isaac Vossius 1695 in Amsterdam veröffentlicht.

99/7 *ihrer Väter opfern:* Musterbeispiel hierfür ist wiederum Jean de Lérys Bericht von 1578.

99/38 *heißen:* Lesart nach dem zweiten Druck, (3), S. 148.

100/19 *auf die Zunge gelegt:* Anspielung auf die Methode, durch die Demosthenes seine Sprachbehinderung überwunden haben soll, bevor er zum berühmtesten Redner Griechenlands (384-322 v. Chr.) wurde.

101/39 *vervielfältigt:* Lesart nach dem zweiten Druck, (3), S. 152, statt »verdoppelt«.

102/39 *Philosophie de l'histoire etc. etc.:* Anspielung auf die Vorrede zu Voltaires ›Essai sur les moeurs‹, die diesen Titel trägt.

104/15 *auf dem Erdboden sey?:* Hier widerspricht Herder sich selbst (s. o. *Text* S. 13); aber der Widerspruch ist, gerade vor dem Hintergrund Wachters (s. *Materialien 5*) plausibel und läßt die strukturelle Analogie des einstämmigen Ursprungs zum inhaltlich abgelehnten göttlichen bei Süßmilch nochmals scharf hervortreten.

106/25 *Mechanischen Künste:* Der »Eurozentrismus« des Herderschen Denkens ist in diesem Abschnitt deutlich erkennbar.

107/9 *Dürers:* Die Zweitauflage ersetzte den Namen des Rokokomalers Christian Wilhelm Ernst Dietrich (1712-1774) durch Dürer; vgl. (3), S. 160.

107/10   *Schilde Hermanns:* Vgl. Klopstock, Herrmanns Schlacht (12. Szene); das Werk stammt von 1769. – Auch Tacitus erwähnt in der Germania (6,4) die buntbemalten Schilde der Germanen.

109/34   *Der Ursprung ... er Menschlich ist:* In dieser knappen Formel ist Herders Immanentismus präzise zusammengefaßt. Die beiden folgenden Abschnitte sind bloße Coda.

Darstellung

». . . eripitur persona, manet res.«
(Lukrez, De rerum natura III, 58)

1. Der historische Status der Herderschen Sprachschrift

Abkehr von der Aufklärung, Vorbereitung des romantischen Historismus, eigenmächtige Individualität eines genialen Vorläufers – so lauten die Schlagworte für die Einordnung Herders in den Geschichtsverlauf, und sie beanspruchen auch Geltung für seine ›Abhandlung über den Ursprung der Sprache‹:

> Das Denken und Dichten, Fühlen und Erkennen, Wissen und Glauben wurde auch [sc. wie für Hamann] für Herder eine unlösbare Einheit. Nichts sah er vereinzelt; alles floß in den lebendigen Strom der Kräfte des göttlichen und organischen Universums ein. Von Hamann übernahm er den Haß gegen die kalte Vernunft der Aufklärung, die Lehre von der schöpferischen Freiheit der Individualität, vom Recht der fühlenden Sinne und der erlebnisvollen Leidenschaft, von der schaffenden Genialität und dem innigen Zusammenhang von Volksseele, Sprache und Poesie. Die Volksdichtung als die ursprüngliche, gefühlte, bildhafte Sprache der Primitiven wurde nun, noch radikaler als in Rousseaus Kulturpessimismus, gegen eine überzüchtete Zivilisation der Vernunft ausgespielt. Durch Herder fielen die Schranken zwischen Dichtung und Volk. Das Genie war ihm Natur, außerhalb und gegen alle Gesellschaft. Er fand den Gedanken einer individuell nationalen Kultur. Der Aufenthalt in Frankreich [d. h. 1769] bestärkte seinen Widerstand gegen die moderne rationalistische Zivilisation; sie erschien ihm als eine greisenhafte Altersdürre. In Straßburg wurde ihm vor dem Münster so wie dem jungen Goethe die Geschichte und der eigentümliche Stil des eigenen Volkes bewußt. Das romantische Geschichtserleben wurde von Herder vorbereitet. Die Sprache (*Über den Ursprung der Sprache*, 1770) faßte er als die unmittelbare Kundgabe des eigentümlich Menschlichen vom Laut des sinnlichen Empfindens bis zu dem höchsten Denkvorgang. Sie ist Ausdruck der Seele – Mythos, Dichtung und Ursprache zugleich werden durch sie zur Einheit.[1]

Nichts ist, oberflächlich gesehen, an diesem Bild falsch, wie es die Stellung Herders in der Forschung seit 1848 kennzeichnet, und wie sich anläßlich der Behandlung der Vermögen der Vernunft in der Sprachschrift, im Kontrast zur Auffassung seines Kontrahenten Johann Peter Süßmilch, verifizieren läßt. Man vergleiche Herders Ablehnung der Unterscheidung der Seelenvermögen im zweiten Abschnitt des ersten Teils seiner ›Abhandlung‹[2] mit der Analyse des Zusammenhanges von Vernunft und Sprache, mit dem Süßmilch seinen ›Versuch eines Beweises, daß die erste Sprache ihren Ursprung nicht vom Menschen, sondern allein vom Schöpfer erhalten habe‹ (1766), zentral angeht:

> Die Sprache ist das Mittel zum Gebrauch der Vernunft zu gelangen, oder, ohne Sprache kann der Gebrauch der Vernunft nicht statt haben, man kann ohne selbige nicht zu abgesonderten und allgemeinen Begriffen und zu deren fertigen Gebrauch gelangen, man kann folglich auch nicht Schlüsse in Verbindung setzen und ratiociniren, also auch nicht andere Dinge verrichten, die schlechterdings von dem Gebrauche der Vernunft abhängen. Dieses ist das Hauptstück meines ganzen Beweises [. . .].
> Die Vernunft, welche von dem großen Leibnitz eine Kette der Wahrheiten genannt wird, bestehet in der Einsicht in den Zusammenhang allgemeiner Wahrheiten. Soll diese Einsicht statt haben, so müssen die Wahrheiten nicht nur durch richtige Schlüsse, und deren Verbindung mit ihren Grundsätzen, wie in der Geometrie, auf einander folgen, damit man sehe, wie eine in der andern gegründet, sondern sie setzen auch richtige Urtheile, und diese wiederum deutliche, abgesonderte und allgemeine Begriffe zum voraus. Alle drey Würkungen der Seele, nemlich: Begriffe, Urteile und Schlüsse, die den Begriff des Verstandes ausmachen, werden also nothwendig erfordert, wenn der Mensch vernünftig denken und handeln soll. Wollen wir nun dazu gelangen, so müssen wir nicht nur percipiren, appercipiren, sondern wir müssen auch attendiren, reflectiren und abstrahiren, indem wir sonderlich ohne letztere Würkung, sonst niemals zu deutlichen und allgemeinen Begriffen gelangen können.[3]

Beide Autoren sprechen über das nämliche Thema, Süßmilch mit klaren Formulierungen über die Mechanik des geistigen Prozesses, Herder mit Elan über die Unteilbarkeit des Inneren und die bloß scheinbar gültigen Begriffe unserer Seelenvermögen. Beide berufen sich dabei auf die gleiche Autorität: Leibniz. Süßmilch nennt ihn explizit, in Formulierungen, die das gesamte Inventar der cartesianisch-wolffischen Logik aufbieten, während sich Herder auf die Elemente im Werk dieses

Philosophen beruft, die auf Einflüsse der Naturphilosophie des 17. Jahrhunderts (Giordano Bruno, Henry More, Franziskus Merkurius van Helmont) zurückgehen.[4] Wesentlich ist hier vor allem der Begriff der Kraft, die aus dem Bereich der meßbaren Körper in den der Metaphysik zurückgeholt wird. Kraft ist der in einer meßbaren materiellen Größe vorhandene und von seiner Substanz untrennbare Impuls.[5] So sieht Herder in der ›Abhandlung‹ den Menschen als eine Substanz, in der eine einzige Kraft durch alle Verhaltensweisen wirkt: die seiner »Humanität«. Und das zweite Novum der Leibniz'-schen Philosophie, das in den erst 1765 erschienenen ›Nouveaux Essais sur l'entendement humain‹ stark hervortritt, die Herder 1769 liest und in der ›Abhandlung‹ pragmatisch anwendet: war es für Süßmilch die Klarheit der einfachen Ideen, die den Zirkel zwischen der Perfektion der Vernunft und der Perfektion der Sprache heraufbeschwor, den nur der göttliche Ursprung durchbrechen konnte, bezweifelte Herder gerade die Klarheit des Wechselverhältnisses Vernunft – Sprache, ausgehend von Leibniz' Lehre von dem Strom konfuser Ideen, die den Menschen – ob er will oder nicht – durchziehen, aufgrund seiner »tierischen Konstitution«.[6] Und von ihr nimmt Herders Abhandlung ihren Ausgang.

Die Beschreibung Herders als revolutionären Neuerers trifft eher auf den bedeutenden Kritiker und Freund Herders zu, der auf die ›Abhandlung‹ und vor allem auf das Faktum der Preisverleihung durch die Akademie mit beißender Ironie antwortete: Johann Georg Hamann. Aus einer seiner Gegenschriften sei eine Passage zitiert, die nun wirklich das bringt, was Herder konventionell gern zugeschrieben wird, nämlich die Zurückweisung aller tradierten Instrumente, mit denen die Aufklärung die conditio humana zu beschreiben versucht hatte:

> Die Freyheit ist das Maximum und Minimum aller unsrer Naturkräfte, und sowol der Grundtrieb als Endzweck ihrer ganzen Richtung, Entwickelung und Rückkehr.
> Daher bestimmen weder Instinct noch Sensus communis den Menschen; weder Natur- noch Völkerrecht den Fürsten. Jeder ist sein eigener Gesetzgeber, aber zugleich der Erstgeborne und Nächste seiner Unterthanen.
> Ohne das vollkommene Gesetz der Freyheit würde der Mensch

wie geht die Entwickl[...], von der [...]g zur [...] vor sich?

gar keiner Nachahmung fähig seyn, auf die gleichwol alle Erziehung und Erfindung beruht; denn der Mensch ist von Natur
unter allen Thieren der gröste Pantomim.

Das Bewußtseyn, die Aufmerksamkeit, die Abstraction und
selbst das moralische Gewißen scheinen gröstentheils Energien
unsrer Freyheit zu seyn.[7]

Ganz anders als bei Herder, der das lukrezische Bedürfnis an
den Beginn aller gesellschaftlichen Arbeit setzt, nicht die my-
stisch-existentielle Willensfreiheit[8], werden von dem religiösen Charismatiker Hamann alle Begriffe zur soziohistorischen
und anthropologischen Fixierung der humanen Sphäre abge-
lehnt. Gleichwohl gelten in der Geistesgeschichte Herder wie
Hamann unterschiedslos als Vorläufer einer romantischen Bewegung, die aus irrationalen Antrieben sozusagen »von der
Aufklärung genug hatten«, ja vielleicht in ihrem manifesten
Franzosen»haß« – der in Wirklichkeit ein Haß des aufklärerisch drapierten Rokokofeudalismus war – einem deutsch-na-
tionalen Minderwertigkeitskomplex Rechnung trugen.[9]
Das Problem des geschichtlichen Rahmens, der dieser Be-
trachtung Herders unterliegt, resultiert aus dem kumulativen
Prozeß[10], in dem die Aufklärung von der Romantik verdrängt
wird. Ein ungelöstes Moment bleibt hier zurück: denn beide
Bewegungen sind inkompatibel – woher dann die scharfe
Wendung, die plötzliche Bewegung, mit der das romantische
Denken die Aufklärung überlagert? In diese Lücke tritt die
Theorie der »Vorläufer«, des Italieners Giambattista Vico
(1668-1744), des englischen Earl of Shaftesbury (1671-1713),
des Franzosen Montesquieu (1689-1755) und der Heroen des
deutschen Sturm und Drang, eben Hamann (1730-1788) und
Herder (1744-1803), die zusammen mit Rousseau (1712-1778)
die schärfsten Gegner des aufklärerisch-enzyklopädischen
Denkens sein müssen.[11] Aber was bleibt dann von der Tatsache, daß der Anti-Aufklärer Rousseau in seinem zweiten Discours von 1754 (›Sur l'origine de l'inégalité parmi les hommes‹) gemeinsam mit Herders Gegner Süßmilch die göttliche
Abkunft der Sprache vertritt – und dieser versäumt nicht,
darauf zu verweisen –[12], während der Anti-Aufklärer Herder
die ganz im naturrechtlichen Sinn gestellte Frage der Berliner
Akademie preiswürdig beantwortet: »En supposant les hommes abandonnés à leurs facultés naturelles, sont-ils en état

d'inventer le langage? Et par quels moyens parviendront-ils d'eux mêmes à cette invention? On demande une hypothèse qui explique la chose clairement et qui satisfasse à toutes difficultés.« Gegenüber Süßmilchs Ausweichen auf den göttlichen Ursprung stellt Herder die ursprüngliche Problematik der Akademie-Debatte um die Genese der Sprache, die seit Maupertuis' Beiträgen (1748 bzw. 1756) im Gange war[13], wieder her und gibt ihr dann, bewußt operierend, eine Neuwendung, die in ihrem Versuch, »Naturgesetze« der Sprachentwicklung zu erstellen, den Anspruch der Akademie erfüllt hat. Dokumente dafür sind – neben dem Faktum natürlich, daß Herders ›Abhandlung‹ den Preis erhielt – die beiden Resumées in französischer Sprache, welche die Akademie von ihrem Mitglied J. B. Mérian verfassen und in ihren Mémoires der Jahre 1771 und 1781 (ersch. 1773 bzw. 1783) veröffentlichen ließ; diese haben in der deutschen – nicht so in der ausländischen – Herder-Forschung keine Beachtung gefunden und überraschen durch die Mühelosigkeit, mit der sich das Werk des »Stürmers und Drängers« Herder in den Stil und Geist der wissenschaftlichen französischen Aufklärungsprosa übertragen läßt:

> M. Herder passe en revue, avec la même sagacité, tout ce que Mrs. Diderot, Rousseau et l'Abbé de Condillac ont dit sur cette matiere; et son nom mérite d'être associé à celui de ces Philosophes, tant par la force de raisonnement avec laquelle il sonde comme eux les profondeurs de la Métaphysique, que par les égards qu'il leur témoigne en s'écartant plus ou moins de leurs opinions.
> Enfin, M. Herder n'a point voulu construire d'hypotheses, malgré l'invitation que contenoît à ce sujet le Programme de l'Académie. Il s'en est tenu à l'exposé le plus net de l'essence de l'ame humaine, de l'organisation du corps où cette ame habite, et de l'analogie constante qu'on peut observer entre le progrès du genre humain et ceux des langues connues.[14]

Die scheinbare Homogenität des Aufklärungsbegriffes wie die schroffe Opposition Aufklärung – Romantik sind damit zu durchbrechen, wenn man dem Sprach- und Kulturtheoretiker Herder gerecht werden will. Denn was – nach den philologisch-ästhetischen Beschäftigungen mit ursprünglicher Sprache und Dichtung in den ›Fragmenten über die neuere deutsche Literatur‹ (1767) und den ›Kritischen Wäldern‹ (1769) – in der ›Abhandlung‹ erstmalig in Herders Werk theoretisiert anzutreffen ist, ist der Versuch einer Überwindung der Aufklärung mit Mitteln der Aufklärung, ohne – wie Hamann – deren Interpretationsschemata aufgeben. Mit anderen Worten, es bleibt das historische Problem, die Elemente des Geschichtsverlaufs heranzuziehen, die in der Betrachtung Herders, ja der Epoche »stationär« geblieben sind[15], da die Aufarbeitung historischer Prozesse meist nur die Innovationen beobachtet, nicht aber dem Subjekt der Innovation – dem tradierten Weltbild – Rechnung trägt. Als Initiatoren der hier skizzierten Interpretation seien Hans Dietrich Irmscher (mit seinem ›Nachwort‹ zur Ausgabe der ›Abhandlung‹ von 1966), Hans Aarsleff (mit seiner Studie zur Tradition von Condillac in der Sprachschrift, 1974) und maßgeblich Pierre Pénisson mit seiner Publikation der Mérian-Dokumente (in seiner französischen Ausgabe der ›Abhandlung‹, 1978) genannt.[16]

Um die skizzierte Aufgabe der adäquaten Interpretation der Herderschen ›Abhandlung‹ zu lösen, ist von einem Brief auszugehen, den Herder Ende April 1768 an Hamann richtete und in dem er die Frage formulierte, die weder die Lektüre Rousseaus noch die Studienzeit bei Kant lösen konnte:

> In der Reihe unsrer Betrachtungen über die sich aus einander wickelnde Zustände der Menschen fanden wir nirgends so sehr eine Lücke, als: wie wurden wir aus einem Geschöpf Gottes, das, was wir jetzt sind, ein Geschöpf der Menschen? Da unser jetzige Zustand doch wahrhaftig nicht der ursprüngliche seyn kann, wie ward er?[17]

Bereits 1928 hat Hans Welzel in seiner Studie über die Naturrechtslehre Samuel Pufendorfs darauf hingewiesen, daß im Naturrecht der Ansatzpunkt für die Entwicklung der Gesellschaftstheorie und Anthropologie überhaupt lag und daß sein methodisches Konstrukt eines Naturzustandes, als »reines« Modell zur Überprüfung gesellschaftlicher Normen konzipiert, Vico wie Rousseau, Adam Smith wie Herder die Problemmatrix für die Deutung der soziohistorischen Welt überhaupt vorgab.[18] Es enthält in der Einsicht, daß der Mensch aus dem Naturzustand heraus – und in die Geschichte eintreten müsse, ein »historistisches Einsprengsel«, das Vico, Montesquieu und vor allem Herder sich konsequent zunutze machen sollten.[19] Die Elemente, in denen Herder sich – nach Isaiah Berlins Interpretation – am deutlichsten vom Strom des zeit-

gute Naturzustand → böses gesellsch. Dasein

genössischen Denkens absetzte: »Populismus«, »Expressivität« und »Pluralismus«, lassen sich unter Leo Strauss' Begriff des »Konventionalismus« zusammenfassen, d. h. Recht, Gebräuche, alle Erscheinungsformen kultureller Tätigkeit, somit auch die Sprache, leiten ihre Geltung aus individuellen Setzungen der einzelnen Nationen ab.[20] Noch im genannten Brief an Hamann reproduziert Herder die Einteilung Rousseaus vom »guten« Naturzustand und dem »Übel« des vergesellschafteten Daseins, allerdings in der theologischen Motivierung seines Adressaten; in der Sprachschrift bricht er in der Bezeichnung des außergesellschaftlichen Daseins als einem »unnatürlichen Zustand« mit diesem Modell, das den »Mittelknoten« des Übergangs unaufgelöst läßt, und verlegt den Ursprung und die »natürliche« Geltung von Sprache und Lebensform jeder Nation in den historisch rekonstruierbaren Raum der immanenten Geschichte.[21] Herders Konventionalismus, der sich nach der ›Abhandlung‹ in der Schrift ›Auch eine Philosophie der Geschichte zur Bildung der Menschheit‹ (1774) und schließlich ausführlich in den ›Ideen zur Philosophie der Geschichte der Menschheit‹ (1784/91) äußert, resultiert aus der Ausformung der dem Naturrechtsdenken inhärenten Konsequenzen; sie werden in den folgenden Abschnitten (2 und 3) ausführlicher nachgezeichnet. Zunächst ist aber darauf aufmerksam zu machen, daß die Naturrechtstheorie – weit entfernt, bloßes Inventar von dem zu sein, was unveränderlich zu allen Orten und allen Zeiten gegolten hat – Implikationen theologischer Kritik und psychologischer Natur enthielt, die innerhalb weniger Jahre nach Erscheinen von Samuel Pufendorfs ›De iure naturae et gentium‹ (1672) von zwei bedeutenden Werken aufgegriffen und weitergebildet wurden: das bibelkritische Moment in der ›Histoire Critique du Vieux Testament‹ des Oratorianerpaters Richard Simon (1678) und das psychologische, mit dem sozialen Aspekt verbunden, in der ›Rhetorique ou l'Art de Parler‹ des Cartesianers Bernard Lamy (1676). Ausschnitte aus ihren Werken befinden sich in den *Materialien* (s. u. *3* und *2*).

In Pufendorfs Formulierung, daß die Menschheit ihr Dasein nicht in einem paradiesischen Urzustand verbringen konnte, sondern Formen der Zivilisation hervorbringen mußte[22], ist die Richtung der Bibelkritik bereits angezeigt; sie zielt auf die

christl. Erklärung; Sündenfall

Lehre vom Sündenfall als dem christlich sanktionierten Erklärungsmodell für den Übergang vom Natur- zum vergesellschafteten Zustand. Nochmals sei auf Herders Brief an Hamann vom Ende April 1768 verwiesen, in dem Herder zu diesem Problem, das für das immanente Verständnis der Humangenese ein Haupthindernis darstellt, schreibt:

> Ich ärgre mich [. . .] über die Philosophisch dogmatische Allegorien unsrer Zeit: was der Baum der Erkenntnis Gutes und Böses sey? was er ist? Es ist das Risquo, das der Mensch auf sich nahm, außer seinen Schranken, sich zu erweitern, Erkenntnisse zu sammeln, fremde Früchte zu genießen, andern Geschöpfen nachzuahmen, die Vernunft zu erhöhen, und selbst ein Sammelplatz aller Instinkte, aller Fähigkeiten, aller Genußarten seyn zu wollen, zu seyn wie Gott (nicht mehr ein Thier) u. zu wißen . . . [23]

Schon Pufendorf hatte in seinen Erläuterungen des soziohistorischen Ursprungs der Sprache (s. u. *Materialien 1*) die Sprache in den Kreis der menschlichen Produktionen einbezogen, gestützt vor allem auf die Kulturentstehungslehre des Lukrez (De rerum natura, Buch V), dabei aber eine direkte Konfrontation mit der Lehre der Genesis vermieden. Diese lieferte wenige Jahre später Père Simons ›Histoire Critique‹, veranlaßt durch die polyglotte Bibelversion, die der englische Theologe Brian Walton (in hebr., griech. und lat. Sprache) 1657 publiziert hatte; in den zugehörigen »Prolegomena« problematisierte Walton, ausgehend von einer universalen Interpretation der Sprachentstehung, deren biblische Version. Der schwer zugängliche Text der »Prolegomena« wurde 1673 erneut separat veröffentlicht, und mit ihm setzt sich Père Simon auseinander; er übernimmt die Verteidigung des menschlichen Ursprungs, wo Walton, der diesen nicht ausgeschlossen hatte, sich doch für den göttlichen Ursprung erklärte. Unter den Aspekten der Auseinandersetzung von Père Simon mit Brian Walton faßte dann – und dies scheint mir ein bemerkenswertes Dokument zur Herderschen ›Abhandlung‹ zu sein (s. u. *Materialien 9*) – der Herausgeber einer Neuauflage von Waltons »Prolegomena« 1777 den Streit Süßmilch – Herder erneut zusammen. Dabei hebt er – Joh. Aug. Dathe, ein von Herder gelegentlich positiv erwähnter Orientalist[24] – die rhetorische Eleganz, nicht die Originalität der Abhandlung hervor und streicht die theologischen Elemente in Herders Ursprungsdenken hervor, die – auch nach dessen Meinung – der »historia sacra« nicht widersprechen.

Auch Süßmilch hat diese Kontroverse wohl gekannt und in der Einleitung seines ›Versuchs‹ abgehandelt[25]; seine Konsequenz aus Rousseaus pointierter und unvermittelbarer Kontrastierung von Natur- und vergesellschaftetem Zustand mußte dahin gehen, beide zu einer Einheit zusammenzuschließen, indem er die Grundlagen der vorhandenen Theorien zur Sprachgenese – Nachahmung und Bedürfnis – liquidierte und die Notwendigkeit des göttlichen Eingreifens dartat.[26] Père Simons Rechtfertigung des bibelkritischen Ansatzes und der Verbindung der lukrezischen Philosophie mit der Theologie des Gregor von Nyssa – die Vereinbarung von Vernunft und Glauben und die Reduktion des Wunderbaren auf ein Minimum[27] – wird von Süßmilch mit dem Hinweis auf die Unerklärbarkeit der Weltschöpfung generell, als deren Teil die Sprachgenese figuriert, apodiktisch abgetan.[28] Sei es auch, so Süßmilch, daß der Mensch von diesem Schöpfer Anlagen hatte, die zur Sprachentwicklung führen konnten – insofern hatte er gegen Rousseaus Reflexionsbegriff nichts einzuwenden –, weiß man doch aus der mosaischen Erzählung, was der Mensch bald nach der Schöpfung tat, nämlich den vollkommenen Gebrauch der Sprache auszuüben, und dazu wäre er durch Ausbildung bloßer Anlagen erst nach langer Zeit oder nie gelangt. Der fatale Dogmatismus, in dem sich Süßmilch durch Rousseaus zweiten Discours bestätigt glaubte, hatte Herder schon in der ersten Sammlung der ›Fragmente‹ zu einem skizzenhaften Entwurf veranlaßt, wie nun dieser bestehende »Mittelknoten« zu lösen sei:

[...] Süßmilch [...] hat [...] nichts als gezeigt, daß ihm der Philologische Geist fehle, das wahre Ideal einer Sprache zu schätzen, der Geist der Geschichte, um die verschiedenen Zeitfolgen und Lebensalter derselben zu prüfen, und am meisten der Philosophische Genius, sie als eine Entwickelung der Vernunft, und als eine Produktion Menschlicher Seelenkräfte erklären zu können. [...] Ueber Göttliche Produktionen läßt sich gar nicht urtheilen, und alles Philosophiren darüber κατ' ἄνθρωπον wird mißlich und unnütz: wir müssen sie doch immer als Menschliche betrachten, insgeheim immer einen Menschlichen Urheber voraus setzen, der nur auf höherm Boden stehet, und mit höhern Kräften wirket. [...] Was ist für Menschen würdiger und wichtiger, als Produktionen Menschlicher Kräfte, die Geschichte Menschlicher Bemühungen, und die Geburten unseres Verstandes zu untersuchen? Und wie interessant wird die Philosophie über die Kindheit der Sprache, wenn ich in ihr zugleich die Menschliche Seele sich entwickeln, die Sprache nach sich, und sich nach der Sprache bilden sehe! – das größte Werk des Menschlichen Geistes – Ich folge also diesmal zween blinden Heiden, dem Diodor von Sicilien und Vitruv: zween Katholischen Christen, dem heiligen Gregor, und für mich noch heiligern Richard Simon, und in der neuern Zeit einem Akademischen und einem Jüdischen Weltweisen: Maupertuis und Moses Mendelssohn – und setze, wenn nicht mehr, so zum Spaas voraus: »Menschengeschlechter haben sich ihre Sprache selbst gebildet.«[29]

Neben dem Anschluß an Père Simons Prinzip – das, ganz im Sinn der Aufklärung unter dem Motto »Bewahre mich Gott vor Wundern!«, von den theologischen Thesen von 1767 (s. *Materialien 8*) bis zur Analyse des Sprachenwunders am Pfingstfest (1794) sich manifestieren sollte[30] – tritt nun mit der Nennung Maupertuis' und Mendelssohns der dritte Aspekt hervor, der die Abhandlung im wesentlichen mitbestimmen sollte: die Ergänzung des soziohistorischen, bibelkritischen Ansatzes durch das psychologische Moment. Von Anfang an, wie die Erweiterungen Lamys von Pufendorfs Theorie zeigen (s. *Materialien 1* und *2*), war dieses in der Diskussion präsent: in der Rolle der »idées accessoires«, die den Vorgang der Belehnung eines Gegenstandes mit einem Wort-Zeichen begleiten. Die Assoziation von bezeichnetem Gegenstand und Wort-Zeichen wird primär nicht von einer logischen Operation dirigiert, sondern von der emotiven Aufladung des Gegenstandes. Schon bei Lamy, in extenso dann bei Locke, Leibniz, Condillac und Bonnet (neben den von Herder genannten beiden Autoren) finden sich die Momente einer Entwicklungsgeschichte der psychologischen Vermögen, aus denen Herder seine Theorie der »Besonnenheit« entwickelte: »Der Gedanke an die Sache selbst schwebte noch zwischen den Handelnden und der Handlung: der Ton muste die Sache bezeichnen, so wie die Sache den Ton gab; [...]. Im Stuffengange der menschlichen Sinnlichkeit wird diese Sache erklärbar, aber nicht in der Logik des höhern Geistes.«[31]
Herder wendet sich damit gegen die scheinbar ganz empiristisch-psychologische Darstellung des Sprechakts, die Süß-

milch gibt[32], die aber in der Gleichsetzung von »idea materialis« und »idea intellectualis/mentalis« Elemente der kritisierten »Logik des höhern Geistes« einführt. Süßmilch behauptet zwar, davon auszugehen, »daß in den sinnlichen Empfindungen die Anfangsgründe unserer Erkenntniß liegen«[33], fährt aber fort, daß die im Augenblick der Apperzeption eines Gegenstandes erlangte Deutlichkeit des Begriffs wieder in den Strom der konfusen Ideen zurücksinken müßte, wenn ihr nicht das Hilfsmittel der abstrakten Universalien zur Verfügung stände. Die Präsenz der bezeichneten Gegenstände im Moment ihres Aussprechens, die anschauende Erkenntnis (»cognitio intuitiva«), ist unzureichend ohne die »Kunst durch Zeichen zu denken« (»cognitio symbolica«).[34] Es gibt zwar ein psychophysiologisches Moment, das darin besteht, »daß mit den sinnlichen Vorstellungen der Seele, auch zugleich eine Bewegung in denen feinsten Theilen des Gehirns und der Lebensgeister verbunden sey, daher denn der Unterschied zwischen den *ideis materialibus* und *intellectualibus* entstehet. Beyde Arten von Begriffen sind allezeit beysammen.«[35] Diese Notwendigkeit, den sensualistischen Vorgang der Objektwahrnehmung mit einem Vorgang intellektueller Verarbeitung zu koppeln, der kein physiologisches Substrat kennt, und ihn nicht als Leistung eines individuellen, dann kollektiv weitergeführten Abstraktionsprozesses anzuerkennen, ist der für Herder entscheidende Fehler der Psychologie Süßmilchs. Denn Süßmilch kann sich eine Erweiterung der Erkenntnisse, die der Motor der Sprachbildung sind, nur mithilfe bereits vorhandener reflexiver Fähigkeiten erklären: »da die Apperception der Aehnlichkeiten bey abstracten Begriffen blos in der Seele geschiehet, und im Körper keine damit übereinstimmende Bewegung vorhanden ist, so muß man der Vorstellungskraft *ideas materiales* verschaffen und also die Zeichen gebrauchen lernen, als wodurch *ideae materiales objectorum* verschaft und dadurch *ideae mentales* in ihrer Fortdauer erhalten werden können.«[36] Diese ideale Gleichzeitigkeit des logischen Mechanismus (Objekt – Umsetzung in eine »idea materialis« – Fixierung des Eindrucks durch die »idea intellectualis«) wird von Herder zu einem Vorgang umgedeutet, der als individualpsychologisches Konstrukt noch in idealer Gleichzeitigkeit stattfindet, aber den Status einer reflexiven

Leistung erst in einer historischen Abfolge erhält: seine Momente sind Objektwahl – Aufnahme eines Merkmals des Objekts – Reproduktion dieses Merkmals mit Hilfe der »idée accessoire« (soweit der rein psychologische Vorgang) – Reproduktion des Merkmals in sprachlicher Form, die aleatorisch (d. h. nicht grammatisch fixiert) ist – Reproduktion des sprachlichen Zeichens in Gesellschaft, zunächst zur Bezeichnung komplexer Sachverhalte, bis durch gesellschaftliche Konvention aus der Menge möglicher aleatorischer Zeichen, die einen Wortstamm bilden, eine präzisere Verwendung und Differenzierung eintritt und der Anfang zur Ausbildung einer Grammatik gemacht wird. Beide Vorgänge, der psychische wie der soziale, enthalten ein Moment zeitgebundener Natur: in der Besinnung auf ein Merkmal kommt der Mensch quasi hinter sich zu stehen[37]; in der Reduktion der Aleatorik des sprachlich ausgedrückten Merkmals wird dieser individualpsychologische Vorgang kollektiv aufgenommen und weitergeführt, zur bewußten Schaffung künstlicher Zeichen. Darin liegt nun auch das Motiv für die Aufgabe der Rousseauschen Opposition von Natur- und vergesellschaftetem Zustand: die naturalistische Sprachkonstitution des fiktiven Individuums ist wohl psychologisch hypothetisch – vor allem in der Absetzung vom Tier – erschließbar, aber der Naturalismus der Sprachentstehung wird sofort überschüttet vom Symbolismus gesellschaftlicher Interaktion, der auf bestimmte Konventionen abzielt und als dessen Instrument die Sprache fungiert.[38] Damit schließen sich die Beobachtungen der drei Ansätze des 17. Jahrhunderts bei Pufendorf, Lamy und Père Simon, die in der vorgelegten Interpretation die Herdersche Sprachschrift historisch konstituieren, unter einem Aspekt zusammen, einer »analog Variablen«[39], welche die Dynamik der Entwicklung des soziohistorischen, des psychologischen und des religionskritischen Ansatzes jeweils beherrscht: die Ablösung der Kategorie des Ursprungs von einem direkten göttlichen Schöpfungsakt und seine Ersetzung durch eine von Konventionen beherrschte immanente humane Sphäre, die zugleich – als Entwicklungsgeschichte menschlicher Produktionsweisen – historisch strukturierbar ist. Allerdings ist dieser Raum der immanenten Geschichte nicht frei von theologischen Residuen; ein platonischer Restbestand beherrscht die Ordnungsvorstellungen, die ihn strukturieren, und dieser ist nicht ganz problemlos, wie Hamanns süffisante Kritik zeigt. Allerdings liegt der Ursprung dieses Relikts in dem Versuch, die Einheitlichkeit der Erfassung der Naturgegenstände und der sozialen Welt zu erhalten, und um beides kümmerte sich Hamann herzlich wenig, im Gegensatz zu Herder:

> Ist indessen ein Gott in der Natur: so ist er auch in der Geschichte: denn auch der Mensch ist ein Theil der Schöpfung und muß in seinen wildesten Ausschweifungen und Leidenschaften Gesetze befolgen, die nicht minder schön und vortreflich sind, als jene, nach welchen sich alle Himmels- und Erdkörper bewegen.[40]

Diese »Naturgesetzlichkeit« humaner Selbstproduktion und Geschichte erscheint, lang vor den ›Ideen‹, deren XV. Buch das letzte Zitat entstammt, auch in den vier Gesetzen, in denen die ›Abhandlung‹ ihre Ergebnisse zusammenfaßt. Die Einteilung in einen psychologischen – den ersten – und einen soziohistorischen – den zweiten – Teil reflektiert den gegenüber Süßmilch neugewonnenen historisch-evolutionären Ansatz genau, allerdings läßt die Kennzeichnung als einer Unterscheidung von »innerer« und »äußerer« Sprachgenese eine Wertigkeit erkennen, die den ersteren eine Dominanz über das »Arbiträre« des soziohistorischen Verlaufs zuzusprechen scheint. Die negative Besetztheit des Terminus »willkürlich« ist ein weiteres Indiz dafür.[41] Deshalb ist nochmals besonders auf die Elemente zu verweisen, in denen Herders ›Abhandlung‹ die Vorgaben der soziohistorischen Theorie des Naturrechts übernimmt.[42]

In dieser ist der Mensch zugleich Glied in der Kette der Schöpfung, seiner tierischen Natur nach, aber ob seiner Schwäche im Vergleich zu den Tieren das elendeste Geschöpf der Natur:

> Dies also hat der Mensch mit allen Lebewesen gemeinsam, die ein Selbstgefühl besitzen, daß er nichts wertvolleres als sich selbst besitzt und mit allen Mitteln danach strebt, sich selbst zu erhalten: so strebt er danach, zu besitzen, was ihm förderlich dünkt, und was ihm schädlich erscheint, von sich fern zu halten. Dieser Trieb ist in der Regel so stark, daß ihm alle übrigen Triebe weichen müssen. [...]

Aber es ist sogleich offenkundig, daß sich der Mensch gegenüber dem Tier in einer nachteiligeren Situation befindet, da kaum ir-

gendein Tier von Geburt an eine derartige Schwäche (»imbecillitas«) begleitet; es ist gewissermaßen ein Wunder, wenn er es dazu
bringt, einige Zeit zu leben, falls nicht die Hilfe anderer Menschen
hinzutritt.[43]

Die in lukrezischen Bildern beschriebene Situation des Menschen im Naturzustand, die Pufendorf gibt, liefert Herder den
Ausgangspunkt der konstitutiven Hilflosigkeit; gleichzeitig
weist das Naturrecht auf die kompensatorischen Mittel hin,
die der Mensch gegenüber den Tieren besitzt: nämlich die
Freiheit von der Instinktbindung, die seine »Humanität« auch
in jenem Zustand bereits konstituiert, in dem ihm noch »jene
Vollkommenheiten fehlen mögen, die dem Menschen erst
nach einiger Zeitspanne zuteil werden«.[44] Diese Aussage gilt
für die Entwicklung der Völker wie für die Entwicklung des
Individuums, also das Kind, das bereits im Mutterleib Mensch
ist; diese Parallele übernimmt Herder bereits in dem (oben
schon zitierten) Abschnitt der ›Fragmente‹: »Und führe, wenn
nicht mehr, so zum Spaas, meine Parallele fort: ein Menschengeschlecht und ein Mensch in seiner Kindheit, seyn einander
ähnlich.«[45] Diese Kompensation der Hilflosigkeit realisiert
sich nun in der Fähigkeit des Menschen, die Vielfalt der physischen Gegenstände wahrzunehmen (im Kontrast zum Tier)
und sie mit Interpretationen zu belehnen (»impositio entium
moralium«) und diese wiederum sprachlich auszudrücken. Es
wird damit sichtbar, daß das kollektive Substrat des Naturrechts damit auch den Vorwurf für die scheinbare Innovation
der Herderschen Kategorie der »Besonnenheit« liefert: die
Weltoffenheit und damit der Ansatz zur »reflexiven Abstraktion«, auf der alle Kulturerscheinungen beruhen, sind im Naturrecht dem Menschen vorgegeben, um ihn vom Tier zu unterscheiden.[46] Es wäre falsch, aus der formalen Ablehnung der
Entstehung der Sprache aus Übereinkunft in der ›Abhandlung‹ zu schließen, daß der soziohistorische Aspekt der
Sprachgenese für Herder eine quantité negligeable darstellte;
im Gegenteil, er erhebt im »Zweiten Naturgesetz« den naturrechtlichen Gedanken von der sozialen Bestimmung geradezu
zu einem Grundsatz der Sprachbildung – nur isoliert von der
phylogenetischen Konstitution des Menschen, die das Naturrecht ja mitreflektiert, ist die Kategorie »Übereinkunft« nicht
aussagekräftig.[47] Allerdings in einem Punkt erweist sich Her-

ders Ansatz als konträr zum Rationalismus des Naturrechts: war es dessen Bestreben gewesen, überall das wirkende Prinzip einer sich nicht widersprechenden Vernunft zu erweisen, auch in den abstrusesten Formen humanen Lebens[48], zersetzt sich schon in Vicos und Montesquieus soziohistorischen Arbeiten, und stärker noch in Herders Konventionalismus dieses Prinzip vollständig. Und trotzdem bleibt das logisch motivierte Suchen nach einer »mathematisch-physisch-metaphysischen Formel« für den soziohistorischen Bereich erhalten, um einem Zerfall des historischen Raums in eine Anarchie von Daten und Fakten vorzubeugen.[49] Diese Inkongruenz ist zu erklären: solange die philosophische Methode im Bereich der Vorstellungen vom Ursprung und der Evolution der Gesellschaften von der Grundauffassung einfacher, im Laufe der Evolution sich komplizierender Elemente ausgeht (nach Vorschriften der cartesianischen Logik, wie sie etwa die Vorstellung der Sprachagglutination bei Père Simon beherrscht), bleibt das um einen Ursprung kreisende Weltbild innerhalb des Naturrechts unangetastet. Herder geht im Gegensatz dazu von der Komplexität des ursprünglichen Sprachmaterials aus, dessen Vereinfachung den historischen Prozeß auslöst. Derselbe Gedanke hatte schon im Werk Vicos, von der Frühschrift ›De antiquissima Italorum sapientia‹ (1710) bis zur Schlußfassung der ›Scienza nuova‹ (1744) das anti-cartesianische Völkerrecht Vicos hervorgebracht. Damit läßt sich auch der Konflikt zwischen Herder und Kant um die ›Ideen‹ motivieren, der Herder zunächst unvorbereitet getroffen hatte;[50] als Kant-Schüler hatte er, so auch in der Sprachschrift, nach »logisch Einfachen«, nach »Naturgesetzen« gestrebt, um der cartesianisch-kantischen Logik zu folgen, während das soziohistorisch relevante Material, vor allem aus der Ethnographie des 17. und 18. Jahrhunderts, die Annahme solcher einfachen Universalien bereits fraglich machte. Aus diesem inhärenten Gegensatz von logischer Struktur und verwendeten Materialien ist das Nebeneinander von traditionellen, ja theologischen Elementen und dazu konträren Folgerungen zu begreifen. Diese Folgerungen resultieren aus den psychologischen und ethnographischen Einsichten, mit denen Herder arbeitet; sie enthalten Ansätze zur Umkehr des cartesianischen Ordnungsdenkens, wie sich am logischen Inventar der ›Abhandlung‹

zeigen läßt und führen zur vollkommen konventionalistischen Auffassung vom Ursprung der Sprache. Damit sind die weiteren Gesichtspunkte dieser Darstellung bezeichnet.

2. Die cartesianische Logik und die phylogenetische Ergänzung des naturrechtlichen Substrats

In seinem Buch ›Die Ordnung der Dinge‹ (›Les mots et les choses‹ 1966, dt. 1971) hat Michel Foucault sich ausführlich mit der Funktion der Sprache, der Entstehung der cartesianischen Grammatik und Psychologie beschäftigt, die er unter dem Begriff der »Philologie« – zusammen mit einer Reihe von Momenten aus der Biologie und Ökonomie – auf einer gemeinsamen Folie des Wissens ansiedelt; dieses Wissen, als »Episteme« bezeichnet, konstituiert sich in der ersten Hälfte des 17. Jahrhunderts im »klassischen« französischen Bewußtsein und gelangt um 1800 zu einer totalen Umstrukturierung. Der Begriff der »Episteme« enthält, daß alle Erscheinungen der drei genannten Gebiete in einer allgemeinen Ordnungswissenschaft Platz finden, wobei »einfache Größen« in einem wissenschaftlichen Prozeß (»Mathesis«) erfaßt werden, während komplexe Größen, durch Taxonomien geordnet, in einer Systematik von Zeichen konstituiert werden.[51] Eine inhaltliche kritische Auseinandersetzung mit Foucaults »Episteme« ist hier nicht angebracht; aber einige formale Bemerkungen sind, nach der historischen Konstituierung des Fragenhorizonts von Herders ›Abhandlung‹ aus dem Bereich des Naturrechts unumgänglich: denn was wäre gewonnen, wenn man der »Episteme« aus französischer Sicht, deren Fokalpunkt im Cartesianismus liegt, nun als deutschen Widerpart das Naturrecht substituierte? Ich beeile mich hinzuzufügen, daß die Wirkung des Naturrechts von Pufendorf in Frankreich sehr viel stärker war, als in Deutschland, von der Wirkung auf die politische Philosophie (von Rousseau bis zur Menschenrechtserklärung der französischen Revolution) einmal ganz abgesehen[52]: von Jean Barbeyracs Übersetzung von ›De jure naturae et gentium‹ erschienen zwischen 1706 und 1771 allein 13 Editionen, während im gesamten 18. Jahrhundert in Deutschland 6 Ausgaben in lateinischer und 1 in deutscher Sprache (in 2 Auflagen) erschienen.[53]

Aus der Kritik der traditionellen Geschichtsschreibung – als Geschichte individueller Einflußbeziehungen in sukzessiver Abfolge – heraus leitet Foucault die Alternative ab, ein »einziges Netz von Notwendigkeiten« wissensgeschichtlicher Art konstruieren zu müssen, das »jene Individualitäten möglich gemacht [hat], die wir Hobbes, Berkeley, Hume oder Condillac nennen«.[54] Entkleidet man Foucaults Begrifflichkeit ihres allegorisch-personifizierten Charakters (die Episteme »entläßt« die Humanwissenschaften, die Mathesis »zieht sich zurück« etc.), bleibt als Sachverhalt zurück: es gibt zwischen 1600 und 1800 – zwischen dem Modell des Renaissancedenkens (in triadischer Form) und der Organisation des Wissens nach 1800 in Kausalitäts- und Geschichtsfolgen – eine für diesen Zeitraum spezifische Form des Tableaus als Modell zur parallelen Erfassung jedes Sachverhalts, sei es einfacher Größen oder komplexer Elemente.[55] Diese Grundannahme ist immerhin diskutierbar, weil sie ein ideales Postulat darstellt (ein Vorgehen, das an sich nicht illegitim ist); aber ihre Folgerung ist schon bedenklich: jede historische Erscheinung (sei es ein Werk, ein Autor, ein Gedanke) ist auf dieser Folie gleichzeitig »notwendig«, weil sie nur auf dem Feld der »Episteme« erscheinen kann, und sie ist gleichzeitig »überflüssig«, weil sich der Bestand der »Episteme« ohne diese Individualitäten nicht ändern würde. Bestehen keine Einwände gegen das Bemühen, aufgrund einer partikulären Ausgangslage, nämlich des »klassischen« französischen Weltbildes, Untersuchungen anzustellen, die in ihren Konsequenzen über diese partikuläre Genese hinausreichen sollen[56], so erheben sich jedoch gravierende Bedenken gegen die Metaphysizierung der »Episteme« in der Behandlung der geschichtlichen Individualitäten, durch die sich Foucault dem Verdacht aussetzt, daß »er ›die Ideen‹ als eine hinter der Flucht der Erscheinung stehende ›eigentliche‹ Wirklichkeit, als reale ›Kräfte‹ hypostasiert, die sich in der Geschichte auswirkten.«[57]

Die Behauptung, es sei nur die Analyse eines philosophischen Diskurses, der hier vorgelegt werde, problematisiert den Ansatz noch mehr: denn jeder Diskurs findet, weil er per definitionem Sprache ist und sich der Vermittlung wissenschaftlicher Organisation bedienen muß, im gesellschaftlichen Raum statt. Dies impliziert wissenschaftspolitische Konsequenzen,

und diese waren im Zeitraum zwischen 1600 und 1800 alles
andere als trivial: von Descartes' Angst, Galileis Schicksal zu
teilen, über die Verurteilung Spinozas und die Debatten um
Newton bis zur theologisch motivierten Unterdrückung der
»Theorie von der Generation« C. F. Wolffs durch Albrecht
von Haller und die Maßregelung Kants durch Wöllner zieht
sich der Einfluß gesellschaftlicher Präventivzensur und Sank-
tionen durch die Geschichte der Wissenschaft.[58] Freilich gibt
es gerade im 18. Jahrhundert auf der Basis einer europäisch
umfassenden Wissenschaftsorganisation, welche die Fixierung
präziser Einflüsse teils erschwert, teils ihre Bedeutung zweit-
rangig macht, einen – man verzeihe das Oxymoron – Bestand
von wissenschaftlichem »Alltagswissen«. Dieser ist jedoch
weit weniger monolithisch strukturiert, als Foucaults stati-
scher Episteme-Begriff zugesteht. Die Geschichte der Logik
vom Aufkommen des Cartesianismus bis zu Kants ›Kritik der
reinen Vernunft‹ ist nicht die einer formalen Ordnungswissenschaft, sondern sie ist »allenthalben mit erkenntnistheoretischen, metaphysischen und auch psychologischen Fragestel-
lungen durchsetzt«, mit dem Ergebnis eines permanenten
Streits zwischen Rationalismus und Empirismus und zwischen dem »esprit de système« und »esprit systématique«.[59]
Zudem enthält das für Foucault maßgebliche Ordnungsprin-
zip unzweifelhaft soziale Appräsentationen (des Absolutis-
mus) und es besitzt eine relativ komplizierte Genese aus der
Zeit der Renaissance, in der sich Einflüsse der spanischen
Scholastik mit denen der italienischen Naturphilosophie mi-
schen: man vergleiche hierzu die große Rede des Odysseus
über das Weltprinzip der Abstufung und Ordnung der Dinge
in Natur und Politik in Shakespeares ›Troilus und Cressida‹,
um sich zu vergegenwärtigen, wie wenig die klassische Episteme die Autonomie gegenüber der vorangehenden Periode
besitzt, die ihr Foucault zuschreibt.[60] Zweitens erheben sich
gravierende Zweifel gegenüber der Unterscheidung von neuer
»binärer« gegenüber der bisherigen »ternären« Anordnung
der Zeichen:[61] wo die Renaissance nach Foucault die Zeichen
der natürlichen Welt dreifach betrachtete, in ihrer allegorisch-
inhaltlichen Funktion und ihrem gemeinsamen Ursprung, der
ihre Ähnlichkeit platonisch-mystisch bedingte, analysiert das
17. und 18. Jahrhundert nur noch »die Verbindung eines Be-

zeichnenden und Bezeichneten«. Dem ist entgegenzuhalten, daß im 18. Jahrhundert sich die Rückkehr zu platonischen Ordnungsvorstellungen verstärkt, je mehr sich durch die Verschiebung der Ursprungsfrage der Immanentismus des geschichtlichen Raumes ausprägt. Bei Herder manifestiert sich dieser paradoxe Vorgang mit aller Deutlichkeit in der Spinoza-Schrift (1787), die zusätzlich in der Publikation des Lessing-Fragments ›Über die Wirklichkeit der Dinge außer Gott‹ das Problem in seiner philosophischen Aporie unterstreicht.[62] Damit ist die Stichhaltigkeit auch dieses zweiten Kriteriums der Episteme Foucaults in Zweifel zu ziehen.

Nun hatte Foucault sich auf die Position der Beschreibung eines Ausschnittes zurückgezogen, der zwangsläufig zu einer Diskontinuität der Betrachtung des Geschichtsverlaufs führt. Aber zwei seiner Feststellungen verschärfen eher die Bedenklichkeit seiner Argumentation, statt sie zu entlasten, nämlich die Frage: »Wie kann ein Gedanke vor etwas anderem als sich selbst erlöschen?« und: »Das Diskontinuierliche – [...] – führt wahrscheinlich zu einer Erosion des Außen, zu jenem Raum, der für das Denken auf der anderen Seite liegt, in dem von Ursprung an zu denken es aber dennoch nicht aufgehört hat.«[63] Das damit angesprochene Problem der »Beziehung des Denkens zur Kultur« zu stellen, meint er, sei noch zu früh, man müsse sich begnügen, »diese Diskontinuitäten in der empirischen, zugleich evidenten und dunklen Ordnung anzunehmen, in der sie sich geben.[64] Hier überspielt blendende Rhetorik die Voraussetzungen, die jede kulturgeschichtliche Analyse sinnvoll machen: kein Gedanke »erlöscht vor sich selbst«, sondern alle kulturellen Individualitäten, sei das gewählte Segment der Beschreibung noch so sehr mit den Risiken der provozierten Diskontinuität behaftet, behaupten ihre Zugehörigkeit zu einem Kontinuum außerhalb des wissenschaftlichen, und nur in heuristischer Absicht legitimen, Konstrukts. Widerspricht das Segment der Betrachtung der Verpflichtung, Funktion und Beweglichkeit des Gegenstandes innerhalb der Dynamik dieses Kontinuums zu repräsentieren, so ist mit dem Hinweis auf die »zugleich evidente und dunkle Ordnung« des Empirischen die Problematik des Beschreibungsmodells zwar elegant, aber nicht genügend bemäntelt.

Aus diesem Grund zielt die vorgelegte Interpretation vor allem darauf ab, die Interdependenz von »analog Variablen« in der Entwicklung verschiedener Wissensbereiche sichtbar zu machen, zunächst im engeren Rahmen der Diskussion bestimmter Grundannahmen psychologischer und anthropologischer Art, die in unmittelbarem Zusammenhang mit Herders ›Abhandlung‹ stehen; darüber hinaus liefert die analoge Apperzeption von Naturgegenständen und sozialen Verhaltensweisen in der Zeit von 1600 bis 1800 den Hinweis auf das Naturrecht. In ihm ist die Frage nach der Genese der physischen Welt, der »materia prima«, parallel strukturiert zur Erforschung der Konstitution der soziohistorischen Welt, ihrem »Naturzustand«, die beide nur in der gegenwärtigen sekundären »gemischten« Form zugänglich sind[65]; dieser gemeinsame Ausgangspunkt von Bacon, Grotius, Hobbes, Pufendorf und Spinoza erfährt jedoch Veränderungen, die der ursprünglichen Intention zuwiderlaufen – diese zu erläutern, ist der weitere Rahmen der Untersuchung. Wir greifen als Ansatzpunkt für die Frage nach der Position des Menschen und seiner Entwicklung in diesem Bezugssystem den Ansatz von Descartes auf: der von ihm etablierte Dualismus von Körper und Geist hatte in dem Bemühen, sich durch ein logisches Konstrukt aus der Problemzone theologisch-dogmatischer Interferenzen herauszuhalten, nur eine unbefriedigende Anthropologie entwickelt – die Zerlegung des Menschen in »Geist« und »Maschine« liefert im psychologischen Teil nur ontologisch-scholastische Wahrheiten, der körperliche Aspekt fördert nur mechanische Gesetzmäßigkeiten zutage. Das Resultat, das sich für die Wissenschaft aus dem Cartesianismus zwangsläufig ergibt, hat Vico 1744 so zusammengefaßt: »Die Philosophie betrachtet die Vernunft, und daraus entsteht die Wissenschaft des Wahren; die Philologie beobachtet, was die menschliche Willkür als Gesetz aufgestellt hat, und daraus entsteht das Bewußtsein von dem, was gewiß ist.«[66] Aus dieser Einsicht in die Folgenlosigkeit des Cartesianismus für den soziohistorischen Bereich geht die wichtigste Voraussetzung für die Entdeckung der Geschichte als eines immanenten Raumes hervor: die Wahrheiten, welche die Ontologie entdeckt, und die Resultate geschichtlicher Selbstvergewisserung sind strukturell verschiedener Natur. Was der Mensch für »Wahrheiten« hält, sind Erfahrungen seiner Konstitution, abhängig von Klima,

Konventionen, Zeit- und Lebensalter. Die kulturellen Produktionen sind Dinge, die der Mensch selbst hervorgebracht hat und deren er sich zu vergewissern weiß. Von dieser Einsicht bis zu Herders Formulierung in der ›Abhandlung‹ von der ehrwürdigen Sterilität des göttlichen Ursprungs ist nur ein Schritt.[67] Rückwirkungen auf die Betrachtung des naturrechtlichen Substrats bleiben nicht aus: denn überschaut man das ethnographische Material, das die Altertumsforschung und vor allem die Entdeckungsreisen der vergangenen drei Jahrhunderte geliefert haben, gerät der Grundsatz von Grotius und Pufendorf ins Wanken, daß der soziale Zusammenschluß Garant des rationalen humanen Verhaltens sei, unabhängig von Ort und Zeit.[68] Darin liegt der Ansatz für die Betrachtung primitiver Kulturen als humaner Leistungen[69], und nicht mehr als einer Ansammlung von Widernatürlichkeiten, die unter den neutraleren Begriff der »Verartungen« Herders fallen; trotzdem geben Herders ›Ideen‹ wie auch Georg Forsters Bericht von Cooks zweiter Südseereise (›A voyage round the world‹, 1777) den eurozentrischen Gesichtspunkt der Progression in Richtung auf die Höhe der europäischen Kulturen nicht auf. Gefördert wurde diese Einsicht in die Natur des Menschen, in der Sozialität nicht automatisch gleich Rationalität ist, vor allem durch die naturwissenschaftliche Eingliederung der menschlichen Gattung ins Tierreich, die Linné im ›Regnum Animale‹ seines ›Systema Naturae‹ vornahm (1735). Darin erscheinen sieben Typen der Spezies »Homo Sapiens« (Homo Ferus, Americanus, Europaeus, Asiaticus, Afer, Monstruosus, Troglodytes), nach Merkmalen beschrieben und begleitet von einem Kommentar, der – obwohl eine Kompilation von Zitaten antiker Autoren und noch vom Ton der barocken stoischen Attitude geprägt – eine emphatische Beschwörung des irrationalen Menschentieres und der Sphären seines Handelns darstellt.[70] Nun war dies schon eines der Merkmale des Pufendorfschen Naturrechts gewesen, die Kultursphäre des Menschen, den notwendig arbiträren Gebrauch seiner Anlagen mit der Instinktgebundenheit des Tieres zu kontrastieren. Die Frage nach der Konstitution der Erkenntnisse, der Sprache und der kulturellen Schöpfungen des Menschen war damit in der Untersuchung seiner phylogenetischen Situation und der Deutung der psychologischen Vorgänge vorstrukturiert, die sich aus dieser ergab. Eine ganze Reihe von Werken griff das Problem unter diesen Aspekten auf, Locke und Condillac, deren Tradition Hans Aarsleff jüngst überspitzt zu den dominanten Zügen von Herders ›Abhandlung‹ erhob[71], und zu denen unter allen Umständen Leibniz' ›Nouveaux Essais‹, Diderots ›Lettre sur les aveugles‹, die Arbeiten von Charles Bonnet und Moses Mendelssohns kritische Stellungnahmen zu Rousseau und Condillac treten müssen.

Condillac hatte seine Darstellung vom psychologischen Ursprung der Erkenntnis in Analogie zum Konstrukt des Naturzustandes angelegt, indem er eine Statue graduell mit sinnlichen Fähigkeiten ausstattete (Geruch, Tastsinn, Gehör, Gesicht), die aber erst durch das Hinzutreten von Bewegung und Gefühl fähig wird, zwischen innerer Rezeption und Außenwelt den vermittelnden, aktiven Sinn der Erfahrung zu entwickeln. Dieses Modell des ›Traité des sensations‹ (1754), weiterentwickelt in ›Traité des animaux‹ (1755), resultierte aus den Prinzipien, die Condillacs ›Essai sur l'origine des connoissances humaines‹ (1746) festgelegt hatte; die Erfahrungen der Sinne bleiben folgenlos, wenn sie nicht durch Aufmerksamkeit stabilisiert werden, sie bleiben unplastische Erfahrungen von Oberflächen, nicht der realen Mehrdimensionalität der Gegenstände:

> [. . .] nous mettons aussi-tôt, à la place de ce qui nous paroît, la cause même des images que nous voyons, et cela en vertu d'un jugement que la coutume nous a rendu habituel; de sorte que, joignant à la vision un jugement que nous confondons avec elle, nous nous formons les idées des differentes situations, distances, grandeurs et étendues, quoique dans le fond nos yeux ne nous représentent qu'un plan ombragé et coloré diversement.[72]

Wie für das Auge gilt dieser Grundsatz auch für das Gehör[73]: bei allen Sinneseindrücken tritt ein »jugement«, ein Vernunfturteil an die Stelle des Eindruckes selbst. Bei der Lektüre von Condillacs ›Essai‹ ergeben sich hier spätestens Zweifel an Aarsleffs These von der Dominanz des Condillacschen Einflusses in Herders ›Abhandlung‹. Denn die Betonung des Ohrs als »mittleren Sinnes«, als alleiniger Quelle des sinnlichen Eindrucks, der – festgehalten nicht durch ein verstandesmäßiges Urteil, sondern eine »idée accessoire«, ein emotives Merkmal des Gegenstandes selbst, das die »Besonnenheit«

konstituiert – sich zur Grundlage des Sprach-Zeichens entwickelt, widerspricht dem Erfahrungsprozeß bei Condillac an zentraler Stelle, was auch sonst an Affinitäten vorhanden sein mag. Herders »Besonnenheit« ist nicht »Reflexion«, auch wenn Mérian in seinem zweiten Resumee für die Berliner Akademie den Begriff Herders durch die Übersetzung »reflexion« in die Nähe der Condillacschen Terminologie gerückt hatte.[74] Herder ersetzt das Modell der Entstehung der Erkenntnisse aus Gesicht, Urteil und Gefühl durch dasjenige des »blinden Philosophen«, das in seinen drei Abhandlungen zu dem Thema Condillacs (der ›Abhandlung‹, der ›Plastik‹ – entworfen gleichzeitig mit der Sprachschrift, vollendet 1774 – und in ›Vom Erkennen und Empfinden der menschlichen Seele‹, 1778) realisiert wird. Die ›Abhandlung‹ und die ›Plastik‹ werden dabei in einer partikulären Situation konzipiert: Herder versucht im Zusammenhang mit seiner Loslösung von Riga sich dem Berliner Dreigestirn Mendelssohn – Nicolai – Lessing zu nähern, und dies hat Folgen, welche den Einfluß Condillacs weitgehend beschneiden. Einmal ist es die Condillac-Kritik Mendelssohns in der kleinen Schrift ›Die Bildsäule‹, die zusammen mit der im ›Sendschreiben‹ an Rousseau geäußerten Kritik (s. *Materialien 6*) Herders totale Reduktion der Sprache auf den sinnlichen Eindruck des Gehörs ermöglicht.[75] Zweitens veranlaßt der Versuch, mit Mendelssohn in Kontakt zu kommen, Herder dazu, andere Einflüsse an der Oberfläche zu negieren oder zu bagatellisieren: so übertreibt er, Mendelssohn zuliebe, seine Einwände gegenüber Reimarus' ›Betrachtungen über die Triebe der Thiere‹, die später in den ›Ideen‹ weit zurückhaltender formuliert werden, und unterläßt es fast ganz, den Namen von Charles Bonnet zu erwähnen. Wegen eines persönlich ungemein peinvollen religiösen Streits zwischen Mendelssohn und Bonnet, den Lavater durch sein taktloses Vorwort zu seiner Übersetzung von Bonnets ›Palingenesie philosophique‹ (1769) provoziert hatte, bleibt damit der wichtigste Autor zur phylogenetischen Position des Menschen im Verhältnis zur Tierwelt undiskutiert.[76] Dabei hat Bonnets ›Contemplation de la Nature‹ (1764) Herder gewissermaßen den Grundriß der ›Ideen‹ geliefert; zum Problem der ›Abhandlung‹ jedoch bietet die ›Betrachtung über die Natur‹, die bereits 1765 ins Deutsche übersetzt worden war, eine ausführliche Erörterung der Tiersprache, die Herders Aufmerksamkeit kaum entgangen sein dürfte.[77] Unter diesem Doppelaspekt: der hypothetischen Konstruktion einer psychologischen Genese der Erfahrung und aus der phylogenetischen Position des Menschen gegenüber den Tieren, die ihn befähigt, Erfahrung umzusetzen in instinktfreies Handeln, ist also die Kategorie der »Besonnenheit« zu erläutern.

Herder geht in den Entwürfen zur ›Plastik‹ von einer Hypothese aus, die der Condillacschen Reduktion der Erfahrung auf Gesicht und Verstand massiv widerspricht; sie ist ein »Versuch, wie ein blinder Philosoph sich eine Welt denken würde«:

Wie wenig Begriffe hat ein Blinder! Alle feine, delikate Nuancen entgehen ihm; alle Malereien der Seele und der Einbildungskraft, alle Worte der feinen Abstraktion; aber seine Begriffe sind stark, fühlbar, sinnlich.

Eine Sprache, die ein Blinder ersonnen hätte – welch schönes Feld zum Nachdenken! – Es wäre sicher keine französische Sprache! aber welche Stärke, welche Wahrheit, welche Würklichkeit in den Worten, in den Benennungen, in den Substantiven, Adjektiven und Verben. Die Substantive wären wahre Substantive d. i. Bezeichnungen fühlbarer Substanzen, als solcher; nicht wie die meisten von unsern Sprachen sind – Erscheinungen. Die Adjektive wären nicht farbicht, malend, aber fühlend, stark, fühlbar. Die Sprache weit wahrer und stärker in Absicht auf die Verben: denn das Gehör des Blinden ist inniger, würksamer, tiefer, genauer, feiner, Alles! Alles malender fürs Gehör in Verben, stärker fürs Gefühl, wahrer, wesentlicher für die Seele!

Die Welt eines Fühlenden ist blos die Welt der unmittelbaren Gegenwart; er hat kein Auge, mithin keine Entfernung als solche: mithin keine Oberfläche, keine Farben, keine Einbildungskraft, keine Empfindniß der Einbildungskraft; alles gegenwärtig, in unsern Nerven, unmittelbar in uns. [...]

[...] Ich fühle mich! Ich bin! – – Ich glaube, daß es für einen Blinden möglich ist, den ganzen Körper in seinem Gebäude auf Kräfte der Seele zu reduciren. Ich glaube, daß ein gebohrner Blinder sich gleichsam erinnern kann, wie die Seele sich ihren Körper bereitet, wie aus jeder Kraft ein Sinn gleichsam gebildet wurde. Wir nicht: denn wir sind zu zerstreut, zu sehr aus uns geworfen, um daran zu denken. Wir kennen unsere Seele so wenig, wie unser Gesicht, weil wirs nicht studiren; wir studiren andre Physiognomien, nur um sie zu erkennen, wenn sie uns begegnen; uns selbst studiren wir nicht, weil wir nicht nöthig haben, uns zu begegnen.

Wir sehen und studieren nur Erscheinungen; wie wir Erscheinungen geworden sind, studieren wir nicht. Das würde aber ein Blinder, der so Metaphysiker wäre als Saunderson Mathematiker. Er würde, wenn er zurückginge, auf alles kommen und sich Platonisch alles erinnern: das wäre Philosophie.[78]

Herders Hypothese von der Sprache wie der Welterfahrung des Blinden geht konform mit Mendelssohns Kritik am entscheidenden Punkt des ›Essai‹ Condillacs: daß das Auge, ohne Hilfsmittel der übrigen Sinne, Voraussetzung der Erkenntnis sei; Condillac zieht hierfür den Fall der Heilung eines Blinden durch William Cheselden heran, deren Begleitumstände er gegen Voltaires Bericht erklärt und in seinen Folgerungen sogar gegen Lockes Theorie kehrt.[79] Bei diesen Erörterungen Condillacs der fundamentalen Bedeutung von Gefühl und Gesicht, als Raum- und Farbengesicht Voraussetzung aller deutlichen und meßbaren Begriffe, setzt Mendelssohn an[80]; er demonstriert am selben Fall, daß diese Konstitution der Erkenntnis, nur auf Gesicht und Gefühl basierend, im Hinblick auf die übrigen Sinne (Schall, Geruch, Geschmack) eine inadäquate Reduktion darstelle: »Durch Reduction der übrigen sinnlichen Veränderungen im Sichtbaren und Fühlbaren würden Linien und Flächen und Zahlen angebracht, wo nur von Stärke und Schwäche die Rede sein konnte. [...] Da die Erscheinungen der übrigen Sinne nicht aus Elementen der Materie und Bewegung zusammengesetzt sind, so können sie auch in diese Elemente nicht aufgelöst, das heißt durch Materie und Bewegung nicht erklärt werden.«[81] Und Mendelssohn folgert: »Jeder Sinn hat gleichsam seinen eigenen Dialekt. [...] Es ist dir erlaubt, zum Behuf deiner Erfindungen aus dem Dialekte der übrigen Sinne in den Dialekt des Gefühls und Gesichts zu übersetzen. Du täuschest dich aber selbst, wenn du glaubst, jene heterogenen Mundarten dadurch verständlich zu machen.«[82] Die »Urschrift« der drei von Condillac ausgesparten Sinnesorgane – und dies ist Mendelssohns treffender Begriff – läßt sich zwar in die dominanten rationalen Begriffe von Gesicht und Gefühl übersetzen, aber dies heißt nicht, daß diese »Urschrift« nicht im Fortschritt der Physiologie entziffert werden könnte.[83]
Gemäß dieser Kritik konnte Herder unproblematisch das Gehör zum Ausgangspunkt der Sprachbildung bestimmen, par-

allel zum Tastgefühl und seiner Funktion für die plastische Erkenntnis der Außenwelt. Auch wenn »jeder Sinn sprachfähig« ist (s. o. S. 54), lagern diese beiden Quellen sinnlicher Erkenntnis weit näher am inneren ›sensorium commune‹ als das nach Außen orientierte Sehen, und damit sind sie ursprünglicher an der Genese des Erkennens beteiligt, das ja identisch mit Empfinden ist. Dieses mißt sich nicht an von Außen genommenen Prinzipien, sondern an »Innigkeit und Ausbreitung«[84], eine Formulierung, die noch an Mendelssohns Kriterium sinnlicher Erfahrung – »Stärke und Schwäche« – erinnert. Und in der Fassung der ›Plastik‹ von 1770 heißt es: »Selbst im Metaphysischen Verstande was ists anders, als Gefühl, was unsre sinnliche Existenz weckte, und die ersten Versuche unsres neuen Lebens bildete? Noch empfand der zum Säuglinge gewordene Embryo Alles in sich: aus einem Zustande, wo er nur eine empfindende Menschliche Pflanze gewesen war, ward er auf die Welt gesetzt, wo er ein Menschliches Thier zu werden beginnt. [...] Und welcher Begriff von Körper [...] wäre dem Gefühl verschloßen, der nur durchs Auge sichtbar würde? [...] wer wird über Form und Gestalt der Körper feiner, gründlicher, richtiger nachdenken? der tastende Blinde, oder der zerstreute Sehende?«[85]

Die »analog Variable« der soziohistorischen Betrachtung des Menschen und seiner Phylogenese, die vom Grundsatz ausgeht, »der Mensch erkennt nur, was er selbst gemacht hat«, ist in dieser Entstehungshypothese des Erfahrungswissens deutlich sichtbar: der Mensch im Naturzustand, das Neugeborene, der Blinde – alle diese verschiedenen Zustände des Menschen tragen die gleichen Merkmale einer Konstitution, die sie in die Lage setzt, außerhalb logischer Operationen aus ihren Empfindungen die Erkenntnis der Außenwelt zu produzieren. Hierin ist die von Herder so stark geäußerte Aversion gegenüber Rousseaus Begriff der »réflexion en puissance« begründet. Es bedarf nicht der Extrapolation besonderer Kräfte, um qualitativ höhere Stufen der Erkenntnis zu erreichen, denn, wie Herder in der Übersicht über die Naturreiche im dritten Buch der ›Ideen‹ formuliert: »Wirkende Kräfte der Natur sind alle, jede in ihrer Art lebendig: in ihrem Innern muß ein Etwas seyn, das ihren Wirkungen von außen entspricht ... «[86] Für das Maß dieser Kräfte und ihrer Wirksamkeit ist die Position des jeweiligen Lebewesens in der Stufenfolge der Dinge verantwortlich: »Der Keim zur Pflanze trägt Pflanzen und nicht Thiere: alles bleibt in der Natur, was es ist [...] soll ich denn etwas wißen, so soll ichs aus meinen gegenwärtigen Anlagen wißen; [...] ich werde, was ich bin!«[87] Mit diesen Sätzen zur Frage der Ausbildung von Seelenfähigkeiten richtete sich Herder 1769 brieflich kritisch an Mendelssohn selbst, der in seinem ›Phaedon‹ auf die humane Konstitution auch seinen Beweis der Unsterblichkeit begründet hatte; Herder selbst zeigt sich hier als hartnäckiger Verfechter einer Anthropologie, die sich nur innerhalb der lukrezischen »moenia mundi« bewegen konnte. Denn die Schöpfung ist nur im Sinn einer Stufenfolge evolutionär, sie ist aber, seit die »Pforten der Schöpfung« geschlossen sind, in einem statischen Zustand. Davon wird auch die Betrachtung des Verhältnisses Mensch-Tier bestimmt: es besteht eine Analogie durch die Stufenreihe der Natur hindurch, die sich in der tierischen Lautäußerung des bloßen Empfindens mitteilt; soweit gehorcht der Mensch seiner tierischen Natur. Aber, wie Bonnet in den Kapiteln zur Sprache der Tiere in seiner ›Contemplation de la nature‹ feststellte, und worin ihm Herder folgte (s. o. S. 18 ff.), ist ein kategorialer Unterschied im analogen Gebrauch des Ausdrucks »Rede« bei Tieren und Menschen gegeben:

Fragt man, ob die Thiere eine Sprache haben, so muß man zweyerley Art von Sprache, die natürliche und die künstliche, sorgfältig unterscheiden. Unter die erste kommen alle Zeichen zu stehen, wodurch die Thiere dasjenige, was in ihnen vorgeht, zu erkennen geben. Bleiben wir aber bey dem bloßen Schalle stehen, so ist die natürliche Sprache nicht anders, als eine Menge von unsylbigen Lauten, die bey allen einzelnen Thieren der nähmlichen Art gänzlich einförmig, und mit den Empfindungen, die sie ausdrücken, dergestalt verknüpfet sind, daß einerley Laut niemals zwey entgegengesetzte Empfindungen vorstellet. Dagegen ist die künstliche eine Menge sylbiger oder articulirter und willkührlicher Laute, deren Verbindung mit den Begriffen, welche sie vorstellen, lediglich aus dem Gebrauche und dem Unterrichte herkommt; und worin folglich einerley Laut sehr verschiedene und oft entgegengesetzte Begriffe anzeigen kann.
Diese künstliche Sprache ist eigentlich das, was wir reden nennen; und der Mensch ist das einzige Thier welches redet, und dadurch die Herrschaft über alle Thiere vorzüglich behauptet. Eben hier-

durch regieret er über die ganze Natur, steigt zu ihrem göttlichen Schöpfer hinauf, betrachtet ihn, bethet ihn an, und gehorchet ihm. Eben hierdurch erkennet er sich selbst, neben den übrigen Wesen um sich, und bedienet sich derselben zu seinem Nutzen. Er kann sagen Ich, er kann seine Verhältnisse beurtheilen, denselben gemäß handeln, und solchergestalt seine Glückseligkeit befördern. Eben hierdurch wird er ein wahrhaft geselliges Thier; er errichtet Gesellschaften, und regieret sie durch Gesetze, die er selbst gibt, und sie nach den Zeiten und Umständen verändert.

Das Thier hat bloß die natürliche Sprache; es weiß von nichts, außer von seinen Bedürfnissen, und den Mitteln, diese zu befriedigen. Aber diese verschiedenen Bedürfnisse haben eine Menge Empfindungen, deren fast jegliche sich durch ihr natürliches Zeichen zu erkennen gibt. Die Art dieser Zeichen, ihre Anzahl, Gebrauch und Ordnung, wie sie einander folgen, ihre mancherley Veränderungen und Verbindungen machen das Wesentliche der Sprache bey den verschiedenen Thieren aus [...] .[88]

Damit sind zwei entscheidende Aspekte der Herderschen ›Abhandlung‹ vorweggenommen: die Rolle des Aleatorischen wird in den Begriff der menschlichen Sprache eingeführt – ein Laut kann vieles bedeuten, im Unterschied zum Tierlaut; zweitens insistiert Bonnet, wie Herder darauf, nicht weil der Mensch ein ›animal sociale‹ ist, hat er Sprache, sondern weil er Sprache hat, lebt er in Gesellschaft. Bonnet hat der Ausgabe seines Werkes 1779 eine Bemerkung hinzugefügt (nach dem ersten Abschnitt des obigen Zitats), die ebenfalls angeführt sei; denn sie erläutert weiter den Begriff des »Willkürlichen« in der menschlichen Sprache. Ebenso wie dem Tier natürliche Laute und Zeichen gegeben sind, nach Maßgabe der ihm offenstehenden Sphäre, konditioniert die Offenheit des humanen Umfeldes artspezifisch die Ausweitung des menschlichen Sprachtriebes. Bonnet demonstriert damit die Legitimität der Folgerungen, die Herder aus seinen Beobachtungen gezogen hatte: nicht ein »Ursprung« im Sinn einer übergeordneten logischen Fähigkeit ist an den Beginn der Sprachtätigkeit zu setzen, sondern der Ursprung liegt im »Gebrauch«, den der Mensch zwangsläufig aufgrund seiner phylogenetischen Position von seinen Fähigkeiten machen mußte. Er mußte naturgemäß zur Entwicklung des »künstlichen« Sprachsystems gelangen:

Wenn alles seine Ursache oder seinen Grund hat, so hat die künstliche Sprache keinen willkührlichen Ursprung haben können. Die ersten Menschen mußten einen Bewegungsgrund haben, warum sie einen gewissen Gegenstand durch einen gewissen articulirten Laut bezeichneten; und dieser Bewegungsgrund hat sich in der Natur oder Beschaffenheit des Menschen und in seinen Verhältnissen zu den verschiedenen Wesen finden müssen. Die Nachahmung ist dem Menschen natürlich, und sein Werkzeug der Stimme, wie des Gehöres, ist zu einer Menge verschiedener Modificationen geschickt. Die ersten Menschen empfanden die Laute von verschiedenen Gegenständen, sie ahmten diese nach, und die dadurch entstandenen mehr oder weniger articulirten Laute wurden die ersten Worte der ursprünglichen Sprache. Je vollkommener die Nachahmung war, je mehr wurden die Worte mahlerisch oder vorstellend, und je mehr sie vorstellend wurden, desto dauerhafter wurden sie. Dieweil aber das Stimmwerkzeug dem Einflusse des Erdstrichs, der Lebensart, der Erziehung u. s. f. unterworfen war, so mußten daraus natürlicher Weise bey den mancherley Völkerarten gewisse Abänderungen in der Articulation entstehen, welche die ursprünglichen Wörter mehr oder weniger veränderten, und ihren ersten Ursprung mehr oder weniger verstellten. Die ursprünglichen Wörter waren fruchtbare Wurzeln, woraus andere, und zwar die abgeleiteten Wörter, entstanden. Solchergestalt war die ursprüngliche Sprache bey ihrer Entstehung ein Gemählde fürs Ohr; in der Folge aber ward sie, durch eine andere gleich natürliche Nachahmung, ein Gemählde für die Augen, indem man nur die ersten Züge des Gegenstandes vorzeichnete, und diese rohe Vorzeichnung gab zur Buchstabenschrift Anlaß, die nach und nach dadurch vollkommner ward, daß man von den Zügen des ersten Gemähldes oder des ursprünglichen Entwurfes allmählig etwas wegnahm.[89]

In einer Herder sehr affinen Weise hat Bonnet hier aus der Opposition von Tier und Mensch die letzte Konsequenz gezogen, und gleichzeitig tritt in das Bemühen um die Rekonstruktion der psychologischen Genese der Sprache aus der phylogenetischen Position des Menschen die Funktion des soziohistorischen Ablaufs wieder hervor: die Überschüttung des Naturalismus der Sprache durch die individuellen Ausprägungen, bei denen der Entwicklung der Schrift eine große Bedeutung zukommt, verdeckt den Ursprung der Sprache, macht ihn aber auch historisch rekonstruierbar, weil auch die Konventionen, die sich wie eine Barriere vor den Ursprung legen, einsehbare menschliche Produktionen sind. Voraussetzung einer ›Abhandlung über den Ursprung der Sprache‹ sind also nicht logische Ordnungsprinzipien, die in ihren einfachen Grundsätzen aufzusuchen sind, oder die taxonomische Erfassung kultureller Zeichen, die eine Humanwissenschaft präziser Art ermöglichen (wie Foucault meint), sondern die hypothetische Konstruktion eines komplexen Ausgangszustandes, der an die Stelle der Ursprungskategorie tritt. Nicht ein logisches Modell kann die Herkunft menschlicher Sprache erklären, sondern der Mut zum Eingeständnis, der Herders erwähnten Brief an Mendelssohn kennzeichnet: »Die Geschichte als Prozeß der Arbeit des Menschen an einer ihm entgegenstehenden Realität mag in ihren Bewegungsprinzipien verborgen sein, in ihrem Resultat ist sie offenkundig: Der Mensch hat sich selbst kennengelernt.«[90]

3. Die Logik der Umkehr des naturrechtlichen Substrats: die Liquidierung der Kategorie des »Ursprungs« durch den »Gebrauch«

Seit Descartes hatte die rationalistische Logik und Psychologie die Vorstellung vertreten, daß menschliche Erkenntnis von einem logischen a priori beherrscht wird, das sich auch in der Sprache, als dem wichtigsten Erkenntnisträger, Geltung verschafft; daß sie noch bei Süßmilch Geltung besitzt, hat die Darlegung seiner Psychologie der Sprache demonstriert. Aus der Kritik des cartesianischen Dualismus und der Auflösung der Logik in eine Psychologie der Erkenntnis war dagegen die Anschauung erwachsen, daß der Mensch nur erkenne, was er selbst produziert hat; in Herders Folgerung: Sprache ist älter als Vernunft, Logik, Grammatik. Aus dieser Haltung mußte Herder die Neubegründung der metaphysischen Erkenntnislehre durch Kant und die aus ihr resultierende Verschärfung des cartesianischen Dualismus ablehnen; allerdings blieb seiner ›Metakritik zur Kritik der reinen Vernunft‹ (1799) hierin der gewünschte Erfolg versagt.[91] Nun bedeutete die Durchsetzung der Kantschen Philosophie nicht zugleich einen Sieg der Metaphysik als Grundlage der Wissenschaften, den Kant erhofft hatte, sondern aus ihr resultierte nur die definitive Trennung von logischer Grundlagenwissenschaft und Empirismus, in dem die Gegenstände und ihre methodische Erfassung

durch Einzelwissenschaften ihre Autonomie behaupteten –
d. h. im soziohistorischen Bereich ihre Geltung aus Konvention. Die Durchsetzung der Metaphysik Kants und die Ausbildung der idealistischen Systeme interferierte nicht mit der Geltung des Herderschen Konventionalismus und seiner Weiterbildung zum Historismus des 19. Jahrhunderts, ja beschleunigte sie sogar.[92] Dieser komplexe Vorgang kann nicht aus der Tätigkeit einer beschränkten Anzahl von »Vorläufern« des Historismus hervorgegangen sein, sondern ergibt sich mit einer gewissen Notwendigkeit aus den Konsequenzen, die das naturrechtliche Substrat und seine Ausformungen implizierten. Auch die partikulären, allerdings indispensablen Einflußbeziehungen der Jahre 1760/70 zwischen Condillac, Mendelssohn, Bonnet und Herder, deren Bedeutung für die grundlegenden Einsichten der ›Abhandlung‹ erläutert wurden, reichen nicht aus, den Erfolg dieses und der anderen Werke Herders zu begründen. Isaiah Berlin hat in seinem Herder-Essay eine lange Liste von Autoren aufgezählt, in denen sich die Bekanntheit und Aufmerksamkeit von Autoren und Publikum auf total differente Kulturpatterns dokumentiert und mit der Feststellung geschlossen: »The reaction against the reorganization of knowledge and society by the application of rationalist and scientific principles was in full swing by the time Herder came upon the scene.«[93] Die Neuheit der ›Abhandlung‹ ja des gesamten Werkes liegt demnach in der synthetisierenden Kraft Herders, die zwar – und dies ist das Relikt des logischen Ordnungsdenkens – die Suche nach »Einheit in der Vielfalt« fortsetzt, empirisch aber in der Betonung der Vielfalt der historischen Erscheinungen trotz des einheitlichen Prinzips dieses Ordnungsdenken relativiert.

Im Folgenden sind nunmehr einige Momente der historischen Theorie und der Psychologie der Erkenntnis zu erläutern, die – im Zusammenspiel mit einigen wichtigen Quellen der Sprachschrift zur Entwicklung von Sprache und Schrift – analoge Strukturen aufdeckten und damit die Voraussetzung für die Liquidierung der Ursprungstheorie in Herders Konventionalismus schufen. In der historischen Theorie ist wiederum Vicos Auseinandersetzung mit dem Cartesianismus der entscheidende Ausgangspunkt für die Einsicht, daß das Kriterium historischer – im Unterschied zu logischer – Erkenntnis im Faktum liegt, daß wir den Gegenstand unserer Erfahrung selbst geschaffen haben.[94] Das denkende »Ich«, so formuliert Vico 1710 in seiner Schrift ›De antiquissima Italorum sapientia‹, besteht nur in gemischter Form, aus Körper und Geist, deren Verbindung eben Ursache des Denkens ist. Deshalb sind die Gegenstände der Humanwissenschaften mit sinnlichen Elementen vermischt, die einer reinen Vernunftwissenschaft nach dem cartesianischen Modell undurchschaubar bleiben müssen.[95] Deshalb hat der Mensch bei den Wissenschaften die gewisseste Erkenntnis (nämlich der »Moral«, unter der Vico unter dem Einfluß der Lehre von den »entia moralia« Pufendorfs alle Aspekte humaner Kultur zusammenfaßt), die in der Stufenleiter der Wissenschaften (Geometrie, Arithmetik, Mechanik, Physik, dann »Moral«) nach der cartesianischen Methode am wenigsten demonstrierbar erscheinen.[96] Diese Gedanken greift Vico im Kapitel über die historische Methodik im ersten Buch der ›Scienza Nuova‹ wieder auf:

Daher gelangt unsere Wissenschaft dazu, eine ewige ideale Geschichte darzustellen, nach der in der Zeit ablaufen die Geschichten aller Völker mit ihrem Aufstieg, Fortschritt, Zustand, Verfall und Ende. Ja, wir getrauen uns zu sagen, daß, wer diese Wissenschaft überdenkt, insofern sich selbst die ewige ideale Geschichte erzählt, als er sie mit jenem Beweis: es muß, es mußte, es wird müssen, sich selbst schafft – da doch nach unserm ersten unbezweifelbaren Prinzip*, die historische Welt ganz gewiß von den Menschen gemacht worden ist und darum ihr Wesen in den Modifikationen unseres eigenen Geistes zu finden sein muß; denn es kann nirgends größere Gewißheit für die Geschichte geben als da, wo der, der die Dinge schafft, sie auch erzählt. So verfährt diese Wissenschaft geradeso wie die Geometrie, die die Welt der Größen, während sie sie ihren Grundsätzen entsprechend aufbaut und betrachtet, selbst schafft; doch mit um so mehr Realität, als die Gesetze über die menschlichen Angelegenheiten mehr Realität haben als Punkte, Linien, Flächen und Figuren.
[* Rückverweis Vicos auf das erste in einer Reihe von Prinzipien, die er als Grundlage des gesamten Werkes aufstellt: »Der Mensch macht, infolge der unbegrenzten Natur seines Geistes, wo dieser in Unwissenheit sich verliert, sich selbst zur Richtschnur des Weltalls«].[97]

Die Einsicht in die Unfähigkeit der primitiven Menschen zu Wahrheit, Vernunft und Abstraktion, dafür aber zur Gewißheit der eigenen kulturellen Produktionen ist damit das erste Moment einer Umkehr des naturrechtlichen Denkens, auch wenn Vicos ›Neue Wissenschaft‹ sich noch darauf beruft, den Menschen überall und zu jeder Zeit gültig zu erfassen. In Parenthese sei darauf hingewiesen, daß Linné in seinem ›System der Natur‹ den Grundgedanken Vicos von der Unmöglichkeit, die Ordnung der Dinge logisch-deduktiv zu überschauen, weil wir selbst in sie einbezogen sind, analog als methodisches Problem der Naturbetrachtung aufwirft: „Ordo alius est struentis, alius est inhabitantis"; d. h. die Ordnungsperspektive des Systemschöpfers unterscheidet sich zwangsläufig von derjenigen, die dem „Bewohner" dieses Systems erkennbar ist.[98]

Das zweite Element findet sich in John Lockes ›Essay on Human Understanding‹ (1689), und zwar in seiner Theorie der partikulären Ideen, präziser gesagt, in deren Inkonsequenz. Bei Locke stehen an der Erfahrungsbasis unendlich komplexe »particular ideas«, die erst nachträglich in unzerlegbare Einheiten zerfallen: der Geist hat »die Kraft, eine Anzahl einfacher Ideen vereint als eine einzige Idee anzusehen, und zwar nicht nur so, wie sie in den äußeren Dingen verbunden sind, sondern auch so, wie er sie selbst verknüpft hat«[99]. Der Prozeß der Abstraktion verläuft oberflächlich gesehen in den bekannten Bahnen: jede Sinneswahrnehmung liefert begleitend einfache Ideen, die der Geist im Vorgang des Urteilens abstrahiert und auf andere Gegenstände überträgt. Aus solchen Einfachen sind die komplexen Ideen zusammengesetzt. Nun gibt es auch ein umgekehrtes resolutives Verfahren bei der Zerlegung des Sinneseindrucks, das zunächst ein Problem der logischen Ökonomie ist: »falls jede einzelne Idee, die wir erwerben, ihren besonderen Namen erhalten sollte, müßte es eine unendliche Anzahl von Namen geben.«[100] Das bedeutet, daß der Prozeß der Abstraktion nicht nur als eine kumulative Anhäufung einfacher Ideen verläuft, sondern umgekehrt aus einer assoziativen Häufung von Gegenständen »resolutiv« ein abstraktes Merkmal herausfiltert. Diese Alternative läßt sich, in den Worten Friedrich Kambartels, der diese Inkonsequenz Lockes dargestellt hat, folgendermaßen interpretieren: »Es gibt also einfache Ideen, die in der Erfahrung nicht selbständig entgegentreten und somit nur als Resultat einer Abstraktion gewonnen werden können. Es liegt nahe anzunehmen, daß eine einfache Idee, die nicht stets in Begleitung anderer Ideen gegeben ist, überhaupt nicht auftritt. . . . Die von Locke genannten Materialien der Erkenntnis, die Gegebenheitsatome, werden so zugleich zum Produkt der Erkenntnis.«[101] Entscheidend ist hieran nicht, daß Lockes eigentliche Sprachtheorie trotzdem vor den Sprechakt die Reflexion setzt[102], sondern die erkenntnistheoretische Begründung der Tatsache komplexer psychischer Bilder, die ohne Beimengung eines Vernunfturteils gleichzeitig Materialien und Produkt der Erkenntnis sein können. Dieses Modell konnte auf eine psychologisch geschulte Sprachtheorie aufbauen, sobald sie sich von der Fixierung auf eine rein logische Bedeutungsanalyse freigemacht hatte. Bemerkenswert genug ist, daß die Voraussetzungen hierfür bereits 1676 in der ›Rhetorik‹ eines so überzeugten Cartesianers wie Bernard Lamy geschaffen werden; paradox weiter, daß gerade die oft genug gescholtene formale Theorie (nämlich Quintilian) die entscheidende Einsicht lieferte: »L'usage est le maître des langues.«[103] Schon bei Lamy impliziert die faktische Anerkennung des göttlichen Ursprungs, daß dieser in der Praxis bedeutungslos sei[104]; denn von Interesse sind für ihn ausschließlich die feststellbaren Wandlungsvorgänge der Sprache und diese wiederum resultieren ausschließlich aus dem Gebrauch: ». . . il suit clairement que l'usage change les langues, qu'il les fait ce qu'elles sont, et qu'il exerce sur elles un souverain empire . . . «[105] Die Beziehung zwischen den Wörtern und den Dingen, die sich im Laut realisiert, ist nicht naturhaft, sondern Ergebnis eines ursprünglich freien Gebrauchs, der sanktioniert wird.[106] Nun besteht ein Widerspruch zwischen dieser Konventionstheorie und den psychologisch-hypothetischen Beobachtungen der grundlegenden Kapitel über die Sprachentstehung bei einer fiktiven Menschengruppe (vgl. *Materialien 2*). Die emotive Beteiligung bedingt doch einen Naturalismus des psychischen Ausdrucks, schafft eine Vielfalt der Betonungen für das Substrat des geringen Wortbestandes, wodurch die Komplexität der Repräsentation, trotz des Mangels an grammatischer Differenzierung, in Sprache umgesetzt wird. Diese von Lamy gesetzte Erkenntniseinheit von psychologischer und soziohistorischer Ausgangslage, als Komplexität, die sich durch das Anwachsen von

Wortbestand und Grammatik schließlich auch logisch differenziert, erfuhr in der Folgezeit ihre konsequente Ausformung, wenn auch auf getrennten Wegen. Im soziohistorischen Bereich entwickeln die bibelkritisch-sprachhistorischen Arbeiten von Père Simon, von William Warburton und von dem deutschen Philologen Johann Georg Wachter die Einsicht in einen historischen Prozeß, in dem sich Irrtümer und Wahrheiten in komplexen Schichten überlagern und die Rationalität der abendländischen Kultur (gegenüber den Primitiven, oder den stagnierenden asiatischen Kulturen) in der Zufälligkeit, doch Folgerichtigkeit ihrer Genese zutage tritt. Im psychologischen Bereich setzen Condillac, Diderot, Mendelssohn und die Gelehrten der Berliner Akademie die Arbeit an der aufgeworfenen Problematik fort, ob der psychologische Naturalismus dem sozial Arbiträren des Sprach-Zeichens widersprechen müsse. Selbst Rousseau kehrt in seinem ›Essai sur l'origine des langues‹ sich unter dem Einfluß von Condillac, vielleicht auch von Leibniz, von den aporetischen Positionen seines zweiten Discours ab, ohne allerdings das Manuskript selbst zu veröffentlichen (s. *Materialien 7*). Condillacs Leistung besteht dabei in der Aufhebung des Lockeschen Dualismus von Reflexion und Sensualismus und der Priorität »logischer Kategorien, von denen die Gedanken- und Wortfolge abhängt«. Denn nach Condillac hing ursprünglich »die Zeichenfolge von der Intensität der sprachlich wiedergegebenen, von der Umwelt ausgelösten Empfindungen und Gedanken der Menschen ab: Die intensivste Empfindung wurde jeweils an den Anfang der Aussage gestellt.«[107] Diesen Gedanken Condillacs hat Mendelssohn in seiner Rousseau-Kritik in einem für Herder entscheidenden Sinn weiterentwickelt: der Übergang vom unreflektierten Merkmal eines Gegenstandes, seinem sprachlich-mimetischen Ausdruck, zum »willkürlichen« Sprachzeichen ist ein natürlicher kontinuierlicher Prozeß, der keiner transzendenten Erklärung bedarf, weder eines logischen a priori, noch eines göttlichen Eingriffes (s. *Materialien 6*); Mendelssohns weitere Leistung durch die an Condillac geäußerte Kritik wurde bereits erläutert.

Dieser psychologischen Aufhebung des rationalen Apriorismus tritt die – im Sinne Vicos – »philologische« Dokumentation der chronologischen Vorgängigkeit von Sprachgebilden

einer unzivilisierten Menschheitsstufe an die Seite: denn der
»Naturzustand«, sofort aufgehoben durch die Formen gesellig-
gen Zusammenlebens, wird überlagert von einer Flut symbo-
lischer Bezüge, welche die ursprünglichen Wortstämme zu-
einander in Bezug setzen. Die Armut an Worten und Denken
wandelt sich in einen ungeheuren Reichtum von Pleonasmen
und Metaphern, der verstärkt wird durch die Erfindung der
Schrift, als Mittel der Kommunikation, als notwendiger Ausdruck primitiver Kulturformen (Religion, Naturerfassung,
Sozialordnung) und damit als philologisches Zeugnis der frühen Sprachstufen. William Warburtons Abhandlung über die
Hieroglyphen (s. *Materialien 4*) und mehr noch Johann Georg Wachters naturalistische Darstellung der Entwicklung der
Schriftzeichen (s. *Materialien 5*) erläutern dabei Frühstufen
des sprachlichen Denkens, indem sie den psychologischen
Hypothesen Belege der vom Menschen geschaffenen Zeichen-
systeme aus historischer Zeit beizubringen suchen. Warburton gelangt in seiner Analyse von Pleonasmus und Metapher,
auf Newtons 1733 posthum veröffentlichte Schrift ›Observa-
tions upon the Prophecies of Daniel and the Apocalypse of
St. John‹ und ihre Untersuchung des prophetischen Stils gestützt[108], zur Erkenntnis, daß der bilderreiche Stil der biblischen Schriften ebenso wie die wuchernde Bildersprache der
Hieroglyphen die »nüchtern etablierte Sprache dieser Zeiten«
(»the sober established Language of their Times«) war; ihre
Fehlinterpretation – als Produkt eines religiösen Enthusias-
mus – hatte die Vereinbarkeit von Armut der Ursprache und
Bilderreichtum dabei lange Zeit verdeckt gehalten.

Johann Georg Wachter geht noch einen Schritt darüber hinaus, der für Herder von großer Bedeutung werden sollte; jen-
seits der Tatsache, daß Wachter eine ganze mythische Abhandlung über den Erfinder der Buchstabenschrift Ta(a)utos,
den ägyptischen Hermes Trismegistos, zusammenstellt – und
in diesem Punkt dem von ihm, Warburton und Herder kritisierten Athanasius Kircher nichts nachgibt –, liefert er in seinem natürlichen Alphabet eine plausible Hypothese von der
notwendig natürlichen Erfindung der Buchstaben, die nach
den historischen Phasen der kyriologischen, der hieroglyphischen und der charakteristischen Zeichen erst auftreten können, aber auch auftreten müssen: »Denn jedermann fühlt diese

Formen der Buchstaben in sich selbst, in seinem Mund, und gleich wenn er ihr Bild erblickt, hat er schon verstanden, auf welche Weise sie auszusprechen sind.«[109] Wenn symbolische Zeichen für alle Lautkombinationen von einem einzelnen erfunden werden konnten und mußten, in einem historischen Prozeß, der nicht das mindeste logische a priori voraussetzte, so konnte Herder aus Wachters Darlegungen folgern, mit wieviel mehr Recht durfte und mußte Ursprung und Entwicklung der lautlichen Sprachzeichen rekonstruierbar sein. Der gesamte Komplex der »Sprache, wo ihm [dem Menschen] kein Ton vortönte« in der ›Abhandlung‹ ist vor diesem Hintergrund zu sehen.[110] Der Prozeß der Kulturentwicklung, als einer Agglutination von Elementen, wie ihn die soziohistorische Theorie der Aufklärung unter dem dominanten Aspekt einer progressiven Rationalität gesehen hatte, erhält dadurch einen neuen Aspekt: den des Verlustes eines anderen, spontanen Reichtums, den Sprache und Kultur primitiver Zeiten und Völker besitzen. Gegenüber Père Simons und Vicos Theorie der Sprachagglutination läßt sich Herders Umkehrung des bisherigen Modells deutlich abheben: unter den vielen Beispielen der ›Histoire critique‹ sei eines herausgegriffen, das in der fortschreitenden Komplizierung noch das cartesianische Modell reflektiert – das hebräische »gar« wird »agar«, im Lateinischen ist es zunächst »grex«, dann »grego«, dann »aggrego«. Prä- und Suffixe, als Augmentative und Diminutive erlauben eine allmähliche Vervielfältigung und damit auch logisch-grammatische Ausweitung des Wortgebrauchs (s. *Materialien 3*). Ein ähnliches Beispiel bietet Vico im 65. Grundsatz der ›Scienza Nuova‹:

> Dies ist die Entwicklung der menschlichen Dinge: erst waren die Wälder, dann die Hütten, dann die Städte und zuletzt die Akademien.
> Dieser Grundsatz ist ein wichtiges etymologisches Prinzip: denn entsprechend dieser Reihenfolge menschlicher Dinge muß sich auch die Geschichte der ursprünglichen Sprachen erzählen lassen, wie wir etwa bei der lateinischen Sprache beobachten, daß fast ihr gesamter Wortschatz seinen Ursprung von Waldleben und Landbau hat. So muß *lex* anfangs das Einsammeln der Eicheln bedeutet haben, wovon, wie wir glauben, *ilex*, gewissermaßen *illex*, die Eiche stammt; [...]; denn die Eiche bringt die Eicheln hervor, bei der sich die Schweine versammeln – dann wurde *lex* für das Einsammeln

von Gemüse gebraucht, weshalb diese *legumina* genannt wurden; später als die Buchstaben der Verkehrsschriften noch nicht erfunden waren, mit denen man Gesetze hätte aufzeichnen können, wurde aus dem natürlichen Bedürfnis des politischen Lebens *lex* zur Versammlung der Bürger, dem öffentlichen Parlament, wo die Anwesenheit des Volkes das Gesetz war, [...] – endlich wurde das Sammeln von Buchstaben, so daß jedes Wort gleichsam ein Bündel wurde, *legere*, lesen genannt.[111]

Herders Vorstellung eines »Etymologikon« ist dagegen weit weniger vom Interesse präziser Abfolgen bestimmt: es gibt einen aleatorischen Wortstamm, naturalistisch die Sinneserfahrung nachahmend, den wechselnden Affekten nachgebend und deshalb jeder präzisen logisch-historischen Ordnung widerstrebend[112], außer der beschriebenen Logik der »Umkehr«, die einen komplexen Ursprung an die Stelle des Aufsteigens von einfachen Erfahrungen zu komplizierten Gebilden setzt. Allerdings behält die ›Abhandlung‹ den Charakter einer logisch-deduktiven Erläuterung ihres Problems.
Bevor wir uns abschließend diesem Paradoxon von Form und Inhalt der Sprachschrift zuwenden, ist eine Erläuterung nötig: die vorgelegte Darstellung hat darauf verzichtet, die modernen, sei es philosophisch-logischen, sei es anthropologischen Deutungen des Verhältnisses von Sprache und Erfahrungskonstitution und ihre Berufung auf Herder einzubeziehen, wie sie Karl-Otto Apel, Hans Arens, Bruno Liebrucks, Hans-Georg Gadamer oder Arnold Gehlen vorgelegt haben.[113] Es konnte nicht Aufgabe dieses Kommentars sein, einen – auch noch so bescheidenen – Beitrag zu Lösung dieses erkenntnistheoretischen Problems zu liefern; denn eine adäquate Würdigung von Herders Beitrag zu dieser Frage unter historischem Aspekt erscheint erst möglich, wenn der Bezugspunkt nicht mehr in eine Verknüpfung mit den modernen Fassungen des Problems verlegt wird, beginnend mit Wilhelm von Humboldt, über die Arbeiten von Franz Boas und Edward Sapir – der Herders ›Abhandlung‹ selbst eine Untersuchung gewidmet hat – bis hin zu Benjamin Lee Whorfs metalinguistischer Theorie.[114] Die Darstellung der Herderschen Schrift als eines Spätwerks in einem umgreifenden Paradigma des Denkens, das die Kulturentstehung aus soziohistorischen und phylogenetischen Erwägungen ableitet, sollte einer empfindlichen

Lücke der historischen Betrachtung abhelfen, zugleich aber, statt bloß genetische Beschreibung zu sein, die Zwischenstellung verdeutlichen, die Herders Text zwischen den kulturtheoretischen Ansätzen des 17./18. Jahrhunderts und der Neuorientierung der historischen Sprachwissenschaft im 19. Jahrhundert einnahm. Jacob Grimms Akademierede ›Über den Ursprung der Sprache‹ (1851) ist für Herders ›Abhandlung‹ ein pietätvolles Monument, das aber in der Ausrichtung auf eine lautgesetzliche Rekonstruktion des Indogermanischen Herders schemenhafte Ursprache durch ein präzises Wissenschaftskonstrukt ersetzt und außerdem in der Annahme einer Polygenese des Menschen und der Sprache eine für Herder nicht überwindbare Barriere, die des »einstämmigen Ursprungs«, durchbrochen hat; das Zeitalter des beginnenden Darwinismus (Darwin hatte 1842 und 1844 bereits zwei bedeutsame Vorstudien zum ›Origin of Species‹, der 1859 erschien, veröffentlicht), der Entwicklung der Paläontologie, physikalischen Geographie und Ethnographie trugen zu einer Befreiung von den bei Herder noch wirksamen, ja vielfach noch konstitutiven Substraten bei. Der vollkommen neue Kultur-, Wissenschafts- und Naturbegriff des 19. Jahrhunderts, die Entwicklung der »zwei Kulturen« der Human- und Naturwissenschaften ist durch einen scharfen Einschnitt von der sozial motivierten Appräsentation von Natur- und Sozialbereich im 18. Jahrhundert getrennt.[115] Diesen für Herder bestimmenden Hintergrund in seiner Komplexität zu erläutern, anhand von exemplarischen Materialien, war die Aufgabe dieser philologischen Darstellung, nicht aber das Problem der Verknüpfung von Sprache, Vernunft und Erfahrung und die Klärung des Herderschen Stellenwerts in seiner philosophiegeschichtlichen Tradition.

Wenden wir uns dem letzten Problem zu, dem logischen Vorgehen der ›Abhandlung‹. Die Akzentuierung des deduktiven Fortschreitens von Einsicht zu Einsicht, von Theorem zu Theorem ist zu auffällig, um übersehen zu werden: Herder scheint immer wieder seine eigenen Aussagen zu überprüfen, sich ihrer schrittweisen Abfolge zu vergewissern, um eine gesetzmäßige Demonstration seiner These vom menschlichen Ursprung der Sprache zu liefern. Es ist nicht nur der Zwang, für eine vom französischen Denken beherrschte Akademie schreiben zu müssen, der Herders sprunghaftem Fragmentarismus hier eine gewisse Zurückhaltung auferlegt; es ist das Problem der Evidenz, des nicht-systematischen Erkennens von Gegenständen, mit dem sich die Philosophie der zweiten Hälfte des 18. Jahrhunderts auseinanderzusetzen hat, das sich bei Herder immer wieder artikulieren sollte und nach philosophischer Begründung verlangte. So schreibt Herder in der ›Ältesten Urkunde des Menschengeschlechts‹ (1774):

> Lang und immer ists Spiel, Gesicht und Seele, Licht und Erkenntniß zu vergleichen: das blosse Spiel hat gemacht, daß die wichtigsten Lehren der Menschheit, die Philosophie des Anschauens, der Evidenz, des Zeichens, der Erfahrung noch so tief in Nacht und Zweifel liegen. Nach unsern Philosophen zu rechnen, sollte nichts gewiß seyn, als was sie demonstriren – und was kann man demonstriren? und was heißt demonstriren? und wie viel kann das Demonstriren allein nur lehren? und woher ist, was demonstrirt wird, von jeher das Ungewisseste gewesen? – wird das Ungewisseste bleiben? – wer kein geblendeter Philosoph ist, wird antworten: »weil alle Demonstration nur Wortwechsel! Verhältniß gewisser Begriffe ist, über die man sich verstehet! Worte aber sind nur Zeichen! Evidenz und Gewißheit muß also in den Sachen liegen, oder sie liegt nirgends! Worte sind abgesonderte, willkührliche, wenigstens zertheilende, unvollkommne Zeichen: sie muß also im ganzen, unzerstückten, tiefen Gefühl der Sachen liegen, oder sie liegt nirgends –«[116]

Herder knüpft an dieser Stelle an Moses Mendelssohns Schrift ›Über die Evidenz in metaphysischen Wissenschaften‹ (1763) an, und diese hat in ihrem Vergleich vom Verfahren der »Weltweisheit« mit der mathematischen Methode ein Verfahrensmodell aufgestellt, das Herder in der ›Abhandlung‹ offenkundig befolgt hat:

> So wie es eine reine theoretische Mathematik giebt, die keinen Erfahrungssatz, kein wirkliches Dasein zu Grunde legt, und bloss zeigt, wie die Begriffe von der Quantität zusammenhängen; eben so giebt es einen Theil der Weltweisheit, der, alle Wirklichkeit beiseite gesetzt, bloss unsere Begriffe von den Qualitäten der Dinge entwickelt, und ihren inneren Sinn einsehen lehrt. [...] Es giebt also einen rein speculativen Theil der Weltweisheit, in welchem, wie oben von der reinen Mathematik ist dargethan worden, einzig und allein auf die Verbindung der Begriffe und ihren Zusammenhang gesehen wird, und in diesem herrscht die selbe Gewißheit als in der Geometrie.

174

Aber so fasslich können die Grundsätze dieser Wissenschaft nicht vorgetragen werden.[117]

Die Schwierigkeiten für die »Weltweisheit« liegen also nicht in der notwendigen Stringenz der Beweisführung, die mit der Parallele zur Mathematik gefordert wird, wie Mendelssohn betont, sondern darin, daß »das Hilfsmittel der wesentlichen Zeichen« fehlt, d. h. einer präzisen Terminologie; die Einführung von Kunstwörtern zur Bezeichnung eines grundlegenden, meist komplexen Sachverhalts birgt die Gefahr in sich, bloße Leerformeln zu produzieren. Die Schwierigkeiten gehen aber, gemäß dem Unterschied von Quantitäten (als Gegenstand der Mathematik) und Qualitäten (dem der »Weltweisheit«) über dieses formale Problem hinaus:

> Erwägen wir ferner die Natur der Qualitäten, so zeigen sich noch grössere Schwierigkeiten. Diese innern Merkmale der Dinge sind so genau mit einander verbunden, dass man keine derselben, ohne hinlängliche Einsicht in die übrigen, deutlich erklären kann. Wer in der Weltweisheit gänzlich ein Fremdling ist, der kann die allererste Erklärung nicht deutlich begreifen; denn wenn ich ihm etwa ein innerliches Merkmal A deutlich machen will, und er hat seine Begriffe von den übrigen Merkmalen B, C u. s. w., mit diesem A in Verbindung stehen, nicht aufgeklärt, so wird allezeit noch einige Dunkelheit in seiner Seele zurückbleiben. Hieraus begreift man die Nothwendigkeit, in der Weltweisheit bei jedem Fortschritte, den man thut, immer zu den Anfangsgründen zurück zu kehren. Man thut diese Rückreise niemals ohne grossen Nutzen, denn die philosophischen Begriffe werfen sich wechselweise Strahlen der Deutlichkeit zu, die man verfolgen muß. [...]
>
> Und wenn der Weltweise alle diese Schwierigkeiten überstanden, so hat er gleichwohl nichts, als gewisse Verwandtschaften der Begriffe entdeckt. Sodann aber muss der wichtige Schritt ins Reich der Wirklichkeiten geschehen. Er muss zeigen, dass der Gegenstand seiner Grundbegriffe, aus welchen er seine Wahrheiten gefolgert hat, wirklich anzutreffen sei, damit er aus denselben auf das wirkliche Dasein der Folgen schliessen könne.
>
> Der Mathematiker, haben wir gesehen, kann diesen Schritt gar leicht thun. [...] Kurz, es ist dem Weltweisen nicht genug, wenn er, wie der Mathematiker, die nothwendige Verbindung zwischen einem Subjecte und seinem Prädicate gezeigt; er muss noch überdem entweder das Dasein des Subjects oder das Nichtsein des Prädicats ausser Zweifel setzen, damit er in dem ersten Falle auf das Dasein des Prädicats, in dem andern auf das Nichtsein des Subjects schlies-

sen könne; denn für die blosse Möglichkeit wissen wir dem Weltweisen keinen Dank, wenn er sie nicht wirklich zu machen weiss.
Es wird also von dem Weltweisen weit mehr gefordert, als von dem
Mathematiker. Dieser beweist bloss die Möglichkeit einer Figur
und aus dieser Möglichkeit entwickelt er die Eigenschaften und
Zufälligkeiten der Figur; der Weltweise hingegen soll das wirkliche
Dasein der Subjecte darthun, um auf die Folgen schließen zu können. Dass dadurch die Ueberzeugung schwerer gemacht und also
die Evidenz verringert werde, ist leicht zu begreifen, indem nichts
dem Verstande schwerer ankommen kann, als der Uebergang von
den Begriffen zu den Wirklichkeiten.[118]

Das von Mendelssohn aufgeworfene Problem der »Weltweisheit« wird in Herders ›Abhandlung‹ dreifach gelöst: durch
den logischen Duktus, durch die Konstruktion eines einzigen
Bezugspunktes, der »Besonnenheit«, die als logisches »Symbol« fungiert, und durch die Verwendung eines Rahmensche-
mas, in dem dieses Symbol definiert ist, nämlich die Analogie
der Naturreiche, die »thierische Ökonomie«.[119] Der logische
Aufbau in zwei Teilen sollte den beiden Forderungen Mendelssohns Genüge tun, indem die Beschreibung von internen
Merkmalen des Menschen als Sprachgeschöpfes (im ersten
Teil) die Wirklichkeit der Annahmen konstituierte, über d..
bloße Möglichkeit hinaus; die Darstellung der extern notwendigen Bedingungen der Sprachgenese (im zweiten Teil) lieferte
darüber hinaus »den Übergang von den Begriffen zu den
Wirklichkeiten«. Das Symbol »Besonnenheit« entspricht der
Vorschrift der mathematisch genauen »nothwendigen Verbindung zwischen dem Subject« [der Mensch] »und seinem Prä-
dicate« [hat Sprache]. Durch seine phylogenetische Position in
der Stufenleiter der Dinge sind die spezifischen Eigenschaften
des Menschen festgelegt (nämlich die Gattungsmerkmale der
Instinktfreiheit, deren Nachteile durch die freie »Umschau«
kompensiert werden, und der Vernunft, als »eine seiner Gattung eigne Richtung aller Kräfte«)[120]; aus diesen Eigenschaften ist die unbedingte Präsenz des Prädikats »hat Sprache«
abzuleiten, selbst bei den Fällen von Tiermenschen, bei Blinden, Taubstummen und auch beim Kleinkind, die Herder als
Testfälle für seine Theorie in die Untersuchung einführt.
Der logische Zwang, den Herder sich damit antut, ist allenthalben spürbar; gegenüber den logischen Selbstvergewisse-

rungen, die gelegentlich fast den Charakter des Schulmäßigen tragen, wirken die rhetorisch-emphatischen Beschwörungen von Erweiterungen der gegebenen Ansichten, die Ausblicke auf individuelle Völker und Epochen anvisieren, als Signale künftiger Intentionen Herders. Nun ist es gerade die Analogie der Naturreiche, die Herder die Befreiung von dem logischen Zwang, das ausführliche Darstellen kultureller Individualitäten ermöglichen sollte. Denn Bonnet hatte, wie vor ihm schon Reimarus, und früher ausführlich Haller in seinem Aufsatz ›Vom Nutzen der Hypothesen‹ (1751) auf die Beschränktheit der Geltung des Analogie-Prinzips hingewiesen: es lassen sich, wie Bonnet feststellte, höchstens Gruppen von Tieren zusammenfassen, wobei die gewonnenen Erkenntnisse keineswegs automatisch auf andere Tiergruppen übertragen werden dürfen.[121] Zudem trifft diese Einsicht mit der Naturrechtslehre vom Sozialtrieb zusammen: Ziel des sozialen Zusammenschlusses ist, schon bei Pufendorf, nicht die Staatenbildung, sondern die Schaffung kleiner sozialer Einheiten, die Familie, der Stamm, die Nation, und Vico und Montesquieu hatten diesen Aspekt untermauert.[122] Die Betonung der Individualitäten in Herders ›Auch eine Philosophie der Geschichte zur Bildung der Menschheit‹ (1774), die scheinbar so revolutionär ist, resultiert nur aus der Befreiung vom Zwang zu logischer Darstellung, denn das einheitliche Gesetz muß und kann nicht immer vollständig extrapoliert werden, um eine Erscheinung der Geschichte zu erklären – die Berufung auf ihren humanen Charakter genügt. Dies wird jedoch kompensiert von der Extension des Begriffes der »Besonnenheit«: die Tautologie der Grundaussage, der Mensch habe Sprache, weil er Mensch sei, die der Symbolstatus dieses Begriffes in der ›Abhandlung‹ noch kaschierte, wird nun zum Grundsatz der Betrachtung jeder historischen Individualität, die sich »organisiert«. Der Begriff der »Organisation« enthält die platonische Gewißheit eines Korrelats von »Innen« (humane Anlagen) und »Außen« (soziale und natürliche Umwelt), das den individuellen Charakter eines Volkes hervorbringt. Das tautologische Moment, das in dieser Konzeption steckt, wird von Herder nicht weiter hinterfragt, so daß der Verdacht Kants, es handle sich bei den Prinzipien, welche die Organisation lenkten, um ein »unsichtbares Reich wirksamer und selbständiger

Kräfte«, eingeführt, um den ebenfalls ungeklärten Prozeß der Organisation plausibel zu machen, nicht von ungefähr kam.[123] Allerdings, zutreffend war diese Kritik nicht; die Prinzipien von Herders Konventionalismus, die aus dem vielfältigen Substrat des Naturrechts, der theologischen Kritik, der Naturwissenschaft und Psychologie des 17. /18. Jahrhunderts in das Werk eingegangen waren, erscheinen im Detailreichtum seiner Arbeiten nur selten an der Oberfläche, geben ihnen aber das unverwechselbare Gepräge von spätaufklärerischer Theorie und ihrem Beharren auf Gesetzmäßigkeiten.

MATERIALIEN

1. Der soziohistorische Ursprung der Sprache

Aus: Samuel Pufendorf, De iure naturae et gentium (1672)

Der vorschriftsmäßige Sprachgebrauch

Zum Beweis dafür, daß der Mensch von Natur aus zum geselligen Leben bestimmt ist, kann schon allein das Argument ausreichen, daß ihm vor den übrigen Lebewesen gegeben ist, die in seinem Inneren verarbeiteten Empfindungen anderer durch artikulierten Laut anzuzeigen; außer der Förderung des geselligen Bandes unter den Menschen läßt sich kaum ein anderer möglicher Bestimmungsgrund für diese Fähigkeit erkennen. Zu Recht heißt es bei Aristoteles in der ›Politik‹ (Buch I, Kap. 2): *Die Natur bringt nichts Vergebliches hervor. Die Sprache allerdings* (d. h. die sprachliche Äußerung, die mit der Begreifbarkeit und Sinnhaftigkeit der Gegenstände verbunden ist, die durch Wörter bezeichnet werden, die aber nicht in der bloßen Wiederholung fremden Lautes besteht, wie beim Geplapper der Papageien) *besitzt der Mensch als einziges von allen Lebewesen* (mit ihrer Hilfe kann man auch einander Wissen vermitteln und Befehle erteilen und empfangen, ohne die unter den Menschen kaum gesellschaftliche Ordnung, Frieden oder Disziplin, außer in rudimentärster Form, bestehen könnten). *Denn* φωνή, *stimmlicher Laut* (oder irgendein unartikulierter Ton) *ist ein Zeichen unangenehmer oder erfreulicher Empfindung, der deshalb auch bei den übrigen Lebewesen anzutreffen ist. Soweit hat sich die Natur in diesen fortentwickelt, daß sie Lust- und Unlustempfindungen besitzen und jedenfalls in der Lage sind, diese einander anzuzeigen.* (Deshalb sind die wie auch immer gearteten stimmlichen Laute der Tiere natürlichen Ursprungs, resultieren aber nicht aus einer Setzung, wie die menschliche Sprache.) *Aber die Sprache ist dazu da, um auch das Nützliche und das Schädliche zu bezeichnen, und ebenso auch das Gerechte und Ungerechte. Denn dies ist den Menschen vor den übrigen Lebewesen eigen, daß sie den Sinn für das Gute und Böse, das Gerechte und Ungerechte und andere gleichartige Dinge besitzen. Denn deren Vermittlung und Gemeinschaft macht das gesellschaftliche Leben in Haus und Staat aus.* [Neben Aristoteles verweist Pufendorf noch auf eine ähnliche Stelle bei Isokrates.] Plinius sagt in seiner ›Naturgeschichte‹ (Buch XI, Kap. 51): *Die Erklärung des Geistes, der uns von den Tieren unterscheidet, führt auch unter den Menschen selbst zu einem weiteren, gleich bedeutsamen Unterscheidungsmerkmal, so wie es zur Absetzung von den Tieren geführt hat.* [Weiter verweist Pufendorf auf Quintilians ›Institutiones oratoriae‹ (II, 16), auf eine Textstelle von Sophokles' ›Ödipus auf Kolonos‹, nochmals auf Plinius (VII, 1) und auf Garcilaso de la Vegas ›Comentarios reales‹ (VII, 1).] Da nun die Schwachheit, welche die Menschen im Zustand der Vereinzelung niederdrückt, sich auf ganz einfache Weise durch die Hilfe anderer beseitigen läßt, und der andere sich aber nicht anschicken kann, mir Hilfe zu leisten, wenn er meine Bedürfnisse nicht vermittelt bekommen hat (was am direktesten durch Zeichen und vor allem durch artikulierte stimmliche Äußerungen geschehen kann), so sieht man ein, daß ein Naturgesetz vorschreibt: niemand soll mit den Zeichen, die als Ausdrucksmittel der inneren Empfindung gemäß einer Übereinkunft verwendet werden, einen Anderen täuschen. [1] Auf diese Weise soll das für das Leben der Menschen nützlichste Hilfsmittel ordnungsgemäß sein Ziel erreichen, das in der Etablierung menschlicher Gemeinschaft besteht; dabei soll vermieden werden, daß durch den Mißbrauch der Sprache die gesellschaftsbildende Fähigkeit des Menschen beeinträchtigt wird, als ob er stumm oder des Sprechens unkundig wäre.

Die Vielfalt der Zeichen

Um aber die Sache sozusagen »ab ovo« zu betrachten, so ist zu wissen: es ist die Eigenart der Dinge, die in unseren Wahrnehmungsbereich gelangen, daß sie nicht sozusagen allein ihr eigenes Dasein anzeigen, sondern auch der menschlichen Vernunft die Handhabe liefern, die Kenntnis anderer Gegenstände zu erlangen. Denn diese Gegenstände besitzen eine natürliche Gleichartigkeit bzw. Kohärenz, oder die Objekte, die der sinnlichen und rationalen Wahrnehmung vorgegeben sind, steuern über ihren naturgegebenen Habitus hinaus den Vorgang ihrer Apperzeption auf solche Weise, daß dadurch dem Geist bestimmte assoziative Bilder vorgestellt werden. Daraus entsteht die Unterscheidung zwischen »natürlichen« und »konventionell gültigen« Zeichen. Die meisten Zeichen der ersten Kategorie liefert das uns umgebende Universum: so zeigt die Morgenröte den baldigen Sonnenaufgang, oder Rauch ein Feuer an usw. Auf Grund von Übereinkunft wurden von den Menschen Dinge und Handlungen als Bedeutungsträger akzeptiert, weiter bestimmte Bewegungen und stimmliche Laute oder zu Sprache artikulierte Lautgebilde, die später mit Hilfe von Schriftzeichen niedergelegt wurden. All diese Zeichen haben, wie sich feststellen läßt, entweder Geltung bei einem eingeengten Kreis oder bei sehr vielen oder schließlich bei allen Menschen. In die erste Kategorie sind einzuordnen die nächtlichen Feuer, die der Lenkung der Schiffahrt dienen [...]. In dieselbe Klasse fallen die Zeichen, durch welche die Schiffahrt am Tage geregelt wird und die Untiefen und

Klippen anzeigen. Ebenso gibt es Zeichen für den Verkehr auf dem Lande, Hermen, Wegweiser in Form ausgestreckter Hände und Ähnliches. So war es einst bei den Persern üblich, durch das Entzünden von Feuer auf Berggipfeln bestimmte Dinge in kürzester Zeit über das ganze Reich bekannt zu machen. [Pufendorf führt weitere Beispiele aus der gelehrten antiken und zeitgenössischen Literatur an.] Eine unendliche Vielfalt derartiger Zeichen findet sich allenthalben in den Staatswesen, mit deren Hilfe den Bürgern für gewöhnlich bestimmte Dinge angezeigt werden. Hierher gehören Uhren, das Läuten von Glocken, Stangen [zum Anzeichen einer Versteigerung], Efeu [zum Zeichen der Trauer?], an Häusern angebrachte Tafeln und ähnliche Dinge, im Krieg aber der Schall von Posaunen, der Schlag der Trommeln, der Knall von Geschützen, das Hissen von Flaggen und so fort. Gleicherweise gehören bestimmte Gesten und Bewegungen vielfach zur Bezeichnung bestimmter Dinge. Jemand den Weg frei zu machen, sich von seinem Sitz erheben, sich verneigen, das Küssen der Hände gilt bei den meisten als Zeichen der Ehrerbietung. Das Haupt zum Gruß entblößen, die Schuhe abzulegen bezeugt bei den einen Ehrerbietung, ist aber bei anderen ein Ausdruck von Verachtung. So ist an bestimmten Orten ein Zeichen der Verachtung, mit dem Mittelfinger zu deuten, die Nase zu rümpfen, jemand »eine Feige zu zeigen« (wie die Italiener sagen) und anderes mehr. So gilt das Berühren des Bartes an einem Ort als schimpflich, an einem anderen als Zeichen der Ehrerbietung, so bei den Tartaren, bei einigen indischen [wahrscheinlich »indianischen«] Stämmen und – wie Livius vermuten läßt (V, 41) [2] – bei den alten Galliern. Es ist auch üblich, pantomimisch bestimmte Bedürfnisse anzuzeigen, indem man die dazu notwendigen Körperbewegungen ausführt; ihrer bedienen sich Leute, die sich im Ausland aufhalten und die dadurch die Sprache ersetzen, die sie nicht beherrschen. Auch hat sich allenthalben eingebürgert, daß wir durch leichtes Nicken des Kopfes etwas bejahen, durch seitwärts Schütteln etwas verneinen oder auch durch Zudrehen des Rückens unsre Zurückweisung einer Sache kundtun. Was sich durch Winke mit dem Kopf und den Augen, durch Gesten der Finger und Füße anzeigen läßt, sobald unter einer bestimmten Menschengruppe darüber Übereinkunft getroffen worden ist, ist allbekannt, und es ist nicht mein Vorsatz, dies weitschweifig auszuführen. [...]

Vom Ursprung der Sprache

Ganz besonders liegt mir hier vornehmlich an der Sprache; sie ist das zugleich allgemeinste und nützlichste Zeichen, als Erfindung, die zur Übermittlung der Vorstellungen und der Gedanken der Menschen

dient. Über ihren Ursprung fabuliert Diodorus Siculus, aus Unkennt-
nis der Ursprünge des menschlichen Geschlechts, in seinem ersten
Buch [Βιβλιοθήκη I, 2]: »*Die Menschen der Urzeit führten ein kul-
turloses und tierhaftes Leben; sie zogen verstreut über die Fluren und
verzehrten jedes schmackhafte Kraut und die wilden Früchte der
Bäume. Da sie von wilden Tieren angefallen wurden, erlernten sie,
sich wechselseitig beizustehen; von ihrer Furcht zu geselligem Leben
getrieben, erkannten sie allmählich, daß es untereinander verwandte
Formen* [sc. der sie umgebenden physischen Dinge] *gab. Mit noch
undeutlichen Lauten und ohne Bezeichnung eines Inhalts sprachen sie
allmählich artikulierte Wörter aus, bezeichneten gestisch ein und dieselbe Sache, die ihnen vor Augen lag, und wurden so endlich damit
bekannt, alle Dinge durch Sprache zu erfassen. Aber da sich diese
Gemeinschaften verstreut über den ganzen Erdkreis bildeten, und jede
von ihnen nach Laune des Zufalls Lautverbindungen schuf, verwendeten sie nicht alle dieselbe Redeweise. So entstanden die ganzen verschiedenen Sprachfamilien.*« Parallel hierzu überliefert Lukrez [De
rerum natura, Buch V, V. 1028-1032 und 1041-1055]:

*Doch die Natur zwang selbst, die verschiedenen Töne der Sprache
Von sich zu schicken; Bedürfnis erdrang der Dinge Benamung.
Fast auf die nämliche Art, wie das Unvermögen zu sprechen
Kinder zu treiben scheint, mit Gebärden sich Hülfe zu geben
Und mit dem Finger auf das, was gegenwärtig, zu deuten [...]
Töricht ist es daher, sich einzubilden, es habe
Irgendein einzelner Mensch den Dingen die Namen erteilet,
Nachher hätten sie erst von diesem die andern erlernet.
Denn wie hätte der eine gewußt zu bezeichnen der Dinge
Jedes mit Stimm' und Wort und hervor die Töne zu bringen,
Während zur selbigen Zeit es keiner der andern vermocht hat?
Ferner, wann ähnlich sich nicht auch andre der Sprache bedienten,
Woher entstand davon der Begriff? wie hatte der eine
Nur das Vermögen, zu wissen und durchzusehen den Nutzen
Dessen, was könnt' entstehn, was er selbst vorhatte zu machen?
Einer hatte doch auch nicht die Macht, zu zwingen die Mehrern,
Daß sie die Namen der Dinge gelehrig mußten erlernen,
Hätt' auf keinerlei Art die Tauben bereden und lehren
Können, was nötig zu tun; denn keiner war je so gefällig,
Würd' auch nicht mit Geduld es ertragen haben, die Ohren
Unnütz ihm zu betäuben mit ungewohntem Getöse.* [3]

[...] Offenkundig wollte Lukrez mit diesen Argumenten vornehmlich
der Behauptung entgegentreten, die Kratylos bei Platon [Platon, Kratylos 428e/429a] aufstellt, daß der von höchster Weisheit erfüllt war,
der den Dingen Namen »aufgesetzt« habe (»imponere«); wir werden
gleich darauf näher eingehen. Und vollends konnten diejenigen, die
glaubten, die Menschen der Urzeit seien als stumme und stumpfe

Horde der Erde entkrochen [4], schwerlich eine andere Erklärung für den Ursprung der Sprache liefern. Denn es ist sonnenklar, daß dem Menschen keine Sprache angeboren ist, sondern daß alle Sprachen durch Gewöhnung angelernt werden. Daher kommt es, daß die Taubgeborenen zugleich auch stumm sind. Und es gilt beinahe als Wunder, einen Taubstummen im Gebrauch der Sprache zu unterweisen. [Pufendorf verweist auf zwei berühme Fälle des 17. Jahrhunderts in England und Spanien. [5]] Auch kann es nicht für wahrscheinlich gelten, daß irgendjemand zu Beginn eine vollständige Sprache nach Regeln zusammenstellte, die zumal in der Kombination der Wörter und hinsichtlich ihrer Übereinstimmung mit den Dingen [d. h. grammatikalisch und lexikalisch] bis ins Feinste ausgedacht war. Tatsächlich steht nun aus den christlichen heiligen Schriften fest, daß die Ursprache den ersten Menschen von Gott unmittelbar eingegeben worden sei, und ihre Nachkommen hätten sich diese durch beständiges Hören angeeignet. Die Verschiedenheiten der Sprachen sei jedoch durch ein Wunder zustande gekommen, als die Menschen gegen Gottes Willen den Bau des Turmes von Babel unternahmen. [Pufendorf verweist auf Mornays ›De veritate religionis Christianae‹, Kap. 26. [6]] Trotzdem bezweifeln manche, ob schon die Sprache Adams von Anfang an in allen Stücken [d. h. der aristotelischen Grammatik [7]] vollkommen und zum Ausdruck jedes beliebigen Begriffes eingerichtet gewesen sei; denn die heiligen Schriften erwähnen ausdrücklich nur Namen, die Adam den Tieren beigelegt habe. So steht auch von den meisten Sprachen fest, daß sie zu Anfang sehr arm und simpel gewesen sind, daß sie aber im Lauf der Zeit bereichert und in die Form kunstvollerer Verbindung gebracht wurden, ja daß sie mit der Zeit auffallende Veränderungen durchmachten und daß aus ihrem Verfall und ihrer Verwirrung vor nicht allzu vielen Jahrhunderten nicht wenige neue Sprachen hervorgingen. [8]

Die Bedeutung der Wörter resultiert aus dem Akt der Belehnung (»impositio«)

Offenkundig ist jedoch, daß die Kraft, verschiedene Gegenstände bestimmt anzuzeigen, d. h. eine gewisse Idee in unserm Inneren zu erwecken, den Worten nicht von Natur aus innewohnt oder aus einer diesen inhärenten Notwendigkeit resultiert, sondern daß sie auf dem bloßen Belieben der Menschen und ihrer Einrichtungen beruht. Es ließe sich sonst kein Grund dafür angeben, warum der gleiche Gegenstand von unterschiedlichen Wörtern der verschiedenen Sprachen bezeichnet wird. Dies trifft auch von figurativen Zeichen und den Schreibweisen der Buchstaben zu. Hierzu sagt Augustinus (De doctrina christiana, Buch II, Kap. 24): *Nehmen wir ein Schriftzeichen in seiner graphischen Form, aus jedem Zusammenhang gerissen, so stellen wir fest, daß es bei den Griechen und den Lateinern verschiedene Wertigkeit besitzt, dies aber nicht von Natur aus, sondern aufgrund der Beliebigkeit der Geltung von Zeichen und ihrer Abhängigkeit von Übereinkunft; folglich wird jemand, der beide Sprachen beherrscht, wenn er einem Griechen etwas schriftlich bezeichnen will, nicht ein Schriftzeichen in dem Sinn verwenden, den es in einem Schreiben, das an einen Römer geht, haben soll. Und das Wort »beta« ist bei vollkommen gleichem Lautbild im Griechischen die Bezeichnung eines Buchstabens, im Lateinischen aber der Name eines Gemüses [»rote Bete«]. Und wenn ich sage: »lege«, so entnimmt der Grieche diesen beiden Silben etwas ganz anderes als der Lateiner.* Dem widerspricht die Ansicht [der Bibel] nicht, Adam habe nicht blindlings, sondern unter Anleitung der höchsten Vernunft die Geschöpfe mit Wörtern belehnt, die jeweils aus ihrer besonderen Natur genommen waren und beredt deren Eigenschaften ausdrückten, so daß beim ersten Klang des Wortes die Natur jedes von ihnen verständlich wurde, wie Philon von Alexandrien in seiner ›Weltschöpfung‹ behauptet. [9] Denn selbst wenn wir zugeben, daß den Geschöpfen und manchen anderen Gegenständen – von allen wird dies niemand problemlos behaupten – Namen beigelegt sind, die ihr Wesen charakterisieren oder ihre Hauptmerkmale bezeichnen, so ist es doch so, daß jene ursprünglichen Lautungen selbst, von denen die Benennungen abgeleitet sind, das Substrat der Sache rein beliebig notieren. Hätte also Adam die Tatsache, daß er sein Weib »Heva« genannt habe, damit begründet, daß sie die Mutter aller Lebenden sei, so liegt doch der Grund für die Belehnung der [hebräischen] Lautkombination »hava« mit der Bedeutung »Leben« trotzdem in einer willkürlichen Setzung. Und obwohl man in allen Sprachen den Gegenständen, die eine Gemeinsamkeit aufweisen, einander in etwa verwandte Wörter beigelegt hat, unter Beachtung der Übereinstimmung mit der grammatischen Flexion, was man als Analogie bezeichnet, so ist auch dieses Verfahren nicht unveränderlich, da die meisten Wörter einen eigenständigen Entwicklungsgang nehmen; und jenes Analogieprinzip selbst, das in einer festen grammatischen Flexion und Kombination besteht, ist selbst durch menschliche Setzung in den verschiedenen Sprachfamilien festgelegt. So heißt es bei Quintilian (Inst. orat. I, 6): *Man soll sich erinnern, daß die Methode der Analogie sich nicht überall anwenden läßt, zumal sie sich an den meisten Stellen selbst widerlegt. Denn nicht als die Menschen zum ersten Mal auftraten, gab vom Himmel gesandte Analogie die Form der Sprache, sondern diese wurde erfunden, nachdem die Menschen bereits die Sprache gebrauchten, und erst dann wurde festgehalten, auf welche Weise die jeweils vorhandenen Teile der Rede* sich zusammenfügten. Deshalb stützt sich die Analogie nicht auf ein Prinzip der Vernunft, sondern auf Beispiele; und es gibt kein Gesetz der Rede, sondern nur ihre Beobachtung zählt, denn nichts anderes hat zur Ausbildung der Analogie geführt, als die Gewohnheit. In Platons ›Kratylos‹-Dialog lautet das Argument des Kratylos [383a]: *Den einzelnen Gegenständen wohne von Natur aus der richtige Grund ihres Namens inne.* – Diese Behauptung ist unbegründet. – *»Name« sei nicht das, was einige übereinstimmend so nennen, wenn sie einen bestimmten Lautabschnitt aussprechen.* – Dies ist zulässig in folgendem Sinn: es genügt nicht, daß man den Dingen eigene Namen, im Gegensatz zum landläufigen Gebrauch beilegt, wie es Wortverdreher und Taugenichtse gewöhnlich machen, um mit anderen ihr Spiel zu treiben. Also kann man den nach unserem Begriff echten Namen auch die falschen gegenüberstellen, da diese im Widerspruch zum allgemein sanktionierten Gebrauch einem Gegenstand oder einem Menschen beigelegt werden. – *Aber ein ungewisser, doch bestimmt richtiger Grund für die Namensgebung sei Griechen wie Barbaren gleichermaßen allen eingeboren.* – Dies ist gleichfalls falsch. Gegen Kratylos vertritt Hermogenes die Ansicht [384d]: *Ich kann mich noch nicht zur Ansicht überreden, daß der rechte Grund eines Namens etwas anderes sei, als eben Übereinkunft und Sanktionierung seines Gebrauchs. Mir ist ganz klar, wer immer einem beliebigen Gegenstand einen Namen, wie er auch laute, beilegt, daß dies dann der richtige Name sein. Und wenn er ihn wieder mit einem anderen vertauscht, so ist die zweite Benennung, die an die Stelle der ersten rückt, der um nichts weniger richtige Name, so wie wir unseren Sklaven andere Namen beilegen.* – Dem stimme ich zu, soweit damit keine Verletzung der allgemein geltenden Übereinkunft vorliegt. – *Denn keinem Ding kommt von Natur aus ein Name zu, sondern nur auf Grund von Gesetz und Gebrauch derer, die sich auf die jeweilige Benennung geeinigt haben.* – Die Argumente, die Sokrates an der besagten Stelle zugunsten von Kratylos in den Disput einbringt, entscheiden die Sache nicht, z. B. wo er das gleichsam absurde Wort einwirft: wenn man jemand nach geltender Konvention »Mensch« nennt, er aber dafür »Pferd« gebrauche, dann treffe zu, daß dasselbe Objekt zu Recht »Mensch« und »Pferd« genannt werde [385a-385e]. Darauf läßt sich jedoch mit wenigen Worten entgegnen, daß die Wörter ihre Geltung im öffentlichen Gebrauch aus der gesellschaftlich getroffenen Übereinkunft beziehen, der Privatleute in betrügerischer Absicht gar nicht zuwiderhandeln können; dazu gleich mehr. Auf gleiche Weise trügt auch das folgende Argument des Sokrates [385c]: *wenn die ganze Aussage falsch ist, ist nicht auch die Rede in ihren Teilen – z. B. einer Benennung – falsch?* Denn die Unrichtigkeit im Gebrauch einer Benennung ist nicht vergleichbar mit der Unrichtigkeit einer ganzen Aussage. Was Sokrates ferner an ausführlichen Erörterungen über die Richtigkeit von Benennungen vorbringt, kann nur für einige abgeleitete Wörter Geltung beanspruchen, nicht aber für die Wurzelwörter. Und da bei den verschiedenen Völkern die nämlichen Gegenstände durch verschiedene Wörter ausgedrückt werden, liegt den Wortzeichen für eine Sache ganz häufig eine verschiedene Etymologie zugrunde; z. B. θεός stammt von θέειν, weil die Sterne, die ewig ihre Bahn laufen, bei den alten Völkern als die einzigen Götter galten [vgl. Platon Kratylos 397c/d]. Doch wo ist die Verwandtschaft zwischen »deus« und »currere« im Lateinischen? Oder das griechische ἄνθρωπος, das von ἀναθρῶν ἀσπωπε herzuleiten ist; aber stammt im Lateinischen die Bezeichnung für »Mensch« (»homo«) vom Wort für »betrachten« (»contemplari«)? Und ψυχή stammt im Griechischen von ἀναψύχειν – kommt deshalb das lateinische Wort »anima« von »refrigerare«? Dies mag als Kostprobe für alles übrige stehen. Welche Etymologie und Wortentstehungslehre man sich auch heranzuziehen bemüht haben mag, sobald man auf die einfache, ursprüngliche Form gestoßen ist, ist man bei jedem Wort gezwungen, seine Begründung ausschließlich als Resultat einer Setzung anzuerkennen. Man vergleiche, was Quintilian (Inst. orat. I, 6) sagt: *Wird denn auch der Mensch »homo« genannt, weil er aus der Erde (»humus«) hervorgegangen ist? Als ob nicht in der Tat alle Lebewesen diesen nämlichen Ursprung gehabt hätten* [und damit ist die »Naturnotwendigkeit« dieser Benennung nicht mehr gegeben, weil ihr das distinktive Kriterium fehlt, W. P.], *oder man wollte behaupten, daß die Menschen als erste Lebewesen auftraten* [vor den Tieren, was zweifelhaft ist, W. P.] *oder daß die Menschen zuerst der Erde und dann sich ihren Namen beigelegt hätten* [was ebenfalls nicht nachweisbar ist, W. P.]? Lächerlich aber ist jenes Argument, das Sokrates anführte, als man ihn aufforderte, die Herkunft der Benennungen von πῦρ (»Feuer«) und ὕδωρ (»Wasser«) zu begründen; denn er wußte nichts anderes zu sagen, als daß sie ihren Ursprung Barbaren verdankten [Kratylos 409c-410a]. Und er bekennt selbst, es sei ihm unmöglich, Fragen zu beantworten, die über die Herleitung und Begründung von Wörtern hinausführten, sobald er einmal bei jenen Wurzelwörtern angelangt sei, welche gleichsam die Elemente aller übrigen Sätze und Wörter darstellen. [422a; im Folgenden beschäftigt sich Pufendorf noch mit weiteren Äußerungen von Platon, Varro, Diomedes, Huarte und Aulus Gellius und beschließt den Abschnitt mit einem Zitat aus Arnobius, ›Contra Nationes‹: Keine Natursprache ist vollkommen, und gleichermaßen ist keine verderbt. (Buch I)]

Zu Recht hat Grotius [De iure belli ac pacis, 1623: Buch III, Kap. I, § 8,1] die Ansicht verworfen, daß die Wörter von Natur aus Zeichen von Begriffen darstellten, aber nicht gleichermaßen gelte dies von natürlichen Dingen. Man müßte die Richtigkeit jener Behauptung zugeben, wenn ihr Sinn wäre, daß Wörter zu jenem Zweck eingeführt wurden, damit sie als Zeichen von Begriffen fungierten, daß somit ihre »Natur« essentiell in ihrer Zeichenfunktion liege, während den übrigen natürlichen Gegenständen die Verwendung als Zeichen äußerlich und zufällig hinzukomme. Aber in dem Sinn, daß den Wörtern von Natur aus die Kraft innewohne, etwas Bestimmtes zu bezeichnen, ist diese Behauptung falsch. Im Gegenteil, richtig ist, daß Wörter von Natur aus und außerhalb menschlicher Festlegungen nichts bedeuten, mit der Ausnahme von Schmerzensschreien oder Gelächter, wo die Lautäußerung konfus und unartikuliert erfolgt; man kann diese aber nur als Schälle, keinesfalls als menschliche Sprache betrachten. Wenn man das vorliegende Problem so erklären will, der Mensch sei, aufgrund seiner humanen Konstitution und seiner Position über allen Geschöpfen, in der Lage, die Erfahrungen seines Geistes anderen mitzuteilen, und um dessentwillen sei Sprache erfunden worden, dann wird es richtig dargestellt; trotzdem ist hinzuzufügen, eine solche Mitteilung erfolgt nicht bloß durch Sprache allein, sondern auch gestisch. So vermögen zahlreiche Stumme ihre inneren Empfindungen auf hinreichend geschickte Weise kundzutun. [Es folgen weitere Beispiele dafür, daß Gesten eine Funktion besitzen, die auf derselben Ebene mit dem sprachlichen Zeichensystem liegen.] Hierher gehören auch jene Schreibweisen, welche nicht die Äußerungen einer bestimmten Sprache oder ihre Wörter festhalten, sondern die die Dinge selbst bezeichnen; entweder stimmen hier die graphischen Zeichen mit den repräsentierten Gegenständen überein, wie im Fall der meisten Hieroglyphen der Ägypter; oder die Belehnung (»impositio«) durch Menschen hat ihnen die Kraft der Bezeichnung des Gegenstandes verliehen. Letzteres trifft auf die chinesischen Ideogramme zu, durch die ganze Begriffskomplexe und Sätze ausgedrückt werden. [Pufendorf behandelt weiter den Sonderfall der Eigennamen von Personen und Orten; er versteht dabei, als Jurist, die Belehnung mit einem Namen als wichtigen Akt der Souveränität.]

Die Wörter entstehen unter dem Einfluß von Konventionen:

Wie nun alle Zeichen, mit Ausnahme der natürlichen, einen präzisen Gegenstand aufgrund einer Belehnung (»impositio«) bezeichnen, begleitet nun diesen Vorgang der Belehnung eine gewisse stillschweigend oder ausdrücklich getroffene Übereinkunft (συνϑήϰη, ὁμολογία) und ein Vertrag, dessen Geltung dafür Garant ist, daß diese Zeichen nur dazu herangezogen werden, ausschließlich den ihnen zugeordneten Gegenstand zu repräsentieren. Und ein derartiger Vertrag muß bei der zeichenhaften Verwendung von allen möglichen Zeichen-substraten kategorisch feststehen, von welcher Hypothese des Sprach-ursprungs wir auch letztlich ausgehen. Gesetzt auch, die Ursprachen seien den Menschen unmittelbar eingegeben worden; wenn aber ir-gendein Mensch seine Sprachfähigkeit, räumlich getrennt von den üb-rigen, erhielte und sie somit frei gebrauchen konnte, indem er nach eigenem Belieben irgendwelche Wörter auf die jeweiligen Gegen-stände anwandte, so konnte in diesem angenommenen Fall diese Fä-higkeit nur ihren Zweck erfüllen, wenn eine Vereinbarung zwischen den Menschen verschiedener Gegenden getroffen wurde; nur so ließe sich ihr gleichförmiger Gebrauch und die Repräsentation der selben Gegenstände durch die gleichen Worte garantieren. Denn da der Mensch im Besitz seiner natürlichen Freiheit beim Gebrauch seiner Fähigkeiten anderen nicht verpflichtet ist, sondern nach eigenem Gut-dünken darüber verfügen kann, gibt es kein Recht, auf das sich die Forderung berufen könnte, man müsse die Sprachfähigkeit nur auf diese und keine andre Weise verwenden, um dadurch einem anderen ein Urteil über Vorgänge in seinem Innern zu ermöglichen – es sei denn, es bestünde zwischen beiden hierüber ein Vertrag. Diese Über-einkunft reicht nicht soweit, daß die vereinbarten Zeichen mit untrüg-licher Sicherheit den Gemütszustand des anderen anzeigen, sondern nur mit Wahrscheinlichkeit, da diese Zeichen sich eignen, den Men-schen etwas vorzuspiegeln oder zu verbergen; [...] trotzdem kann man davon ausgehen, daß jeder Sprecher ernsthaft das sagen wollte, was er durch die Benutzung der Zeichen zum Ausdruck gebracht hat. [...]

Diese Konventionen gelten allgemein, oder eingeschränkt

Diese Konvention über den Gebrauch der Zeichen und vor allem hinsichtlich der Verwendung der Wörter gilt entweder allgemein, oder eingeschränkt. Ersteres trifft zu auf die Menschen, welche die gleiche Sprache benutzen, um bestimmte Dinge, vor allem im häufi-gen Verkehr miteinander, durch festgelegte Worte zu bezeichnen, die wiederum auf der Billigung des Sprachgebrauchs zu einer bestimmten Zeit beruht. [...] Denn der Gebrauch einer Sprache kann nur da statthaben, wo diese allseitig verstanden wird. Denn, wie Cicero sagt, *wir sind alle wie Taube in den Sprachen, die wir nicht verstehen* (Tusculanae Quaestiones Buch V [Kap. 40, 116]); und Ovid: *ein Barbar bin ich hier, da niemand hier mich verstehet* (Tristia Buch V, Elegie X, 37). Hier ist zu bemerken, daß die meisten Sprachen nicht nur Varianten der Dialekte kennen, sondern auch sich regional durch verschiedene Wortbedeutungen unterscheiden. Über den Bedeutungsgehalt solcher Worte ist nach dem ortsüblichen Gebrauch zu befinden [...]. So enthalten manche Worte, je nach Differenz von Ort und Zeit, einmal den Beigeschmack des Negativen, woanders aber nicht. Am bekanntesten ist dabei der Fall des Wortes »Tyrann«. [...] Außer der Hauptbedeutung haben die meisten Wörter, wie hier zusätzlich zu bemerken ist, auch eine andere, zusätzliche [»significatio accessoria«], durch die wir gleichzeitig unser Urteil oder unsere innere Einstellung und Wertschätzung [sc. über den bezeichneten Gegenstand] abgeben. [10] [...] Gelegentlich entspringt diese Konnotation nicht der allgemein unter den Menschen gültigen Belehnung mit einer Bedeutung, sondern resultiert aus dem Ton der Stimme (der in seinem Charakter variiert, je nachdem, ob es sich um eine Belehrung, eine Schmeichelei oder um einen Tadel handelt), aus dem Gesichtsausdruck, aus Gesten und anderen natürlichen Zeichen, welche die Hauptbedeutung der Wörter in beträchtlichem Maß zu verändern, abzuschwächen bzw. zu verstärken vermögen. So enthält auch ganz häufig die figurative Redeweise eine Konnotation der Affekte des Sprechers, während die einfache Sprechweise nur einen Sachverhalt unverändert wiedergibt. [...] Die Ursache für diesen Vorgang liegt darin, daß manche Wörter eine Sache oder einen Vorgang in etwas allgemeinerer Form, andere aber mit genaueren Unterscheidungen und gleichsam unter Bezeichnung ihrer Umstände festhalten. Wer Wörter der zweiten Art benutzt, verleiht zugleich seiner Begierde, seinem Wohlgefallen oder seiner Zustimmung [...] über eine Sache oder Handlung Ausdruck. [...] Auf einer eingeschränkten Konvention beruhen jene Wörter, die abseits vom allgemeinen Gebrauch ihre Bedeutung erhalten haben oder die der allgemeine Gebrauch nicht kennt. Zu dieser Gattung zählen die Kunstwörter oder technischen Begriffe, die aufgrund der Vielfalt der Gegenstände oder einer bloßen Setzung eingeführt werden bzw. durch Belehnung mit einer neuen Bedeutung vom allgemeinen Gebrauch abgesetzt werden mußten. Für den Laien müssen diese durch allgemein bekannte Wörter umschrieben werden. [...]

[1] Diese moralische Definition der Übereinstimmung von Wortzeichen und Gegenstand resultiert aus der Vorlage in Grotius' ›De iure belli ac pacis‹ (III, Kap. I/VIII), der darin den Begriff der Heimtücke (»dolus«) untersucht und in diesem Rahmen die Sprache als Zeichensystem behandelt. In allen auf Konvention beruhenden Zeichen ist eine Täuschung nicht erlaubt, also auch nicht in der Sprache. Im Keim enthalten die beiden ersten Abschnitte dieses Paragraphen die gesamte Sprachtheorie, die Pufendorf in extenso darlegt.

[2] Livius berichtet in seinem Geschichtswerk ›Ab urbe condita‹ an der angegebenen Stelle von der Einnahme Roms durch die Gallier; in der verlassenen Stadt waren nur die Senatoren zurückgeblieben, die in ihre Staatsgewänder

gekleidet das Ende erwarteten. Die Eindringlinge begegneten diesen zunächst voll Ehrfurcht; als aber einer der Gallier einen der Senatoren am Bart berührte, schlug ihn dieser mit seinem Amtsstab, worauf er und alle übrigen von den Soldaten niedergemacht wurden. Pufendorf schließt nun, dies sei ein typisches Beispiel für die verschiedene konventionelle Geltung von Gesten: was von dem Gallier als Geste höchster Ehrfurcht gedacht war, galt bei den Römern als schimpfliche Handlung – daher der schlimme Ausgang dieses Ereignisses.

[3] Text in der Übersetzung von Karl Ludwig von Knebel: Lukrez, Von der Natur der Dinge. Frankfurt/Main 1960, S. 197/198.

[4] Im latein. Original »mutum et turpe pecus«: Zitat aus Horaz, Sermones Buch I, III, V. 100.

[5] Die gleichen Fälle von Taubstummen zitiert auch Morhof in seinem ›Polyhistor‹ an verschiedenen Stellen (Ausg. Lübeck 1747 Tom. I, S. 339/40 und S. 719; Tom. II, S. 136/37) – demnach waren dies im 17. und frühen 18. Jahrhundert die repräsentativen Fälle, bevor Diderots berühmte Abhandlung (1749) erschien.

[6] Zu Mornays Schrift vgl. Borst (50), Der Turmbau von Babel, Bd. III/1, S. 1254/55.

[7] Nach der ›Poetik‹ des Aristoteles hat die Sprache folgende Teile: Buchstabe, Silbe, Konjunktion, Artikel, Nomen, Verbum, Casus, Satz (Abschn. 20).

[8] Pufendorf bezieht sich hier auf Thomas Hobbes' ›Leviathan‹, Buch I Kap. IV (»Of Speech«).

[9] Philon von Alexandrien, De opificio mundi, §§ 148-150.

[10] Dieser Abschnitt, den ich etwas gekürzt wiedergebe, ist in Einzelheiten von Lamy übernommen worden (vgl. das folgende Dokument). Eine gemeinsame Quelle der Theorie von der »significatio accessoria« bei Pufendorf und Lamy ist mir nicht bekannt; die Möglichkeit einer Kenntnis des Werks von Pufendorf durch Lamy ist – angesichts von dessen rascher und gerade in Frankreich nachhaltiger Verbreitung – nicht auszuschließen.

(Quelle: Samuel Pufendorf, De iure naturae et gentium. Buch IV, Kap. I, §§ 1-6. Amsterdam 1698, s. 307-315)

2. Der psychosoziale Ursprung der Sprache

Aus: Bernard Lamy, La Rhétorique où L'Art de Parler (1676)

Um die verschiedenen Züge des Bildes zu zeichnen, dessen Gemälde der Geist entworfen hat, bedarf es der Wörter aus verschiedenen Ordnungen

Wie man kein Bild mit einer einzigen Farbe ausführen kann und sich die Einzelheiten, die auf ihm dargestellt werden sollen, nicht durch gleiche Striche unterschiedlich darstellen lassen, so ist es auch unmöglich, die Vorgänge in unserem Geist zu kennzeichnen, wenn wir nur Wörter verwenden, die alle der gleichen Ordnung entstammen. Wir wollen von der Natur selbst erfahren, welches Unterscheidungskriterium dafür gelten soll; und wir wollen sehen, wie die Menschen selbst ihre Sprache bilden würden, hätte sie die Natur getrennt voneinander entstehen lassen und sie wären sich später an einem Orte begegnet. Benutzen wir dazu die Freiheit der Dichter und lassen eine Gruppe von Menschen aus der Erde empor- oder vom Himmel herabsteigen, die den Gebrauch des Sprechens nicht verstehen. Diese Vorstellung bietet ein angenehmes Schauspiel: ergötzlich, sich zu denken, wie sie mit Händen, Augen, Gesten und Verrenkungen des ganzen Körpers miteinander sprechen; doch offensichtlich würden sie bald alle diese Gestikulationen aufgeben, und der Zufall oder die Klugheit würde sie in kurzer Zeit den Gebrauch des Sprechens lehren.

Wir sind nicht in der Lage, herauszufinden, welche Form sie ihrer Sprache geben würden, außer wenn wir überlegen, was wir tun würden, gehörten auch wir zu dieser Gruppe. Da die Verschiedenheit der Wörter nur aufgrund der Verschiedenheit der Dinge in unserem Geist notwendig ist, die wir mitteilen wollen, so achten wir auf alles, was in uns selbst vorgeht, um wahrzunehmen, was zu tun ist, um all die verschiedenen Züge unserer Gedanken genau malerisch wiederzugeben.

Die erste Tätigkeit des Geistes, durch die er wahrnimmt, was in ihm selbst ist (wie die ersten Wahrheiten, mit denen wir geboren werden), und was außerhalb von ihm ist (wie die Gestirne, die Pflanzen und Tiere, die ihm durch die Sinne vermittelt werden, als dem Tor aus dem Gefängnis des Körpers), diese erste Tätigkeit des Geistes heißt, sage ich, in den Schulen der Philosophie *Perzeption*. Sobald wir einen Gegenstand wahrgenommen haben, wir ihm einige Aufmerksamkeit schenken, wir über das nachdenken, was wir an ihm entdecken, so urteilen wir darüber; d. h. wir schreiben ihm eine gewisse Beschaffenheit zu und versichern uns dabei, ob der Gegenstand so beschaffen ist oder nicht. Diese zweite Operation des Geistes heißt *Urteil;* ihr folgt eine dritte, welche die Konsequenzen aus den beiden ersten Operationen des Geistes zieht. Es ist das, was man *vernünftig schließen* (»raisonner«) heißt. Nach Maßgabe der Natur und der Eigenschaften des Objekts unsres Denkens empfindet man schließlich im Willen [im affektiven Teil der Seele] Regungen des Wohlwollens oder der Verachtung, von Liebe und Haß, von Zorn, Neid, Eifersucht, das also, was man *Leidenschaft* nennt. So ist alles, was in unserem Geist vor sich geht, *Tätigkeit* (»action«) oder *Leidenschaft* (»passion«). Wir werden im Folgenden sehen, wie sich die Leidenschaften selbst in unseren Worten ausdrücken. Man nennt »Idee« die Form eines Gedankens, der Gegenstand einer Wahrnehmung ist, d. h. eines Gedankens, den man anläßlich dessen hat, was man bei Ausführung der ersten Tätigkeit des Geistes kennenlernt. Wenn z. B. die Sonne mit ihrem Licht meine Augen trifft, so ist das, was in dem Augenblick meinem Geist gegenwärtig ist, und das, was ich in mir selbst wahrnehme, die Idee der Sonne, die in meinem Gedächtnis verbleibt, auch dann, wenn dieses Gestirn nicht mehr scheint. Auf diese Weise ist unser Geist angefüllt mit einer Unendlichkeit materieller Gegenstände, die wir gesehen haben. Wir besitzen auch die Ideen mehrerer Wahrheiten, die wir keineswegs den Sinnen verdanken.

Zweifellos würden diese neuen Menschen ihre erste Sorge darauf verwenden, Wörter zu bilden, als Zeichen all der Ideen, die die Gegenstände unsrer Wahrnehmung sind, welche – wie eben gesagt – die erste Tätigkeit des Geistes bildet. Unter der unbegrenzten Vielfalt der Wörter ist es nicht schwer, spezielle Zeichen zu finden, um jede Idee zu kennzeichnen und ihr einen Namen zu geben. Da man sich jener ersten Kenntnisse auf natürliche Weise bedient, können wir ruhig annehmen, sobald sich [den Mitgliedern unserer fingierten Gruppe neuer Menschen] andere Gegenstände darstellen würden, ähnlich jenen, denen sie bereits einen Eigennamen beigelegt hätten, daß sie sich nicht die Mühe machen würden, neue Wörter zu schaffen; sondern sie würden sich der ersten Namen bedienen und sie dabei geringfügig abändern, um die Verschiedenheit der Dinge zu bezeichnen, auf die sie Anwendung finden sollten. Die Erfahrung überzeugt mich davon, daß man sich, sobald sich beim Sprechen das richtige Wort nicht gleich einstellt, des Namens einer anderen Sache bedient, die in irgendeinem Bezug zum Objekt des gesuchten Wortes steht. In allen Sprachen unterscheiden sich die Namen der etwa gleichartigen Gegenstände geringfügig von einander: mehrere Wörter haben ihre Wurzel in einem einzigen, wie man aus den Wörterbüchern der bekannten Sprachen ersehen kann.

[Ein kurzer Abschnitt wird hier übergangen, in dem die Abänderungen eines solchen Wurzelwortes erläutert werden.]

Nach dieser Grundlegung [verläuft der Prozeß der Sprachentwicklung weiter so]: die Wörter, die man ausgewählt hat und die, für sich genommen, nichts bedeuten, müßten die Kraft erhalten, die Idee der Dinge zu evozieren, auf die sie angewendet werden. Denn die Häufigkeit, mit der man diese Gegenstände an- und ausgesprochen gehört hat, so lange sie gegenwärtig waren, müßte bewirken, daß sich die Ideen der Dinge und dieser Worte verbunden hätten, sodaß das eine nicht ohne das andre evoziert werden könnte. Es ist der nämliche Fall, wenn wir eine Person häufig mit einer bestimmten Kleidung gesehen haben, so stellt sich uns, sobald wir an diese Person denken, zunächst die Idee dieser Kleidung dar, und umgekehrt genügt schon die bloße Idee dieser Kleidung, damit wir an diese Person denken.

Man kann dabei nicht wissen, ob unsere fiktiven Menschen bei der Suche nach Lautkombinationen sich an bestimmte Regeln halten würden, um sich auszudrücken; ob sie bei der Auswahl sich nicht innerhalb einer gewissen Silbenzahl halten würden. [...] Die Natur tendiert zu dieser Einfachheit. Je kürzer die Rede ist, desto besser entspricht sie unserem Eifer, schnell zu sagen, was wir denken, und tut der ungeduldigen Begier des Hörers Genüge, den Gedanken des Sprechenden zu erfahren. [Erst der Verfall der Sprachen führt zur Ausbildung längerer Wörter.]

[Mögliche Regeln bei der Ausbildung der neuen Sprache wären: erstens, eine kleine Anzahl kurzer Silben als Ausgangspunkt.] Die zweite Regel müßte sein, daß man die Silben wählt, deren Klang in einem bestimmten Bezug zu der zu bezeichnenden Sache stünde; denn wenn man ein Zeichen sucht, ist es vernünftiger, die Dinge zu nehmen, die dafür geschaffen sind: das ist es, was man bei der Bezeichnung der Tierschreie getan hat – man sagte »boare« (muhen), »hinnire« (wiehern), »balare« (blöken); diese Begriffe lauten annähernd wie das, was sie bedeuten. [Die dritte Regel wäre, Wortgruppen entsprechend nach Sinngruppen zu schaffen.] Wir wissen nicht, was unsere fiktiven Menschen tun würden. Offenkundig würden sie nicht lange philosophieren. Die Eile, die sie hätten, zu sprechen, würde bewirken, daß sie sich der ersten Lautkombinationen bedienten, die ihnen beifielen. Und sobald ein Lautgebilde erst einmal festgelegt ist, verfällt man kaum mehr darauf, ein anderes dafür zu suchen.

Reflexion über den Überfluß an möglichen Lautkombinationen

Ich verlange nicht, daß wir die Kunst des Sprechens einzig von dieser Menschengruppe erlernen sollen, die ich hier hypothetisch eingeführt habe. Wir können nur durch Konjektur erschließen, was diese tun würde. Wir wissen, was die Menschen in allen Ländern und zu allen Zeiten getan haben, und es ist gut, das in Betracht zu ziehen; denn um die Natur der Sprache von Grund auf zu erkennen, ist es von äußerster Wichtigkeit, die Charakteristika der Sprache jeder Nation aufmerksam zu betrachten. [Die Rhetorik muß damit die Grenzen einer bloßen Kenntnis des Ornatus überschreiten; wie es falsch ist, die Farbe für das Wesen der Malerei zu halten (und dabei die zeichnerischen Strukturen zu ignorieren), ist es falsch, ohne Kenntnis der Charakteristika der verschiedenen Sprachfamilien die Grundlagen der Rhetorik festlegen zu wollen.]

Wir haben gesehen, wie die Notwendigkeit unsere neue Gruppe von Menschen gezwungen hätte, Lautgebilde für alle Dinge festzusetzen, von denen oft gesprochen werden muß; dabei ist wohl klar, daß ihre Sprache zunächst ziemlich dürftig sein würde. Wie arme Leute sich ein und desselben Gewandes für alle Tage bedienen, wie zwei oder drei Gefäße ihr ganzes Gerät darstellen, ebenso haben diejenigen, denen es an großen Kenntnissen fehlt, nur wenige Lautkombinationen, um sich auszudrücken, und diese müssen für alle Dinge herhalten. Ungebildeten Menschen fehlt fast ganz die Fähigkeit zur Abstraktion. Ihre Ansichten sind beschränkt; sie können nur über das sprechen, was sie kennen, sie brauchen deshalb nur eine kleine Anzahl von Wörtern. Es fehlt ihnen an genügend Feingefühl, an den Dingen das zu bemerken, was Unterschiede zwischen diesen bewirkt; deshalb erscheinen ihnen diese ähnlich, und so dienen ihnen die nämlichen Worte dazu, alle Dinge zu bezeichnen. [Als Beispiel wählt Lamy Sammelbegriffe für »Pflanze« und weist auf die Komplizierung ihrer Betrachtung hin, die sich in der botanischen Taxonomie ausdrückt, als Resultat der genaueren Kenntnis.]

Je nachdem nun die Völker den Dingen mehr Aufmerksamkeit gewidmet haben, liegen ihren Lautkombinationen deutlichere Ideen zugrunde und sie sind in größerer Anzahl vorhanden. Ein und dieselbe Sache kann mehrere Abstufungen besitzen. Sie mag innerhalb ihrer Gattung zu den größeren oder kleineren Exemplaren gehören. [Um dies auszudrücken, hat die Sprache Diminutive und Augmentative erfunden.] Man kann ein und dieselbe Sache generell betrachten, ohne auf das zu achten, was sie von jeder anderen unterscheidet und sich so eine abstrakte Idee davon verschaffen. Die Namen, welche diese Ideen bezeichnen, heißen Abstrakta, wie das Wort »Humanität«, das den Menschen im allgemeinen bezeichnet, ohne speziell an eine bestimmte Person zu denken. Nicht alle Sprachen besitzen gleichermaßen Diminutiva oder Augmentativa, oder jene Abstrakta genannten Lautkombinationen. Man darf fremde Sprachen nicht nach Maßgabe der unseren beurteilen. Manche können beobachten, was andere vernachlässigen und ein Ding von einem Standpunkt aus betrachten, den wir gar nicht wahrnehmen. [Daher die Unmöglichkeit adäquater Übersetzungen fremder Sprachen in die eigene, und die Notwendigkeit von Fremdwörtern.]

Es hängt von uns ab, die Dinge in Beziehungen zu setzen, so wie wir wollen; dies bewirkt die große Differenz, die zwischen den Sprachen besteht, die trotzdem ein und denselben Ursprung haben. [Lamy erläutert dies an den Worten für »Fenster« im Spanischen (»ventana«, von »ventus«), Portugiesischen (»janella«, von »janua«) und Französi-

schen (»croisée«, von »crux« gleich »Fensterkreuz«), während das
lateinische Wort »fenestra« vom Bezug aufs Griechische »φαίνειν«
hergeleitet wird.]

Wie man alle Operationen unseres Geistes und die Leidenschaften und Affekte unseres Willens ausdrücken kann

Wir wissen, auf welche Weise wir die Tätigkeit unsrer Seele ausdrük-
ken können; ich will nun sehen, auf welche Weise die Natur unsre
fiktive Menschengruppe dazu bringen würde, Zeichen ihrer Leidenschaften zu geben, also von Wohlwollen oder Verachtung, Liebe und
Haß, die sie gegenüber den Dingen empfänden, die sich ihren Gedanken und Affekten als Objekte darstellten. Die Rede ist unvollkommen, wenn sie nicht die Markierung der Regungen unsres Willens an
sich trägt; sie gleicht sonst nicht unserem Geist, dessen Gemälde sie
zu sein hat, außer wie ein Kadaver dem lebenden Körper gleicht.
Folglich müssen unsere fiktiven Menschen nach Mitteln suchen, ihre
Leidenschaften auszudrücken.
Es gibt Benennungen, die zwei Ideen mit sich führen: diejenige, welche man die Hauptidee (»idée principale«) nennen muß, stellt die
Sache dar, die bezeichnet wird; die andere, die wir Nebenidee (»idée
accessoire«) nennen können, führt diese Sache in der Einkleidung
unter gewisse Umstände vor. Z. B. bezeichnet das Wort »Lügner«
primär eine Person, der man entgegenhält, daß sie nicht die Wahrheit
gesagt hat; aber darüber hinaus läßt das Wort erkennen, daß man
denjenigen, dem man dies vorhält, als Böswilligen betrachtet, der
durch schändliche Bosheit die Wahrheit verborgen gehalten hat und
deshalb hassens- und verachtenswert ist.
Diese sekundären Ideen, die wir Nebenideen genannt haben, heften
sich automatisch an die Benennungen der Dinge und verbinden sich
mit der Hauptidee auf folgende Weise: sobald sich die Gewohnheit
eingebürgert hat, mit Hilfe bestimmter Lautgebilde von Dingen zu
sprechen, die man hochschätzt, erwerben diese Lautgebilde eine Idee
von Größe; sobald man sich ihrer bedient, versteht man, daß der
Sprecher die Dinge hochschätzt, von denen er redet. Wenn wir unter
dem Einfluß einer Leidenschaft sprechen, so sorgen Gestaltung und
Tonfall der Stimme und mehrere andere Umstände genügend dafür,
die Regungen unseres Herzens mitzuteilen. Nun können die Benennungen, derer wir uns bei diesen Gelegenheiten bedienen, im Lauf der
Zeit die Idee dieser seelischen Regungen automatisch erneuern: auf
die Weise, in der ein Kleidungsstück, mit dem wir einen Freund häu-

fig gesehen haben, fähig ist, in uns die Idee dieses Freundes zu erwekken. [...]
Da diese Nebenideen sich auf die beschriebene Weise den Wörtern assoziieren, sie also die Ideen der Gegenstände und ihrer qualitativen Erfassung beinhalten, dürfte unsere fiktive Gruppe von Menschen keine Mühe haben, Namen zur Bezeichnung dieser Nebenideen zu finden. Ohne Künstlichkeit würde sich finden, daß in dieser neuen Sprache es Lautgebilde geben würde, die neben den Hauptideen der Gegenstände, die sie bezeichnen, zusätzlich die inneren Regungen ihrer Sprecher signalisierten; so wie man erkennt, wenn jemand einen anderen als Lügner bezeichnet, daß er diesen verachtet und verabscheut. Darüber hinaus [...] malen sich die Leidenschaften von selbst in der Rede, und sie weisen Kennzeichen auf, deren Ausbildung keinerlei Übung oder Kunstfertigkeit voraussetzt.

Der Gebrauch der Sprache

Bei der Einrichtung der Sprache schreibt die Vernunft [...] bloß eine kleine Anzahl von Regeln vor; die übrigen sind vom Willen der Menschen abhängig. Überall auf der Welt verfolgt der Gebrauch der Sprache den selben Zweck; aber die verschiedenen Wege, ihn zu erreichen, die Freiheit ihrer Wahl nach eigenem Gefallen, dies verursacht die Unterschiede, die sich an den Ausdrucksweisen selbst innerhalb einer Sprache bemerken lassen. Trotz einer gewissen Freiheit, die sich die Väter unserer Sprache bei deren Ausbildung genommen haben, gewahrt man in ihr eine gewisse Gleichförmigkeit in allen ihren Ausdrücken und konstante Regeln, die in ihr beobachtet werden. Für gewöhnlich folgen die Menschen Gewohnheiten, die sie einmal angenommen haben; dies ist der Grund, warum zwar ein Wort fast völlig von dem Belieben der Menschen abhängig ist, und trotzdem bemerkt man, wie gesagt, eine bestimmte Gleichförmigkeit in seinem Gebrauch. Wenn man weiß, daß Substantiva auf einen bestimmten Auslaut zu einer gewissen Gattung gehören, so wird man, falls man Zweifel hinsichtlich der Gattungszugehörigkeit eines anderen Substantivs hat, es mit gleich auslautenden vergleichen müssen, deren Geschlecht bekannt ist. [...]
Dieses Verfahren, den Gebrauch einer Sprache durch Vergleichung mit anderen ihrer Ausdrücke zu erkennen und daraus ihren wechselseitigen Bezug abzuleiten, nennt man *Analogie,* nach dem griechischen Wort, das »Gleichmaß« (»proportion«) bedeutet. Durch dieses Mittel der Analogie sind die Sprachen fixierbar geworden. Mit ihrer Hilfe haben die Grammatiker die Regeln und den richtigen Gebrauch

der Sprache erkannt und dann in Grammatiken niedergelegt, die dann von Nutzen sind, wenn sie gut gemacht sind; denn aus ihnen lassen sich die Regeln entnehmen, die man sonst mit Hilfe der mühsam aufzusuchenden Analogie erschließen müßte.

Von den drei Mitteln zur Erkenntnis des rechten Sprachgebrauchs [d. h. der Erfahrung, die auf der Kenntnis des etablierten Sprachgebrauchs beruht, der Vernunft, die nur eingeschränkt zum Tragen kommt, und der Analogie als Grundlage der Grammatik] ist das sicherste die Erfahrung. Der Herr über die Sprache ist immer der etablierte Gebrauch. Man sollte immer nach den präzisesten Ausdrücken suchen, denn durch diese Auswahl reinigen sich die Sprachen von dem, was in ihnen ungenau ist. Aber wenn uns der überkommene Gebrauch nur einen Ausdruck zur Verfügung stellt, um damit zu formulieren, was zu sagen ist, erfordert selbst die Vernunft, daß wir uns dem herrschenden Gebrauch fügen, auch wenn er dieser zuwider läuft; es bedeutet dann keinen Fehler, auch einen schlechten Ausdruck zu verwenden. Denn bei einem solchen Anlaß erweist sich die Wahrheit der juristischen Maxime: *Communis error facit jus* (»eine irrige Ansicht vermag Recht zu setzen, wenn sie allgemein verbreitet ist«). Die Analogie ist nicht Herrscherin über die Sprache. Sie ist nicht vom Himmel herabgestiegen, um ihr Gesetze zu geben. Sie zeigt nur die Gesetze an, die der Gebrauch etabliert. *Non est lex loquendi, sed observatio* (»es gibt kein Gesetz der Sprache, sondern nur die Möglichkeit, diese zu beobachten«), wie Quintilian hierzu feststellt.

(Quelle: Bernard Lamy, La Rhéthorique ou L'Art de Parler. Quatrième Edition, reveuë & augmentée d'un tiers. Amsterdam 1699. Photomech. Nachdruck: Sussex Reprints, Brighton 1969. Die übersetzten Stellen entstammen den Kapiteln 4, 5, 9 und 16 des ersten Buches, auf S. 12-16, 17-19, 38-40 und 74-76.)

3. Die Irrelevanz des göttlichen Ursprungs der Sprache und die Idee einer kulturellen Agglutination

Aus: Richard Simon, Histoire critique du Vieux Téstament (1680)

Man sollte diejenigen nicht der Neuerungssucht anklagen, die behaupten, daß die Sprache Adams verlorengegangen sei und man keinerlei Kenntnis von ihr besitze, nachdem bereits der hl. Gregor von Nyssa eben diese Frage ausführlich behandelt hat [1] [...]. Gott hat, diesem Kirchenvater zufolge, die Dinge geschaffen, und nicht ihre Namen; und die Menschen haben, nachdem Gott die Dinge geschaffen hatte, diesen dann Namen gegeben [2]. Gott ist nicht Urheber der Namen von Himmel und Erde, sagt er, sondern er ist Schöpfer von Himmel und Erde [3]. Die Erfindung aller Sprachen schreibt er dann der vernünftigen Natur zu: Gott habe den Menschen geistige Fähigkeiten zur vernünftigen Ausübung verliehen, derer sie sich bedienten, um einander ihre Gedanken mitzuteilen, und dies geschah durch die Erfindung der Worte. In diesem Sinne ist die Ansicht jener alten Philosophen zu erklären, die der Natur die Erfindung der Sprache zuschrieben:

> Doch die Natur zwang selbst, die verschiedenen Töne der Sprache
> Von sich zu schicken; Bedürfnis erdrang der Dinge Benamung.
>
> (Lukrez) [4]

Diese Aussage bezieht sich auf die vernünftige Natur; und von daher lassen sich die Ansicht des Aristoteles und diejenige Epikurs miteinander vereinigen. Natur und Vernunft sind hier dieselbe Sache; aber da die Vernunftgründe bei den Erfindern der Sprachen nicht immer genau die gleichen waren, darf man sich über die großen Abweichungen, die sich in den verschiedenen Sprachen finden, nicht wundern. Es gibt kein Volk, das nicht daran glaubte, daß seine Gesetze und Gebräuche ausschließlich von den Prinzipien des natürlichen Lichts und der Vernunft abgeleitet seien; und doch sind die meisten der Gesetze und Gebräuche verschieden.

> Was ist endlich hierin so großer Bewunderung würdig,
> Daß das Menschengeschlecht, mit Zung' und Stimme begabet,
> Nach dem verschiednen Gefühl ansprach die verschiedenen Dinge?
>
> (Lukrez) [5]

Auf die gleiche Weise läßt sich die Stelle in Platons ›Kratylos‹ erklären, wo Kratylos behauptet, daß ein Gott Urheber der Sprachen sei [6]. Unter diesem Gott versteht er keine andere Gottheit als die Vernunft; sooft sich die Platoniker eher als Theologen denn als Philosophen ausgedrückt haben, so wollten sie doch durch den Daimon, den Gott des Sokrates, nichts andres bezeichnen als die Vernunft. [...]

Genauere Erklärung, auf welche Weise Sprachen erfunden wurden.
Der Ursprung der Sprache.

Diodorus Siculus erklärt die Erfindung der Sprache folgendermaßen: bei ihren ersten Sprechversuchen brachten die Menschen zuerst Laute hervor, die nichts bedeuteten; und nachdem sie auf diese Töne aufmerksam geworden waren, formten sie diese artikuliert, um ihre Gedanken auszudrücken. Die Vernunft korrigierte die Natur und paßte die Wörter der Bedeutung der Gegenstände an. [7].

Zwinget die Tiere demnach, obgleich sie stumm von Natur sind,
Doch ein verschiedenes Gefühl, verschiedene Töne zu geben:
Wie um so mehr nicht konnte der Mensch anfänglich bezeichnen
Dinge verschiedener Art mit anderm und anderem Wortlaut?

(Lukrez) [8]

Die Notwendigkeit, in der sich die Menschen befanden, miteinander zu sprechen, zwang sie zur Erfindung von Wörtern, und zwar nach Maßgabe neuer Dinge und Sachverhalte, denen sie sich gegenüber fanden.

--- Bedürfnis erdrang der Dinge Benamung.

Das war der Grund, warum es der Erfindung neuer Wörter bedurfte, als man jenen berühmten Turm von Babel baute; und man braucht sich nicht zu verwundern, wenn es dabei zu solcher Verwirrung kam, da sich eine solche Menge von Sachen darstellte, die noch keine Namen besaßen. Jeder drückte sie auf seine Weise aus; und da die Natur für gewöhnlich von einfachsten Teilen, die am wenigsten zusammengesetzt sind, ausgeht, so besteht kein Zweifel, daß die erste Sprache nur ganz einfach und ohne alle Zusammensetzung war. Wie es scheint, treffen alle diese Eigenschaften auf die hebräische Sprache besser zu, als auf jede andre. Denn die Wörter dieser Sprache haben in ihrem Ursprung nie mehr als drei Buchstaben oder zwei Silben, und es hat sogar den Anschein, daß sie in ihren Anfängen wesentlich mehr monosyllabisch war als sie heute ist. Zu Anfang sagte man z. B. *had*, anstelle des heute üblichen *ahad*. Die Grammatiker, die sich über den Ursprung der Sprache nicht genügend Gedanken gemacht haben, behaupten, die Form *had* sei eine Schwundstufe von *ahad*, dem man den Buchstaben *a* weggenommen habe; sie haben nicht darauf geachtet, daß der Buchstabe *a* nicht so sehr ein Buchstabe als ein aspirierter Laut ist, den man häufig Wörtern angefügt hat, um ihre Aussprache zu erleichtern. Aus diesem Grund heißt er auch »*littera anhelata*«. Die arabische Sprache hat diesen Laut einer Anzahl von Wörtern hinzugefügt, wo ihn das Hebräische nicht kennt; es läßt sich daraus ein Beweis für das Alter dieser Sprache herleiten, die gleichsam die Mutter der übrigen orientalischen Sprachen ist. [...] Im Gegensatz dazu haben die Chaldäer und Syrer den gleichen Laut *a* an den Wortauslaut gesetzt, um diesem größere Emphase und Gravität zu verleihen: auch dies ein Beweis dafür, daß diese Sprachen nicht so alt sind wie das Hebräische, da sich die Natur zu Beginn so einfach wie möglich ausgedrückt hat. [...]
[...] Im Hebräischen ist die Form *gar* älter als das heute gebräuchliche *agar*, von dem das lateinische »grex« [Herde] abstammt; und gleichermaßen ist *grego* älter als *aggrego*. Dieses Beispiel, dem sich eine Unzahl anderer anfügen ließe, sollte beweisen, daß der Laut *a* der Mehr-

zahl der Worte angefügt wurde, um eine Gravität der Aussprache zu erzielen, nicht aber als eigener Laut. Gleiches gilt für den Buchstaben s, der an sich nur ein Zischlaut und nicht ein selbständiger Buchstabe ist. [...] Die Römer haben diesen Buchstaben dem Wort γράφω hinzugefügt und daraus das lateinische *scribo* gemacht, und das griechische Wort γράφω wiederum stammt von dem alten Wort *haraph*, das bei den Arabern in häufigem Gebrauch steht. [...]

Wenn man all diese hinzugefügten Buchstaben betrachtet, die ja keinerlei Bestandteil des Wortkörpers darstellen, wird man daraus schließen, daß die hebräische Sprache einfacher und älter als die anderen Sprachen ist, in denen sich jene Zusätze finden. [...] Es gibt z. B. wohl nichts einfacheres im Hebräischen als das Wort *Phe*, das nur zwei Buchstaben enthält; trotzdem haben die Chaldäer daraus *Phum* und *Phona* gemacht, indem sie daran einen Nasal und das emphatische *Aleph* fügten, woraus die Griechen wiederum φωνή gemacht haben [...]. Das Chaldäische hat zuerst dem Hebräischen einen Buchstaben hinzugefügt, dann haben die Griechen und Römer dem Chaldäischen einen zweiten beigegeben. Trotzdem gibt es Wörter im Griechischen, die direkt aus dem Hebräischen, ohne den Umweg über das Chaldäische, stammen könnten, aber diese Fälle sind rar. Mit einem Wort, die hebräische Sprache ist einfacher als die arabische und chaldäische, und diese beiden wiederum sind einfacher als das Griechische und Lateinische; wenn es also wahr ist, daß Adam eine dieser Sprachen gesprochen hat, dann sicherlich das Hebräische, vorausgesetzt, daß man die ursprünglichen Buchstaben, die anfänglich jedes dieser Worte bildeten, genau von denen unterscheidet, die später an sie angefügt wurden; auf diese Weise wird man leicht auf die Ursprache stoßen. Um z. B. das Feuer oder das Licht zu bezeichnen, sagte man zu erst *ur*, dann fügte man ein *Aleph* an den Wortbeginn, um es leichter auszusprechen und so sagte man *our* [!]. Andere stellten den Nasal *n* voraus und sprachen es *nur* aus; die Griechen stellten einen Labial an den Beginn und machten so *pur* [! – eigentlich πῦρ] daraus. [...]

Die Buchstaben, deren Agglutination wir beschrieben haben [außer den im Text erwähnten *a*, *s*, *m/n* spricht Père Simon in den weggelassenen Teilen vor allem von der Rolle des Vokals *o* und des *r*], sind teilweise Elemente des Wortkörpers, vor allem in den Wörtern, deren Lautgestalt die Natur zu einem naturgemäßen Ausdruck bringen wollte. Dem Buchstaben *r* z. B. begegnet man in den Wörtern, die die Bedeutung von »zerbrechen« haben; und in diesem Sinne bedienen sich die Hebräer des Wortes *Pharao*, um den Vorgang des Zerbrechens anzuzeigen: davon wurde das alte lateinische Wort *frago* abgeleitet, aus dem man durch Beifügung des Lautes *n* durch Nasalierung *frango* gebildet hat, auch wenn die Formen *fragmen*, *fragilis* etc. daneben erhalten blieben. [...] Es ist ein Leichtes, den größten Teil der griechischen und lateinischen Wörter auf diesem Weg auf ihre Ursprünge zurückzuführen, indem man auf das Chaldäische und von dort aufs Hebräische zurückgeht. Das lateinische Wort *Fagus* z. B., welches bei den Alten die Bedeutung von »Essen« hatte, kommt vom griechischen φάγω, und sein Ursprung liegt in der hebräischen einen Silbe *Bag*, dem die Chaldäer ihr emphatisches *Aleph* hintanstellten, das als *o* ausgesprochen wurde und dem von den Griechen der Zischlaut *s* hinzugefügt wurde. Man wird bemerken, daß das *Beth* des Hebräischen auch als *v* und *f* ausgesprochen wurde, und so hieß es anstelle von *Bag* auch *Fag*, woraus man in der Folge *Fagos* und *Fagus* bildete. Es gibt eine große Anzahl andrer Buchstaben, die mit einander vertauscht werden können und die man zwangsläufig kennen muß, um die Sprachen auf ihre ursprüngliche Quelle zurückzuführen; auf diese Weise sind das griechische σύ und das lateinische *Tu* identisch, und beide sind Herleitungen vom hebräischen *Ta*; bei den Dorern lautet es *Tu*. [...]

Das Hebräische war im Urzustand verschieden von dem, worin es sich jetzt befindet. Die Wörter waren weniger zusammengesetzt, und man fand darin nirgends die Flexionen der Substantive und Verben, die man heute im Hebräischen ebenso wie in anderen Sprachen antrifft; was die Natur zuerst erfand, war ganz einfach, doch fügte die Kunst später mehrere Wörter zusammen, um den Sprachgebrauch zu erleichtern. Im Hebräischen z. B. verband man die Verba und Pronomina miteinander, und man hat durch dieses Mittel erreicht, persönliche Verhältnisse in Verben auszudrücken [...] und dieser Kunstgriff ist von den Hebräern, den Chaldäern und Arabern auf Griechen und Römer übergegangen. Mehrere barbarische Sprachen haben die alte Einfachheit beibehalten, denn sie stellen oft die Pronomina beziehungslos neben die Verben; man darf sich nicht vorstellen, daß man im Griechischen von Anfang an τύπτω sagte, sondern man begann damit, τύπτ und -γω unverbunden auszusprechen; bei ihrer Zusammenfügung machte man daraus, der Kürze halber, τύπτω. Für die zweite Person sagte man zunächst ebenfalls τύπτ und σύ separat, dann fügte man beide zu größerer Bequemlichkeit zusammen und sagte τύπτεις [...]; aber die Erfindung dieser Flexionen geht keineswegs auf die Natur zurück, sondern sie sind alle Produkte der Kunst. Die griechischen Verba auf *mi* liefern uns noch ein Beispiel jenes Kunstgriffs, denn die Silbe *mi* bedeutete einstmals »ich«; und statt zu sagen *Midid*, sagte man *Didomi* (δίδωμι), »ich gebe«, oder vielmehr: »ich gebe ich«, denn es scheint, als hätte man bei dieser Art von Verben das Pronomen der ersten Person zweimal ausgesprochen.

Außer diesen Veränderungen, die sehr alt sind und vor Entstehung des Griechischen und Lateinischen stattfanden, haben die Grammatiker weitere und neuere in die Schreibweise des Hebräischen eingeführt und außerdem mehrere Buchstaben daraus entfernt, um die Aussprache reibungsloser zu gestalten. [...] Diese Änderungen, die die jüdische Tradition in den ursprünglichen hebräischen Text der Bibel eingeführt hat, führen gelegentlich zu einiger Verwirrung, denn sie erschweren es, nachträglich die Wörter auf ihre ersten Wurzeln zurückzuführen und zu erkennen, welche Buchstaben unterdrückt wurden. Deshalb ist es nötig, auf die von mir skizzierten Regeln zurückzugreifen, um den eigentlichen Ursprung der Sprache zu finden.

[1] Gregor von Nyssa, Kirchenvater, schrieb zu Beginn des fünften Jahrhunderts seine 12 Bücher gegen Eunomius, in denen er vor allem die Spiritualität der christlichen Lehre betont und jede krud-realistische Ausdeutung von Ereignissen der Schrift verwirft. Dies gilt ebenso für die Lehre von der »Fleischwerdung« Christi – ein äußerst heißes Eisen in der Debatte der Zeit – wie für die Genesis des A. T., in deren Zusammenhang er auf die Frage nach dem Ursprung der Sprache zu sprechen kommt und rein menschlich entscheidet; vgl. S. P. N. Gregorii Episcopi Nysseni Opera. Libri contra Eunomium XII. In: Migne, Patrologiae Graecae Tom. 45. Turnholt o. J., Sp. 243-1122. Buch XII, Teil II Sp. 909-1122; hierzu vor allem Sp. 987ff.

[2] Ebd., Sp. 1002: »... dicimus quod is qui omnem creaturam e nihilo produxit, rerum est opifex et conditor quae in substantia cernuntur, non nominum quae subsistere nequeunt, quaeque in vocis sono et linguae strepitu solum consistunt; res autem secundum naturam et vim cuique inditam significativa voce aliqua nominantur, secundum usitatam in quaque gente consuetudine appellatione subjectis congruente.«

[3] Ebd., Sp. 1006: »Deus rerum opifex et conditor; non verborum nudorum; non enim illius gratia, sed nostri causa rebus sunt imposita nomina.«

[4] Lukrez, Von der Natur der Dinge. Buch V, 1028/29 (Übersetzung von Knebel).

[5] Ebd., Buch V, 1056-1058.

[6] Platon, Kratylos 438c.

[7] Zu Diodor vgl. oben die Wiedergabe in Pufendorfs Text, S. 183.

[8] Lukrez, Buch V, 1087-1090.

(Quelle: Histoire Critique du Vieux Téstament per le R. P. Richard Simon, Prestre de la Congregation de l'Oratoire. Suivant la Copie, imprimé à Paris 1680. Auszüge aus Buch I, Kap. XIV (S. 92-96, davon S. 94/95) und Kap. XV (S. 96-101.)

4. Die parallele Entwicklung der Zeichensysteme von Sprache und Schrift

Aus: William Warburton, The divine legation of Moses (1738/41)

In den endlosen Revolutionen, in denen sich alle Dinge befinden, fand diese Bildlichkeit [sc. der verschiedenen Formen des ägyptischen Hieroglyphensystems], die zuerst um der Klarheit des Ausdrucks willen erfunden, dann aber zu geheimnisvollen Zwecken verfremdet worden war, zu ihrer ursprünglichen Verwendung zurück; und in den blühenden Zeiten von Griechenland und Rom fand sie auf den dortigen Monumenten und Münzen Verwendung, als die einleuchtendste Methode, menschliche Begriffe zu vermitteln; und ein Symbol, das in Ägypten Träger tiefster Weisheit war, war hier Teil des allgemeinen Wortschatzes. Um diese verschiedenen Wechsel und Revolutionen zu erläutern, werden wir uns an die Sprache halten, die sich in all ihren weniger auffälligen Abwandlungen und Verbesserungen parallel zur Schrift entwickelte. Zu zeigen ist, wie das ursprüngliche Mittel, die vom Bedürfnis veranlaßte rohe Anstrengung, unsere Gedanken im Gespräch zu vermitteln, wie die ersten Hieroglyphenzeichen mit der Zeit dazu gelangte, als Geheimnisträger Verwendung zu finden, dann aber zu den Künsten der Rhetorik und Argumentation verbessert wurde. [. . .]

In der durch Anwendung von Symbolen verbesserten Kunst des Schreibens studierten die Ägypter, sowohl um ihr das Ansehen von Weisheit und Eleganz wie von änigmatischer Dunkelheit zu verleihen, die jeweiligen Eigenschaften von Gegenständen und ihre wechselseitigen Bezüge, um sie als Repräsentationen anderer Dinge zu verwenden; ebenso begannen in der Kunst des Sprechens die Menschen bald damit, die Arten der Mitteilung, von denen wir sprechen, mit Tropen und Figuren zu schmücken, sodaß die Nachwelt schließlich über den Ursprung aller figurativer Ausdrucksweisen in Zweifel geriet, ebenso wie es mit allen Formen hieroglyphischer Darstellung geschehen war. In Wirklichkeit verdankten die beiden Formen von Sprache und Schrift ihre Entstehung bloßer Armut und Unausgebildetheit, d. h. der Armut an Worten und der Unausgebildetheit von begrifflichem Denken. Im ersten Fall äußert sich diese Armut z. B. im Pleonasmus, im zweiten Fall in der Metapher; denn die östliche Sprache ist überreich an diesen Figuren, die ihren Stolz und ihre Schönheit ausmachen, und in ihnen zu glänzen bildet die Kunst ihrer Redner und Dichter.

1. Der Pleonasmus entsprang eindeutig der Beschränktheit einer simplen Sprache: das Hebräische, das diese Figur überreich enthält, ist die ärmste von allen gelehrten Sprachen des Ostens: »Die Hebräer (sagt Grotius) lieben die Wortfülle; deshalb drücken sie den selben Gegenstand durch viele Worte aus.«* Er gibt keinen Grund dafür an; doch [...] mir scheint er sehr natürlich zu sein: denn wenn die Aussage, die jemand macht, mit seinen Ideen nicht Schritt hält (was in einer ärmlichen Sprache oft der Fall ist), so versucht er automatisch, sich durch eine Wiederholung seines Gedankens in anderen Worten auszudrücken, vergleichbar jemand, der für seinen Körper zu wenig Raum hat und deshalb ständig seine Lage wechselt. Wir können diesen Vorgang häufig im alltäglichen Gespräch beobachten, wo die Vorstellung des Sprechers stärker ist als sein sprachlicher Ausdruck. Demzufolge ist die ärmlichste Sprache am reichsten an Wiederholungen.

2. Ebenso eindeutig entsprang die Metapher der Unausgebildetheit des begrifflichen Denkens, wie der Pleonasmus der Wortarmut. Die ersten primitiven Jahrhunderte des Menschen, unkultiviert und in Sinnlichkeit verstrickt, konnten ihre rohen Begriffe abstrakter Ideen und der reflexiven Tätigkeiten des Geistes nur durch Bilder von Gegenständen ausdrücken, die durch diese Anwendung zu Metaphern wurden. Hierin, und nicht in der Hitze poetischer Begeisterung, wie man gemeinhin annimmt, liegt der wahre Ursprung figurativer Ausdrucksweisen. Dies läßt sich gegenwärtig noch am Stil primitiver Völker in Amerika sehen, die sogar, wie die Irokesen im Nordteil des Kontinents, zu den kältesten und phlegmatischsten Temperamenten zählen, und von denen ein gelehrter Missionar sagt: »Sie bemühen sich, wie die Lakedämonier, um einen lebhaften, präzisen Ausdruck; und trotzdem ist ihr Stil figurativ und vollkommen metaphorisch.«** Ihr Phlegma konnte ihre Ausdrucksweise zwar knapp gestalten, aber ihr nicht den Gebrauch von Figuren entfremden; und die Verbindung dieser beiden Charakteristika in der Sprache der Irokesen zeigt deutlich, daß Metaphern der Notwendigkeit, nicht einer freien Wahl entspringen. [...]

Aber es bedarf nicht solcher weit hergeholten Beispiele; wenn man bloß darüber nachdenkt, was so trivial ist, daß es der Aufmerksamkeit entgeht, kann man beobachten, daß das Volk immer stark dazu neigt, in Bildern zu reden. Freilich, wenn diese Neigung mit einer gesteigerten Vorstellungskraft und ihrer Freude an der Malerei starker und

---

* Hugo Grotius, Annotationes in Vetus Testamentum. [Erstdruck 1644]. In HAB. II, 1.
** Lafitau, Mœurs des Sauvages Ameriquains comparées aux Mœurs des premiers temps. Tom. I, p. 480.

lebhafter Bilder zusammentraf und durch Übung und Nachdenken verbessert wurde, so mußte der Sprachgebrauch in kurzer Zeit alle Zierrate eines üppigen Witzes annehmen. Denn ›Witz‹ besteht im Gebrauch stark metaphorischer Bilder in ungewöhnlichen und doch zutreffenden Anspielungen, ganz wie ihn die alte ägyptische Weisheitslehre in den phantasievollen Analogien der hieroglyphischen Symbole gebrauchte.

So sehen wir, daß es immer Menschenart war, in ihrer Sprache wie ihrer Schrift, ebenso wie in der Gestaltung ihrer Kleidung und Behausung, ihre Bedürfnisse und Notwendigkeiten in Gepränge und Schmuck umzugestalten. [...]

Bisher haben wir ihre Beziehung [sc. von Sprache und Schrift] nur insoweit in Betracht gezogen, als sie in einer unabhängigen Parallele liefen; aber da sie nichts anderes als zwei verschiedene Vermittlungsformen derselben menschlichen Qualität sind, müssen sie zwangsläufig extrem großen Einfluß aufeinander besitzen. Diesen wechselseitigen Einfluß adäquat zu behandeln, würde ein eigenes Buch für sich erfordern; [...] ich will ihn im Moment nur umreißen:

1. Der Einfluß, den Sprache auf die erste Form von Schrift haben mußte – nämlich die Hieroglyphen –, ist evident. Diese Sprache war, wie beschrieben, bis zum höchsten Grade figurativ und voller materieller Bilder; als nun die Menschen erstmals daran dachten, Nachrichten von sich aufzuzeichnen, so mußte ihre Schrift automatisch eben gerade den Gegenstand abbilden, der vor ihrem geistigen Auge gemalt war, und von da aus wieder in Worten reproduziert werden. Und lange Zeit danach, als figuratives Sprechen aus freien Stücken fortgeführt wurde und mit allen Erfindungen des Witzes geschmückt war, wie unter Griechen und Römern, wurde der Genius der uralten Hieroglyphenschrift wieder neu belebt, um Emblemen und Devisen zum Ornament zu dienen; der Brauch ihrer Dichter und Redner, alle Dinge in Form imaginärer Gestalten zu personalisieren, fand Raum auf ihren Münzen, ihren Triumphbögen, ihren Altären und so fort. Alle Eigenschaften des Geistes, alle körperlichen Affekte, all die Eigenarten von Ländern, Städten, Flüssen und Bergen wurden zu Keimen lebender Wesen: denn

> »wie die schwangre Phantasie Gebilde
> Von unbekannten Dingen ausgebiert,
> Gestaltet sie des Dichters Kiel, benennt
> Das luft'ge Nichts und gibt ihm festen Wohnsitz.«*

---

* Shakespeare [sc. Ein Sommernachtstraum V, 1 V. 14-17 (Übersetzung Schlegel/Tieck). V. 15 hat bei Warburton statt »poet's pen« die Lesart »artist's hand«.]

2. Der reziproke Einfluß, den die Hieroglyphenschrift auf die Sprache haben mußte, ist ebenso evident. Die Chinesen verwendeten [...] diese Art von Schrift ebenso wie die Ägypter; und die Charakterisierung, die man von ihrer Sprache gegeben hat, stimmt mit jener voll überein: »Der Stil in den Dichtungen der Chinesen (sagt Du Halde) ist geheimnisvoll, konzis, allegorisch und gelegentlich dunkel. Sie sagen viel in wenigen Worten. Ihre Ausdrücke sind lebhaft, beseelt, dicht besät mit kühnen Vergleichen und edlen Metaphern.«[*] Wir sehen, ihr Stil war konzis und figurativ, exakt wie der Charakter der Irokesensprache [...], von dem zuvor die Rede war; denn die Natur ist sich immer gleich. Das kalte phlegmatische Temperament der Chinesen ließ ihren Stil knapp und lakonisch geraten, und gestaltete ihren Gebrauch der Hieroglyphen figurativ; doch hätten diese beiden so weit voneinander entfernter Völker des Ostens und Westens die warme Einbildungskraft der eigentlichen Asiaten besessen, dann wären ihre Sprachen [...] überreich an Pleonasmen – statt an Lakonismen gewesen. Der alte, so bilderreiche asiatische Stil scheint gleichermaßen, nach dem, was wir davon an Resten in der Prophetensprache der biblischen Schriftsteller finden, offenkundig nach der Art der alten Hieroglyphen gebildet worden zu sein. Denn wie in der Hieroglyphenschrift Sonne, Mond und Sterne verwendet wurden, um Staaten und Reiche, Könige und Königinnen und Edle zu repräsentieren, ihre Verfinsterungen und ihr Erlöschen, zeitweilige Mißgeschicke oder den völligen Sturz dieser Personen darstellten; Feuers- und Wassersnot die Verwüstung durch Krieg und Hungersnot ausdrückten, Pflanzen und Tiere die Eigenschaften bestimmter Personen bedeuteten, auf eben die gleiche Weise nannten die heiligen Propheten Könige und Reiche mit den Namen der himmlischen Lichtträger; ihr Unglück und ihr Sturz werden repräsentiert durch Eklipsen und Erlöschen der Gestirne; das Bild vom Himmel fallender Sterne dient zur Bezeichnung der Ausrottung der Adligen; Donner und Sturmwinde bedeuten feindliche Invasionen, und Löwen, Bären, Leoparden, Ziegen oder hohe Bäume sind Heerführer, Eroberer und Begründer von Reichen. Die Königswürde wird durch den Purpur, oder eine Krone angezeigt; Ungerechtigkeit durch Befleckung der Kleidung; Irrtum und Elend durch berauschendes Getränk; ein Krieger wird repräsentiert durch Schwert oder Bogen, ein mächtiger Mann durch eine Darstellung als Gigant und ein Richter durch Waage, Gewichte und Maße: in einem Wort, der prophetische Stil scheint aus tönenden Hieroglyphen zu bestehen. Diese Beobachtungen werden uns nicht bloß zum Studium des Alten wie des Neuen Testaments hilfreich sein, sondern sie vindizieren auch deren Charakter gegenüber den kenntnislosen Kritteleien

[*] Description de l'Empire de la Chine.   Paris 1735, Tom. II, p. 227.

moderner Freigeister, die diesen Charakter närrischerweise für die spezifische Signatur einer überhitzten Prophetenphantasie gehalten haben, statt darin die nüchtern etablierte Sprache dieser Zeiten zu erkennen [...].

(Quelle: William Warburton, The divine legation of Moses demonstrated, on the principles of a religious deist. Vol. II, Book IV, Section IV: The high Antiquity of Egypt proved from their Hieroglyphics ... In this Inquiry is contained the History of the various Modes of Information by Speech and Writing. London ²1742, S. 143-144, 147-149, 151-154.)

5. Die Erfindung der Buchstabenschrift

Aus: Johann Georg Wachter, Naturae et Scripturae Concordia (1752)

Zunächst war die Schrift ein sprechendes <u>Bild</u> gewesen und hatte die Dinge selbst, sei es in eigentlichen Abbildungen [»kyriologische« Schrift nennt sie Wachter, vom griechischen Wort κύριος (eigen)] oder auf symbolische Weise, repräsentiert. [...] Und zunächst hatte die <u>symbolische Schreibweise</u> unumschränkt Anklang gefunden, weil sie geschickt erdacht war und mehr Begriffe des Geistes auszudrücken vermochte, als die kyriologische Schrift [da es zu wenig natürliche Gegenstände gab, welche diese unkompliziert hatte wiedergeben können]. Da aber diese symbolischen Bildzeichen mehrere und häufig konträre Ausdeutungen zuließen, war es schwierig, ja unmöglich, eine bestimmte, genau umschriebene geistige Vorstellung durch Schrift wiederzugeben bzw. die Symbole durch ein genaues und beständiges Gesetz von ihrer natürlichen Vieldeutigkeit und Dunkelheit zu befreien. [...]

Angesichts dieser Beschaffenheit der Symbolschrift war es für das Menschengeschlecht zweifellos nicht bloß nützlich, sondern notwendig, eine andere Methode der Schrift zu erfinden, um die Äußerungen des Geistes präzise wiederzugeben; d. h. sie sollte nicht länger ein sprechendes Bild [»pictura loquens«], sondern ein stummer Laut [»vox muta«] sein; <u>ihr Bezug zu den Dingen durfte nicht in einer unbestimmten Ähnlichkeit von Gegenstand und Abbildung liegen, sondern mußte durch bestimmte stumme Zeichen erfolgen, die den Lauten und Namen für die Gegenstände willkürlich beigegeben werden sollten</u> [»tacita quaedam signa, sonis & nominibus rerum pro lubitu imposita«]; und der Anblick dieser Zeichen sollte den Geist, mittels einer Übereinkunft, in die Lage versetzen, sie selbst zu identi-

208 Bild – symbol. Sprache –
abstrakte Sprache, die auf
Konvention beruht

fizieren, ihren Bedeutungswert zu erfassen und die zugrundeliegende Äußerung des Schreibenden zu verstehen [»quibus conspectis, mens tam ipsa ipsorumque significandi valorem, quam subjectam scribentis sententiam, ex pacto cognosceret«]. Und wenn es auch zur adäquaten Lösung dieser Aufgabe zahlloser Zeichen bedurfte, zu deren Speicherung das menschliche Gedächtnis nicht ausreichend schien, erwies sich dieses Problem nicht als Hindernis; eine neue Methode der Schrift wurde erfolgreich eingeführt, und es schien viel nützlicher, eine Schrift mit einer endlosen Anzahl von Zeichen zu verwenden, als gar keine.

So machte man sich nach Kräften auf; man bestimmte den einzelnen Wörtern jeweils ein kennzeichnendes Schriftzeichen [1], und schließlich erreichte man durch immensen Fleiß und eine tagtägliche Tortur des Gedächtnisses, daß jene Charaktere, obwohl sie keinerlei Gleichartigkeit mit den Gegenständen selbst noch deren sprachlichen Zeichen besaßen, von denen gelesen und verstanden werden konnten, die sich diese Disziplin angeeignet hatten.

Wie ich diese Schreibart nennen soll, weiß ich nicht. Daß sie aus didaktischen Gründen die »charakteristische« Schrift zu nennen ist, wird einsichtigen Kennern dieser Dinge leicht zu vermitteln sein, soweit sie sich nicht an der Dürftigkeit dieser Bezeichnung stoßen; denn worauf es hier ankommt, ist, daß jene Charaktere nicht mit den Buchstaben im eigentlichen Sinn verwechselt werden. Denn zwischen den charakteristischen Schriftzeichen und den Buchstaben liegt jener unaufhebbare Unterschied, daß durch erstere ganze Wörter, durch letztere aber bloß Teile von Wörtern dargestellt werden. Aus genau diesem Grund ist man zur Annahme verpflichtet, daß die charakteristische Schrift, welche die natürlichen Elemente der menschlichen Lautäußerung noch nicht unterscheidet, naturgemäß älter ist als die andere Methode, die mit Buchstaben operiert; denn ihre Erfindung mußte leichter fallen [sc. als die der Buchstabenschrift] und ihre Roheit bezeugt, daß sie zur Vervollkommnung der Schrift noch nicht gelangt ist. [...]

Auf welche Weise die Buchstaben erfunden wurden oder erfunden werden konnten.

Weit mehr [sc. als die Erfinder der charakteristischen Schrift, die wegen ihrer Impraktikabilität auf China und Japan beschränkt geblieben ist] haben sich diejenigen um die Menschheit und um unsere Gottes- und Weisheitserkenntnis verdient gemacht, denen es gelang, die Laute der menschlichen Stimme mit Hilfe weniger Zeichen zu erfassen. Auch wenn es einem Wunder gleichkommt, so wurde dieses Wagnis

doch vom menschlichen Geist unternommen und glücklich zu Ende
geführt. [...] Vor der Erfindung der Buchstabenschrift, als sich noch
niemand um die Erklärung der artikulierten Stimmlaute bemüht hatte,
beherrschte alle die Ansicht, die Laute, die der menschliche Mund
hervorbringt, seien einfach wie die Töne in der Musik, und zahllos
abwandelbar, sodaß es unmöglich sei, sie auf eine bestimmte Anzahl
festzulegen. Aber sobald man begann, das Vorgehen der Natur bei der
Spracherzeugung und die Teile des menschlichen Mundes – Gaumen,
Zunge, Lippen, Kehle, Zähne und Nasenhöhlen –, deren sie sich als
Instrumente bedient, genauer zu betrachten, enthüllte sich sofort folgender Sachverhalt: es gibt keine einfachen Laute, die der menschliche
Mund hervorbringt, außer denen, die mit geöffnetem Mund und dabei
entweder vergrößerter oder verringerter Wölbung seiner Höhle erzeugt werden; die restlichen Laute werden von den übrigen Instru-
menten hervorgebracht und auf verschiedene Weise gebildet, sei es
nun durch Zusammenpressen der Lippen, durch Berührung des Gau-
mens, durch eine rasche Bewegung der Zunge, durch ein Zischen
durch die Zähne oder durch ein Pressen des Luftstroms durch die
Kehle oder die Nasenhöhlen. Mittels dieser Arten von Tönen, die teils
isoliert für sich, teils in Verbindung miteinander zur Lauterzeugung
dienen, werden die gesamten stimmlichen Äußerungen der Sprachen
zusammengefügt; und keine der beiden Arten [sc. der einfachen (Vokale) und der kombinierten Laute (Konsonanten)] ist zahlenmäßig
unendlich, sondern durch die Natur auf eine kleine Anzahl beschränkt, und um sie durch Schrift zu repräsentieren, bedarf es nicht
einer endlosen Zahl von Zeichen, sondern es genügen zu diesem
Zweck einige wenige. [...]

Somit glaube ich, daß sich von hier aus bereits ein Ansatzpunkt eröffnet, nach welcher Methode jene Elemente der Schrift, die man gemeinhin »Buchstaben« nennt, erfunden wurden bzw. erfunden werden konnten. [...] Welche Darstellungsformen der erste Erfinder der
Buchstaben zur Bezeichnung der Vokale und Konsonanten verwenden konnte, wollte oder gar mußte, ist eine schwierige Frage, die
vielleicht niemals behandelt worden ist; denn es herrscht allgemein die
Ansicht, daß zu ihrer Festlegung alle beliebigen Formen gleich geeig-
net waren und daß diese unerforschbar seien, da sie vom bloßen Belieben ihres Erfinders abhängig waren. In Wahrheit aber verbirgt sich in
diesen Darstellungsformen eine großartige künstliche Erfindung, und
ohne sie hätte, wie mir wenigstens scheint, die Aufgabe der Erfindung
der Buchstabenschrift niemals bewältigt werden können; deshalb erscheint es mir der Mühe wert, ihre wahre und ursprüngliche Beschaffenheit, die seit sovielen Jahrhunderten unbekannt gewesen ist, wenn
irgend möglich, ans Licht zu bringen.

Die Ursache dafür, warum die ursprünglichen Buchstaben eher durch dieses als durch ein anderes Zeichen dargestellt wurden, scheint mir nicht im Belieben ihres Erfinders zu liegen, sondern sie muß vielmehr in der Natur des Sprechens selbst aufgesucht werden. Denn wie im Ton, gibt es auch in der Form des Tones ein natürliches Element, das jenem großen Zergliederer der Natur, der der Urvater der Buchstabenschrift war, nicht entgehen konnte. Dieselbe Natur, die ihm die Unterscheidung von Vokalen und Konsonanten und deren verschiedene Arten lieferte, mußte ihm gleichzeitig sofort auch deren Gestaltung zeigen, auf wieviel verschiedene Arten und mit Hilfe welcher Instrumente die einzelnen Laute vom menschlichen Mund erzeugt werden. Zur Ausbildung der ursprünglichen Buchstaben bedurfte es folglich keiner künstlichen Erfindung, sondern bloß der Nachahmung, denn die Natur hatte sie ja bereits in den Tönen vorgeformt. Und es läßt sich keine Begründung dafür denken, warum ein so großer Philosoph die Natur des Sprechens, in welcher er alle Formen der Buchstaben vorfinden konnte, außer acht lassen und die Elemente der Schrift anderswoher nehmen sollte, da er sie doch von der Formung der Laute durch die Mundwerkzeuge übernehmen konnte. Ist es nicht wahrscheinlicher, daß er vor allen möglichen Formen diejenigen auswählen wollte, deren Institution die größte Ähnlichkeit mit der Natur besitzt, den redenden Menschen ganz eigen ist und sich vom Schöpfer der Natur selbst herleitet?

Zu dieser Überzeugung müssen uns viele Gründe leiten. Denn die natürlichen Formen boten sich ihm bei seiner Suche gleich zu Anfang von selbst an: denn sie waren ja von der Natur, die beim Sprechen jedem Lautelement gleich seine passende Form zugewiesen hat, vorgebildet und damit den einzelnen Sprechelementen bereits inhärent. Und diese Formen waren nicht bloß von der Natur vorgebildet, sondern auch für die Schreibenden sowohl leicht nachzuzeichnen wie im Gedächtnis zu behalten. Denn jedermann fühlt diese Formen in sich selbst, in seinem Mund, und gleich wenn er ihr Bild erblickt, hat er schon verstanden, auf welche Weise sie auszusprechen sind. Ich wage sogar folgende Behauptung: der ursprüngliche Erfinder der Buchstabenschrift, wer auch immer er gewesen und wie sehr er mit Erfindungskraft begabt gewesen sein mag, konnte keine anderen Zeichen als die natürlichen gebrauchen, um sich selbst zu belehren, bevor er andere unterrichtete, auch wenn er dies vielleicht gewollt hätte [»imo etiam hoc ausim dicere, quod primus inventor, quisquis fuerit, & quantovis ingenio praeditus, aliis quam naturalibus signis, ad se ipsum docendum, priusquam alios doceret, uti non potuerit, etiamsi forte voluisset«]. Denn noch war keinerlei Grammatik erfunden worden, derer er sich als Leitlinie hätte bedienen können. Und bei jener Menge und Vielgestalt der ursprünglichen Laute konnte er nicht gleichzeitig alle im Gedächtnis festhalten oder durch willkürliche Zeichen voneinander unterscheiden: sondern er benötigte mnemotechnische Zeichen [»signa mnemoneutica«], welche seinem Gedächtnis zu Hilfe kommen sollten, damit er nicht unter seiner Aufgabe erliege; denn sonst hätte er in seiner Kunst keine Fortschritte gemacht, auch wenn er hundert Jahre über dieser Beschäftigung seinen Schweiß vergossen hätte. Diesen mnemotechnischen Charakter konnten sie aber nur erhalten und damit sein Gedächtnis unterstützen, wenn sie gleichzeitig seinen Sprachwerkzeugen ganz ähnlich waren. Denn die Erinnerung basiert auf der Evokation von gleichgearteten Gegenständen.

Man füge hinzu, daß fast in allen Sprachen, auch in den ältesten, und niemals häufiger als in den Alphabeten der Ägypter und Griechen, bis auf den heutigen Tag zahlreiche Spuren der ursprünglichen Schrift überleben; dadurch daß sie die Formen des Mundes, der Lippen, der Zähne, der Zunge, der Nasenhöhlen und der Kehle erkennbar nachahmen, machen sie durch ihre Formgebung hinreichend deutlich, daß sie nicht in blinder Wahl oder auf willkürliche Weise, sondern in Befolgung einer bestimmten Norm kunstvoll ersonnen wurden. . . .

[Wachter erläutert nun seine Vorstellungen von der Entstehung der einzelnen Laute dieses »natürlichen Alphabets«, dessen Kategorien folgende sind: Vokale, Gutturale, Linguale, Dentale, Labiale und Nasale. Dann faßt er sie in einer Tabelle zusammen.]

Genus.	Figura.	Potest.	Genus.	Figura.	Potest.
Vocal.	O	A.E.I. O.V.	Dental.	⊓	S.
Guttur.	♀	K.C.CH Q.G.H.	Labial.	3	B. P.
Lingual.	<	L.	Labial.	⌒	M.
Lingual.	≥	D. T.	Labial.	⊢	F. PH.V W
Lingual.	⌐	R.	Nasal.	Λ	N.

Diese Formen der Buchstaben übersteigen nicht einmal die Anzahl der Finger, denn mehr liefert uns die Natur bei sorgfältiger Beobachtung nicht; und trotzdem reichen sie aus, um alle Wörter aus allen Sprachen niederzuschreiben. Denn die Schriftzeichen, die hier zu fehlen scheinen, sind zusammengesetzte Buchstaben und benötigen also keine neuen Formen.

Mit Hilfe [dieses natürlichen Alphabets] sind wir nunmehr imstande, uns vom Ursprung der Buchstaben, also den Elementen des menschlichen Wissens, die zuvor beinahe magische oder tyrannische Zeichen gewesen waren, für alle verbindlich, und doch niemand verständlich, Rechenschaft zu geben, und danach hatte man in den vergangenen Jahrhunderten geforscht, ohne ihre Begründung zu finden. Es ist unausweichlich, daß diese Entdeckung den verfeinerten Wissenschaften neuen Glanz und dem Studium des ältesten Schrifttums neues Licht verschaffen wird. Denn in ihr liegt die wahre Grammatik der Gelehrten, da sie vor jeder Grammatik erfunden wurde. Sie zu erläutern ist die wahre Paläographie. Denn was ist älter als die Natur?

(Quelle: J. G. Wachter, Naturae et Scripturae Concordia. Lipsiae et Hafn., [Leipzig und Kopenhagen], 1752. Ausschnitte aus Teil I: De antiquissimis scribendi modis ante literas inventas, 41-44; und Teil II: De inventione scripturae per literas, seu notas, cum ratione assumptas, 47-53, 64 und 69. Der Druck selbst ist unpaginiert, gibt aber abschnittweise Zahlenangaben am Rand an; diesen folgen die obigen Angaben.)

6. Die Kontinuität der Sprachentwicklung

Aus: Moses Mendelssohn, Sendschreiben an den Herrn Magister Lessing in Leipzig (1756)

Je gröber unsere Sinne sind und je eingeschränkter unser Verstand ist, desto unthätiger ist unser Geist, und desto weniger Abwechslung müssen wir in unsern Ergötzlichkeiten haben. Wir würden uns vor langer Weile den Tod wünschen, wenn wir keine andere Beschäftigung hätten, als in einem Sumpfe zu plätschern, oder in eine schlechte Flöte zu blasen, ohne einen Ton herausbringen zu können. Es ist uns alles zu sehr einerlei in der Lebensart eines Thiers; wir sind wirksamer, wir wollen Mannigfaltigkeit in unsern Gedanken, Mannigfaltigkeit in allen unsern Verrichtungen haben. Ein Wilder hingegen muss seine Lebensgeister allzu sehr anstrengen, seine Kräfte allzu sehr ermüden, wenn er sich nach unserer Lebensart bequemen will. Er sucht daher einen geringen Grad der Abwechslung, der sich für seine eingeschränkte Fähigkeit schickt, und alle unsere Bemühung, einen Wilden zu unserer Lebensart zu gewöhnen, muss fruchtlos sein, wenn wir nicht eine Reihe von Vätern und Kindern allmählich die Stufe hinaufsteigen lassen, die wir in so vielen Jahrhunderten durchreist sind. [...]

[Nach diesen und ähnlichen Bemerkungen zu Rousseaus ›Discours sur l'origine de l'inegalité des hommes‹, in denen er die absolute Scheidung zwischen dem Menschen des Naturzustandes und dem vergesellschafteten Menschen bei Rousseau kritisierte, geht Mendelssohn daran, speziell dessen Exkurs über die Sprache zu analysieren.]

Ein jeder, der auf seine eigenen Empfindungen Acht hat, wird bemerken, daß er nie einen Begriff haben könne, ohne natürlicher weise auf einen andern Begriff zu fallen, der mit diesem am meisten verknüpft ist. [...] Diese Übergänge von einem Begriffe auf den andern müssen auch bei einem Wilden stattfinden, denn wir treffen auch bei den Thieren die deutlichsten Spuren davon an. Aber er wird die Reihe nicht sehr lange fortsetzen können, er wird bei dem zweiten oder dritten Schritte von den Gegenständen aufgehalten oder gar zurückgezogen werden. Um eine solche Kette aneinanderhängender Begriffe verfolgen zu können, wird ein Grad der Aufmerksamkeit erfordert, den man bei keinem Wilden voraussetzen kann.

Gesetzt nun, die natürlichen Menschen hätten sich ein wenig umgesehen, sie hätten in ihren Wäldern Schafe blöken, Hunde bellen, Vögel singen und das Meer brausen gehört; sie hätten dieses so oft gehört und die Gegenstände zugleich gesehen, dass die sichtbaren Bilder mit den Tönen in ihrer Seele eine Art von Verbindung erlangt hätten, so werden sie niemals ein Schaf hinter sich blöken hören, ohne sich das Bild dieses Thieres in der Einbildungskraft vorzustellen. Sie werden auch das Schaf niemals sehen können, ohne den Ton einigermassen zu empfinden, der sich in ihrer Seele mit diesem Bilde vereinigt hat. Wenn es also einem Wilden einfiele, diesen Ton nachzuahmen (wozu die Thiere selbst nicht selten Lust bekommen, so wird ein andrer Wilder, der diesen nachgeahmten Ton von ungefähr hörte, sich das Bild vorstellen, das er mit diesem Tone zu verknüpfen gewohnt ist. Dieses ist der Ursprung der nachahmenden Töne. Setzt man gewisse natürliche Laute hinzu, dadurch ein jedes Thier gewisse Gemüthsbewegungen auszudrücken pflegt, so haben wir den ersten Grundriss der Sprache, der noch erstaunlich weit von der Sprache entfernt ist, wodurch wir in dem gesellschaftlichen Leben unsere Gedanken auszudrücken pflegen.

Wir wollen dieser ersten Anlage zu einer Sprache Jahrhunderte schenken, ehe sie sich hat festsetzen und gewissermassen ausbreiten können. Man mag in einem Jahr nicht mehr gelernt haben, als einen einzigen Laut mehr nachzuahmen. Die Menschen, welche nach ROUS= SEAU [...] genöthigt wurden, näher zusammen zu kommen, mögen diese künstliche Nachahmungen von ihren grössten Genies durch die Länge der Zeit gelernt und einer dem andern mitgetheilt haben. Wir können der Jahre so viel annehmen, als nöthig ist, genug man hat gesehen, dass zu diesem ersten Schritte keine ausgebildete Vernunft, keine göttliche Eingebung, sondern nichts, als eine Einbildungskraft und ein Vermögen sich vollkommener zu machen, erfordert wird. [...] Wir haben noch den Uebergang von diesen bloss nachahmenden auf willkürliche Töne begreiflich zu machen. Wir müssen erklären, wie die Menschen, die vor der Erfindung der Sprachen weder Logik noch Sprachkunst haben konnten, sich haben können einfallen lassen, die Gegenstände durch solche Töne anzudeuten, die mit den Gegenständen selbst gar nichts gemein haben. Ich werde mich abermals auf nichts anderes, als auf die Gesetze der Einbildungskraft zu beziehen haben. Das wirkliche oder nachgeahmte Blöken der Schafe rief nicht allein das Bild dieser Thiere in unser Gedächtniss zurück, sondern man dachte zugleich an die Wiese, darauf diese Schafe geweidet hatten, und an die Blumen, mit welchen diese Wiese häufig geschmückt war. Die erste Anlage der Sprache wird die Menschen vermuthlich in den Stand gesetzt haben, einer etwas längern Reihe von Einbildungen nachzuhängen. Man ist also gewöhnt worden, durch den nachahmenden Laut nicht nur das Thier, sondern die Wiese, die Blumen u. s. w. anzudeuten. Man brauchte alsdann nur die mittlern Glieder, die Schafe und die Wiese, wegzulassen, um bei Anhörung eines ursprünglich nachahmenden Tones an die Blumen zu denken, in Ansehung derer dieser Laut ein bloss willkürliches Zeichen genannt werden kann.

Ich will mich abermals bei der Länge der Zeit nicht aufhalten, die da hat verstreichen können, bevor dieses Spielwerk zu einer Sprache angewachsen ist. Man sieht wenigstens, dass alles natürlich hat zugehen können, und dass wir nicht nöthig haben, das höchste Wesen mit einer Erfindung zu belästigen, die uns nach Rousseau's Meinung so schädlich gewesen ist.

Auch ist es falsch, wenn Rousseau sagt, man hätte anfangs einem jeden einzelnen Gegenstande einen besondern Namen gegeben, und wenn dieser Baum z. B. *A* genannt ward, so hätte man den andern schon *B* nennen müssen. [1] Diese Art, die Gegenstände zu benennen, scheint mir für Wilde allzu methodisch. Ich bilde mir ein, man hat z. B. einen Vogel auf einem Baume singen hören, und hat diesen Ton angenommen, den Baum dadurch selbst anzudeuten, weil man vielleicht geglaubt haben mag, der Baum selbst habe diese Töne formirt. Nun haben sie unmöglich Scharfsinnigkeit genug besessen, zwei Bäume auf einmal zu betrachten und sie voneinander zu unterscheiden [...]; sondern wenn sie diesen Baum verlassen und sich einem andern genähert hatten, so dachten sie an keinen Unterschied der Oerter und der Umstände, und hielten diesen Baum mit dem vorigen für einerlei. Sie werden also vermuthlich auch von diesem Baume die Töne erwartet haben, die sie unter dem vorigen vernommen hatten, weil sie es gar nicht merkten, dass dieses ein anderer Baum, und nicht der vorige sei, und folglich ihn durch eben denselben Ton angedeutet haben.

Und überhaupt alle Gegenstände von einerlei Art, die ihnen nach und nach unter die Augen gekommen sind, wurden von ihnen mit eben demselben Namen belegt, nicht weil sie ihre Aehnlichkeit einsahen, sondern weil sie ihren Unterschied nicht bemerken konnten, weil sie auf die Verschiedenheit der Oerter und der Umstände nicht Acht hatten, und daher alle die Gegenstände, die fast einerlei Eindruck auf ihre Sinne machten, für einen und eben denselben Gegenstand ansehen mussten. Stellten sich ihnen viele von einerlei Art auf einmal dar, so war ihnen dieses eine ganz neue Erscheinung. Es wird Ueberlegung dazu erfordert, wenn wir von einer Heerde sagen wollen, sie sei eine

Versammlung von Thieren. Wir müssen erst jedes einzeln betrachtet haben, und dann wiederum zum Ganzen referiren, wenn wir davon überzeugt sein wollen. Einem Wilden hingegen mussten sich viele Schafe unter einem andern Bilde vorgestellt haben, als ein einziges, und er wird ihnen zusammen auch einen ganz andern Namen beilegen.

Indem man also einem jeden sinnlichen Eindrucke, den viele einzelne Dinge mit einander gemein haben, eine Benennung gab, so entstanden die Hauptwörter. Nachdem man aber die Örter und Umstände besser zu unterscheiden anfing, ward man auch gewisser Individualunterschiede inne, dadurch sich jedes einzelne Ding von allen andern seiner Art unterscheidet. Damals erfuhr man erst, dass die Eindrücke, die man zu verschiedenen Zeiten und an verschiedenen Örtern gehabt hat, nicht von eben demselben, sondern von einem ähnlichen Gegenstande herrührten. Man widmete einem jeden Individualunterschiede einen besondern Ton, und solchergestalt entstanden die Beiwörter. Ich überlasse es einem jeden, der Gelegenheit und Musse dazu hat, alle diese Vermuthungen auch in Ansehung der Zeitwörter auszuführen. Besonders könnte ihm die dritte Art von Verbindung zwischen unsern Begriffen, die Verbindung der Wirkungen mit den Ursachen, den Grund dazu legen.

Man trifft in allen Sprachen noch die deutlichsten Merkmale an, dass sie anfangs aus lauter nachahmenden Tönen bestanden haben. Die nachdrücklichen Wörter, deren sich die Dichter mit Nutzen zu bedienen wissen, unterscheiden sich alle durch einen gewissen nachahmenden Klang, dadurch sie die Gegenstände überaus sinnlich bezeichnen. Man trifft in allen Sprachen eine ziemliche Anzahl von solchen Wörtern an. Indessen hat DUBOS gezeigt, dass sie in den Stammsprachen weit häufiger zu finden sind, als in den abgeleiteten Sprachen, in welchen sie immer, durch die hinzukommende Kunst, einen Theil ihres Nachdrucks verlieren. Man sehe seine vortreffliche Vergleichung zwischen der lateinischen und französischen Dichtkunst, die aus diesem Grunde zum besten der erstern hat ausfallen müssen, weil sie als eine weniger abgeleitete Sprache eine grössere Anzahl von sinnlichen Wörtern aufzuweisen hat. [2]

[1] Vgl. Rousseau, Discours sur l'origine de l'inégalité, (39) S. 54.
[2] Vgl. Réflexions critiques sur la poesie et sur la peinture. Paris 1719.
Vgl. Quatrième éd., Paris 1740, Teil I, Sekt. XXXV, S. 301 f.

(Quelle: Moses Mendelssohn, Sendschreiben an den Herrn Magister Lessing in Leipzig. [Mit einem] Nachtrag. [Nachwort zu Mendelssohns Übersetzung von Rousseaus 'Discours sur l'origine de l'inégalité, 1756.] Abgedr. in: M. M., Schriften zur Philosophie, Ästhetik und Apologetik. Hg. von Moritz Brasch. Reprogr. Nachdruck der Ausgabe Leipzig 1880, Hildesheim 1968, Bd. II, S. 319-348; davon S. 342-348.)

7. Der Ursprung der Sprache aus den Leidenschaften

Aus: Jean-Jacques Rousseau, Essai sur l'origine des langues, où il est parlé de la mélodie et de l'imitation musicale. (Erstdruck 1781)

Kapitel II: Die Erfindung des ersten Wortes resultiert nicht aus den Bedürfnissen, sondern den Leidenschaften.

Man muß also glauben, daß die Bedürfnisse die ersten Gesten [sc.: den Menschen] diktierten, und daß die Leidenschaften ihnen die ersten Lautäußerungen abnötigten. Folgt man auf der Basis dieser Unterscheidungen der Spur der Fakten, so müßte man hinsichtlich des Ursprungs der Sprachen vielleicht ein ganz anderes Denkschema entwerfen, als man bisher getan hat. Das Genie der orientalischen Sprachen, der ältesten, die uns bekannt sind, widerspricht absolut dem didaktischen Gang, den man sich für ihre Zusammensetzung vorgestellt hat. Diese Sprachen haben nichts Methodisches und Vernunftmäßiges; sie sind lebendig und figurativ. Man hat uns aus der Sprache der ersten Menschen die Sprachen von Geometern gemacht; und wir sehen, daß es Sprachen von Dichtern waren.

Dies mußte so sein. Am Anfang stand nicht die Ausübung der Vernunft, sondern die Regung des Gefühls. Man gibt vor, daß die Menschen das Wort erfanden, um ihre Bedürfnisse auszudrücken; diese Meinung erscheint mir unhaltbar. Die natürliche Auswirkung der ersten Bedürfnisse war, die Menschen auseinanderzutreiben und nicht, sie einander anzunähern. Dies war so nötig, um die Gattung auszubreiten und für eine Bevölkerung der Erde zu sorgen; ohne dies wäre das Menschengeschlecht in einem Winkel der Erde zusammengepfercht und alles übrige unbewohnt geblieben.

Daraus allein folgt evidentermaßen, daß der Ursprung der Sprachen keineswegs auf die ersten Bedürfnisse des Menschen zurückzuführen ist, und es wäre absurd, wenn die Ursache, die sie auseinandertreibt, zum Mittel würde, sie zu verbinden. Woher kann nun dieser Ursprung kommen? von den moralischen Bedürfnissen, den Leidenschaften. Alle Leidenschaften führen die Menschen zusammen, welche die Notwendigkeit, sich einen Lebensunterhalt zu suchen, zwingt, einander zu fliehen. Es sind weder Hunger, noch Durst, sondern Liebe, Haß, Mitleid, Zorn, die ihnen die ersten Lautäußerungen abgerungen haben. Die Früchte entziehen sich unsern Händen nicht, man kann sich von ihnen stillschweigend nähren, man verfolgt lautlos die Beute, die zur Nahrung dienen soll; aber um ein junges Herz zu rühren, um einen frechen Angreifer abzuwehren, diktiert die Natur Akzente, Schreie, Klagen: das sind die ältesten erfundenen Worte, und deshalb waren die ersten Sprachen melodisch und leidenschaftlich, bevor sie einfach und methodisch waren. [...]

Kapitel III: Die erste Sprache mußte figurativ sein.

Wie die ersten Anstöße, die den Menschen zum Reden brachten, die Leidenschaften waren, waren seine ersten Ausdrücke Tropen. Die figurative Sprache war die Erstgeborene, der eigentliche Sinn wurde erst am Schluß gefunden. Man nannte die Dinge bei ihrem wahren Namen erst, als man sie unter ihrer wahren Form sah. Zunächst sprach man davon nur in poetischer Form; auf vernunftmäßige Betrachtung verfiel man erst sehr lang danach.

Ich merke wohl, daß mir der Leser hier ins Wort fällt und mich frägt, wie ein Ausdruck figurativ sein kann, bevor er einen eigentlichen Sinn hat, da ein Tropus nichts anderes darstellt als eine Übertragung eines Sinnes. Ich stimme dem zu; aber um mich zu verstehen, muß man die Idee, die uns die Leidenschaft vorstellt, dem Wort, das wir übertragen, substituieren; denn man überträgt Worte nur, weil man auch Ideen überträgt darstellt; andernfalls würde die figurative Sprache nichts bedeuten. Ich antworte also mit Hilfe eines Beispiels.

Ein Wilder, der anderen begegnet, wird zunächst erschrecken. Sein Entsetzen wird ihm diese Menschen größer und stärker darstellen, als er selbst ist; er wird ihnen den Namen von *Giganten* geben. Nach vielen Erfahrungen wird er erkennen, daß diese vorgeblichen Giganten, die weder größer noch stärker sind als er selbst, in ihrem Aussehen keineswegs mit der Idee übereinstimmen, die er zunächst mit dem Wort *Giganten* verbunden hatte. Er wird deshalb eine andere Bezeichnung erfinden, die für ihn wie für diese gemeinsam gilt, wie etwa die Bezeichnung *Mensch*; und er wird die von *Gigant* dem falschen Gegenstand überlassen, als der er ihn im Zustand seiner Illusion betroffen hatte. Auf diese Weise entsteht ein figurativer Begriff vor der Entstehung des Wortes im eigentlichen Sinne, da die Leidenschaft unsre Augen bezaubert und die erste Idee, die jene uns darbietet, mit der Wahrheit des Gegenstandes nicht übereinstimmt. Was ich von den Wörtern und Namen sagte, gilt mühelos für Satzumfänge. Dem illusorischen Bild, das von Leidenschaft erzeugt wurde und das sich als erstes darstellte, antwortete die Erfindung eines sprachlichen Ausdrucks; dieser nahm erst später metaphorischen Charakter an, sobald der aufgeklärte Geist, der seinen anfänglichen Irrtum erkannt hatte, diese Ausdrücke nur noch anwandte, wenn ihn die selben Leidenschaften befielen, welche diese erste figurative Sprache hervorgebracht hatten.

(Quelle: Œuvres complettes de J. J. Rousseau, Citoyen de Genève. Nouvelle Edition. Tome Seizième. Paris 1793, S. 201-312; der in Übersetzung abgedruckte Text S. 213-216)

8. Auch das »göttliche Wort« besteht aus rein menschlicher Sprache.

Aus: J. G. Herder, De spiritu sancto auctore salutis humanae. Theses theologicae Venerando Ministerio V. D. Rigensi oblatae. [1767]

Aus der Thesis V: Der heilige Geist ist Urheber des menschlichen Heils: denn er ist es, der das Mittel zur Gewährung des Heils, das Wort Gottes, inspiriert hat . . .
[Erläuterung des Begriffes der Inspiration]
Daß dem heiligen Geist die Inspiration zuzuschreiben ist, geht klar aus 2. Petr. I, 21 [1] und 2. Sam. XXIII, 2 [2] hervor. Da an dieser Stelle vom Gesamtthema eine Erörterung der gesamten Natur der ϑεοπνευστία nicht verlangt wird, erscheint es angezeigt, einige Ergänzungen zu der wiederauflebenden Kontroverse zu liefern, ob der heilige Geist nur Sätze, oder auch Wörter inspiriert habe. Wofern jenes oberflächliche Postulat, daß nämlich die heilige Schrift als Grundlage des Glaubens und als Mittel zum Heile zwangsläufig bis ins Kleinste göttlich sein muß, nicht jedem Streit ein Ende bereitet, sondern wenn ferner eine äußere Klärung tunlich ist, welche Verbindung zwischen den Sinn und die Worte tritt, so treffe ich folgende Unterscheidung: a) nicht im Hinblick allein auf die Inspiration, sondern auch auf die Offenbarung im eigentlichen Wortsinn können die Wörter, die in der Schrift gebraucht werden, nicht an sich göttlich heißen; gerade wie wenn Gott den Inhalt seines Denkens auch in die Form des wörtlichen Denkens kleiden und uns das Wissen vermitteln wollte, auf welche Weise (um profan zu reden) sich die Götter explizieren. Wenn es ein Kennzeichen menschlicher Schwäche ist, die Mehrzahl der Dinge sich auf symbolische Weise und ausschließlich unter Zuhilfenahme des Mittels der Wörter zu denken, so ist Gott jedoch diese Schwäche fremd, und in diesem Sinne sind die in der Schrift gebrauchten Wörter rein menschlich. Denn sie entstammen ausschließlich menschlichen Sprachen; sie resultieren aus den aus-

schließlich menschlich produzierten Umständen von Ort, Zeit, Volk und individuellem Schreiber; sie sind auf die Fassungskraft ausschließlich menschlicher Leser ausgerichtet, und die Auslegung jedes ihrer Buchstaben ist einzurichten wie bei einem von Menschen verfaßten Buche. Gering gelten mir daher diejenigen, welche die Vortrefflichkeit der heiligen Sprachen oder die grammatische Nachdrücklichkeit ihres Vortrages nicht auf das Genie der Grammatik zurückführen, sondern sie als Resultat des göttlichen Ursprungs bezeichnen; und ebensowenig schätze ich die Mühe derjenigen, welche die Dichtung und die Kunst der Rede in den heiligen Büchern, die freilich überragend ist, als vom Himmel stammend bezeichnen; sie übertragen damit dem heiligen Geist das freilich ehrenwerte Amt eines Lehrmeisters der Poesie und verkehren seine θεοπνευστία damit nahezu in einen poetischen Furor. b) Andererseits wundere ich mich darüber, daß es Leute gibt, die unbedenklich behaupten, Sinneseindrücke könnten dem menschlichen Verstand ohne den Gebrauch von Wörtern vermittelt werden. Die Art und Weise, wie Menschen denken, ist diesen Theoretikern schlichtweg unbekannt; denn ihr zufolge sind es nicht die Wörter, die an Ideen geknüpft sind, sondern die Vorstellungen haften an Wörtern. Daß dem Menschen, dem niemals angeborene Ideen zuteil wurden, die den Wörtern vorausgegangen sind; dem Menschen, der auf menschliche Weise unterwiesen und erzogen wurde, der niemals irgendetwas ohne die Vermittlung von Wörtern, der alles durch Wörter aufgenommen hat; daß diesem Menschen Ideen unterschoben werden ohne Zuhilfenahme von Wörtern, kann ich mir kaum vorstellen, auch wenn ich mir Gott als den Souffleur dieser Ideen dächte. Und selbst durch einen derartigen Beistand Gottes wird ein Skrupel nicht ausgeräumt, der die Auswahl der Wörter beim Schreiber betrifft: denn es steht fest, daß jede Idee, wenn ich sie nicht im selben Moment, in dem sie mir suggeriert wird, in Wörter umsetzen kann, sich nicht anders als konfus darstellt, vergleichbar einem nebelhaften Traumbild und einer Ekstase, die das Gehirn beunruhigt.

[1] »Denn es ist noch nie eine Weissagung aus menschlichem Willen hervorgebracht; sondern die heiligen Menschen Gottes haben geredet, getrieben von dem heiligen Geist.« 2. Petr. I, 21 (Luther-Übersetzung)

[2] »Der Geist des Herrn hat durch mich geredet, und seine Rede ist auf meiner Zunge.« 2. Samuel XXIII, 2 (Luther-Übersetzung)

(Quelle: Herders Sämmtliche Werke, Bd. 33. Berlin 1913, S. 21–36; der in Übersetzung abgedruckte Text S. 28–29)

9. Herders Schrift und der »göttliche« Ursprung der Sprache

Aus: Joh. Aug. Dathe, Praefatio in Briani Walton In Biblia Polyglotta Prolegomena (1777)

Die Frage nach dem Ursprung der Sprache und ihrer Herleitung entweder aus einer Schöpfung des Menschen selbst, oder aus einer Gabe Gottes, die Walton gleich zu Anfang des ersten Kapitels (in den §§ 3 und 4) behandelte [1], hat in alter wie moderner Zeit vielfach die Geister der Philosophen bewegt. Walton zumal hat die Möglichkeit zugestanden, daß der Mensch die Möglichkeit besäße, Sprache zu erfinden; denn er ist mit allen zum Reden notwendigen Organen ausgestattet gewesen, er war mit dem Vernunftvermögen begabt, die Verschiedenheiten der Laute zu bemerken und zu unterscheiden und schließlich fand er sich in den gesellschaftlichen Zustand gesetzt, in dem eine gesellschaftliche Gruppe Übereinkunft über eine Sprache treffen konnte. Doch leugnet er, daß dies von den ersten Menschen bewerkstelligt wurde; aus der Schöpfungsgeschichte erhelle, daß die erste Sprache ihren Ursprung in göttlicher Unterweisung habe und daß Gott, der den Geist der ersten Menschen nicht gleichsam als tabula rasa, sondern unterwiesen in der Kenntnis physischer Gegenstände erschaffen habe, ihm auch die Ursprache mit eingeflößt habe, da ohne sie die Kenntnis der physischen Gegenstände nutzlos gewesen wäre. Richard Simon mißbilligt diese Anschauung [2] und verteidigt den natürlichen Ursprung der Sprache, die dem Menschen von Natur aus eigne, da sie offenbar teilweise aus der Notwendigkeit, teilweise aus der gesellschaftlichen Natur des Menschen hervorgegangen sei. Auf diesen Argumenten haben den menschlichen Ursprung der Sprache zu begründen versucht Gregor von Nyssa, einer der Kirchenväter, in seiner zwölften Rede gegen Eunomius, unter den heidnischen Schriftstellern aber Lukrez und Diodor, deren Werke unsere beiden Autoren zitieren. [3] In der heutigen Zeit haben eine Anzahl von hochangesehenen Theologen und Schriftstellern das nämliche Problem für wichtig genug gehalten, um ihre Begabung und ihre Kenntnisse daran zu wenden. Ich will davon nur zwei von mir gelesene Autoren erwähnen, aus deren Büchern auch die für diese Frage relevanten Schriften anderer Verfasser entnommen werden können. Der eine ist zunächst der verstorbene hochverdiente Berliner Theologe Süßmilch, der eine Abhandlung geschrieben hat*, worin er den

---

* Der Titel lautet: Versuch eines Beweises, das die erste Sprache ihren Ursprung nicht von Menschen, sondern allein vom Schöpfer erhalten habe, in

Ursprung der Sprache als nicht vom Menschen, sondern von Gott stammend verteidigt. Er hielt es für eine unbezweifelbare Annahme, daß die Sprache die Rolle eines Mediums vertrete, durch das der Mensch den Gebrauch der Vernunft erst erlange. Da nun aber die Erfindung der Sprache eine große und schwierige Aufgabe darstelle, wie sich aus dem Bau der Sprache oder ihren einzelnen Teilen unschwierig beweisen läßt, vertritt dieser Gelehrte, es sei unmöglich gewesen, daß der Mensch, nur mit der Fähigkeit ausgestattet, den Gebrauch seiner Vernunft zu erlangen, selbst die Sprache habe erfinden können. – Der andere von beiden ist Herr Herder, der die gegenteilige Ansicht mit solcher Gelehrsamkeit und Eleganz vertreten hat, daß seine Schrift sogar von der Berliner Akademie gebilligt und mit dem für die Beantwortung dieser Frage ausgesetzten Preis gekrönt wurde.** Zunächst bewies er, daß der Mensch die Vernunft, die ihn vom Tier unterscheide, nicht ohne Sprache gebrauchen könne, und daß folglich ihm der Gebrauch der Sprache gleichermaßen eigentümlich und natürlich sei wie der Gebrauch der Vernunft selbst. Als nächstes widerlegt er diejenigen, welche die Ansicht vertraten, der Mensch werde geboren, bloß mit einer gewissen Fähigkeit ausgerüstet, den Gebrauch seiner Vernunft zu erlangen; denn diese Fähigkeit oder Gelehrigkeit kann ohne bereits vorhandene Vernunft nicht einmal gedacht werden [s. o. Text S. 30]; jene Philosophen verwechselten die bereits verfeinerte, ausgestaltete und subtile Vernunft mit ihren ersten rohen und ungeschliffenen Anfängen. Er zeigt weiter [s. o. S. 35], wie schwach jenes Argument Süßmilchs sei, daß der Mensch vollends erst mit Hilfe der Sprache zum Gebrauch der Vernunft gelange. Im zweiten Teil seiner Schrift erklärt der Verfasser, auf welche Weise der Mensch Sprache habe erfinden können und folglich erfinden müssen. Ich enthalte mich der Lobsprüche, die dieser Abhandlung gebühren, sowohl aufgrund des Tiefsinns und der Gelehrsamkeit, die sie allenthalben aufweist, wie aufgrund der hervorragenden Eleganz ihrer Diktion. Genug Lob ist ihr zuteil geworden, da sie die Königliche Akademie der Wissenschaft – wie erwähnt – für preiswürdig beurteilt hat. Ich zweifle nicht, daß jeder ihrer Leser einer derart präzisen und exakten Demonstration beifallen wird. Es sei mir eine Bemerkung erlaubt, die mir für die Einsicht in die widerspruchslose Richtigkeit der Ansicht des Verfassers von einigem Gewicht zu sein scheint. Die

der academischen Versammlung vorgelesen und zum Druck übergeben von Joh. Peter Süßmilch, Mitglied der Königl. Preuss. Acad. der Wissenschaften, Berlin 1766.
** Abhandlung über den Ursprung der Sprache, welche den von der königlichen Academie der Wissenschaften für das Jahr 1770 gesetzten Preis erhalten hat. Von Herrn Herder. Auf Befehl der Academie herausgegeben. Berlin 1772.

Philosophen, die die ersten Menschen selbst zu Urhebern der Sprache machen, können diesen freilich bloß langsame Fortschritte in der Kunst der Rede zuschreiben, während es doch nicht wahrscheinlich ist, daß sie lange in jenem äußerst beklagenswerten Zustand verblieben, in dem sie sich von den stummen Tieren allzu wenig unterschieden. Doch diesen Zweifel räumt die heilige Geschichte aus, welche lehrt, daß der erste Mensch nicht als unmündiges Kind aus der Hand seines Schöpfers hervorgegangen sei, sondern wie ein Mensch bereits reiferen Alters, sowohl an Körper wie an Geist unterwiesen im Gebrauch seiner Kräfte, die zu nutzen ihn nicht eine Schwäche seiner Organe hinderte, wie sie bei neugeborenen Kindern anzutreffen ist; sondern die Vollkommenheit und Kraft aller seiner Glieder unterstützte ganz vortrefflich die Versuche des Geistes, der begierig danach strebte, seine Gaben zu entfalten. Dazu gesellte sich die göttliche Unterweisung, die den ersten Menschen nicht – wie Walton sagt (S. 8) [3] – die Sprache einflößen, sondern dieselbe Hilfe leisten sollte, wie sie die Unterweisung der Eltern den Kindern im zarten Alter bietet; um so schneller machten die ersten Menschen in der Sprache Fortschritte, je höher und besser ihre körperlichen und geistlichen Anlagen entwickelt waren. Genau diese Möglichkeit gesteht Herder zu [s. o. S. 36] und betrachtet sie keineswegs als seiner Beweisführung abträglich; zumal wenn man jene göttliche Unterweisung nicht in bezug auf die Erfindung der Sprache interpretiert, sondern auf die göttliche Unterstützung, wodurch Gott den Gebrauch der Sprache, der dem Menschen ja mit dem der Vernunft gemeinsam anerschaffen worden war, erleichtert hat; nichts ist in dieser Argumentation, das der heiligen Geschichte widerspricht.

[1] In Dathes Ausgabe der Prolegomena S. 7-9.
[2] P. Richard Simon, Histoire critique du Vieux Testament. Paris 1680. Buch I, Kap. XIV/XV, S. 92-101, und Buch III, Kap. XXI, S. 541-549. [Vgl. oben Dokument 3].
[3] In Dathes Ausgabe.

(Quelle: Briani Walton In Biblia Polyglotta Prolegomena. Praefatus est D. Io. Aug. Dathe. Leipzig 1777. Der übersetzte Abschnitt aus der Praefatio, S. V-IX)

Anmerkungen*:

1 Fritz Martini, Deutsche Literaturgeschichte von den Anfängen bis zur Gegenwart. Stuttgart ¹³1965, S. 220/21.

2 S. o. Text S. 27/28.

3 Süßmilch, Versuch (42), § 16, S. 33-35. Irrtümlich werden zwei aufeinanderfolgende Paragraphen als 16. gezählt; ich beziehe mich hier auf den zweiten der gleich numerierten Abschnitte.

4 Zur Chronologie von Herders Beschäftigung mit Leibniz vgl. Dreike (63), S. 7-40, hierzu S. 9-17.

5 Vgl. Leibniz' Abhandlung von 1695: Specimen dynamicum; in seinen Hauptschriften Bd. 1 (26), S. 256-272.

6 Vgl. hierzu Leibniz, Nouveaux Essais, Buch II, Kap. XXVII und XXXIX; in (25), S. 394-401 und S. 450-461.

7 Philologische Einfälle und Zweifel; in: Hamann, Schriften zur Sprache (15), S. 150.

8 Hamanns Kennzeichnung als Charismatiker beruht auf der soziologischen Deutung Max Webers; vgl. Wirtschaft und Gesellschaft. Grundriß der verstehenden Soziologie. Tübingen ⁵1972. Zweiter Teil, Kap. V. Religionssoziologie, S. 245-381, hierzu S. 260ff.

9 Daß dieser Ablehnung des Französischen in Ästhetik, Wissenschaft und Politik eine Welle der Anglomanie korrespondierte, sollte derartige, von der Nationalideologie des 19. Jahrhunderts zurückprojizierte Ansichten als problematisch erweisen. Isaiah Berlin hat in diesem Sinne scharfe Kontrastierung von Herder gegenüber der Aufklärung von 1965 (61) in der Neufassung von 1976 (62) wesentlich gemildert.

10 Diese von Lévi-Strauss getroffene Unterscheidung, in seiner Arbeit über ›Rasse und Geschichte‹ (Frankfurt/Main 1972), habe ich in meinem Aufsatz über ›»Natur«, Naturrecht und Geschichte‹ verwendet und erläutert; vgl. Proß (96), S. 43.

11 Eine methodische Erörterung dieser Schwierigkeiten und ihrer Überwindung bietet der oben genannte Aufsatz: (96), bes. S. 53ff.

12 Süßmilch, Versuch (42), Einleitung S. 12/13.

13 Eine übersichtliche Darstellung bietet Hans Aarsleffs Aufsatz The Tradition of Condillac (59), vgl. S. 121ff.

14 Beide Texte sind abgedruckt in der französischen Ausgabe der Sprachschrift, die Pierre Pénisson erstellt hat; vgl. (6) und die dortigen Angaben. Das Zitat findet sich ebd., S. 278.

---

* In Klammern gesetzte Zahlen bei Autorenangaben verweisen auf die Nummern der Bibliographie, S. 234ff.

15 S. o. Anm. 10, ebd.

16 Irmscher hat maßgeblich im Nachwort seiner Ausgabe (vgl. (5), S. 137-175) auf die Bedeutung des Problems des Übergangs vom Natur- zum vergesellschafteten Zustand hingewiesen, während Aarsleffs Arbeit (59) definitiv die Rückkehr zum Bild des Stürmers und Drängers Herder für die Sprachschrift ausschließt; Pierre Pénisson (6) hat mir noch vor der Drucklegung sein Manuskript zur Verfügung gestellt und mit seiner Interpretation wichtige Perspektiven eröffnet. Ihm sei an dieser Stelle ganz besonders gedankt.

17 An Hamann, aus Riga (Ende April 1768). In: Herder, Briefe (17), S. 97-102, Zitat S. 97.

18 Welzels Buch war zunächst seine Jenaer Dissertation (1928), die nur teilweise im Druck erschien (1930); erst 1958 wurde die Schrift durch den vollständigen Druck einem breiteren Publikum zugänglich. Vgl. hierzu (102), S. 19 ff. Eine bedeutsame Ergänzung und Erweiterung hat dieser Ansatz bei Hans Medick gefunden: Naturzustand und Naturgeschichte der bürgerlichen Gesellschaft. Die Ursprünge der bürgerlichen Sozialtheorie als Geschichtsphilosophie und Sozialwissenschaft bei Samuel Pufendorf, John Locke und Adam Smith. Göttingen 1973.

19 Die Quellen aus Pufendorfs ›De iure naturae et gentium‹ finden sich bei Proß (96), S. 55, Anm. 67.

20 Berlin (62), S. 153-156: Darlegung der Begriffe »Populism«, »Expressionism«, »Pluralism«, die dann im Lauf der Abhandlung Berlins erläutert werden (S. 156ff.). Leo Strauss' Begriff des »Konventionalismus« enthält die Aussage, »daß die Vielfalt der Rechtsvorstellungen die Nichtexistenz des Naturrechts oder den konventionellen Charakter allen Rechts beweist« (Leo Strauss, Naturrecht und Geschichte. Frankfurt/Main 1977, S. 11; vgl. hierzu auch Proß (96), S. 41 und 46/47).

21 S. o. Text S. 37–40.

22 S. o. Anm. 19.

23 S. o. Anm. 17, ebd. S. 98.

24 Vgl. die Angaben im Personenregister von Bd. 33 der Suphan-Ausgabe, (16) S. 78; Johann August Dathe (1731-1791) war Professor für Orientalistik an der Universität Leipzig, dessen Schriften Herder gerade zum historisch-kritischen Bibelstudium empfahl.

25 Süßmilch, Versuch (42), Einleitung S. 8-11; zu Walton s. auch § 15, S. 32, Anm.

26 Ebd., §§ 30-42, S. 69-97; daß Süßmilch sich hierbei in voller Übereinstimmung mit Rousseaus zweitem Discours wußte und diesen daher gegen Mendelssohn (Sendschreiben an den Herrn

Magister Lessing in Leipzig, 1756. Vgl. den Auszug in den Materialien 6; der gesamte Text findet sich in der Ausgabe von Brasch (29), Bd. II, S. 319-348) verteidigte, zeigt der Anhang IV; ebd., S. 117-124.

27 Richard Simon, Histoire Critique, Livre III, Chap. XXI: Critique des Prolegomenes qui sont au commencement de la Bible Polyglotte d'Angleterre, & premièrement des trois premiers Discours qui regardent les langues. (41), S. 541-549, bes. S. 543/44.

28 Süßmilch, Versuch (42), § 42, S. 97/98.

29 Suphan-Ausgabe (16), Bd. 2, S. 67-69.

30 Christliche Schriften, Erste Sammlung (1794); Suphan-Ausg. (16), Bd. 19, S. 53.

31 S. o. Text S. 45.

32 Süßmilch, Versuch (42), §§ 17-24, S. 35-54.

33 Ebd., § 17, S. 35.

34 Ebd., § 21, S. 43.

35 Ebd., § 17, S. 35.

36 Ebd., § 22, S. 44.

37 Bei der Deutung von Herders Kategorie der »Besonnenheit« war mir unter den Vertretern der modernen Anthropologie Helmuth Plessner mit seiner Kategorie der »exzentrischen Positionalität« am hilfreichsten; vgl. die Registerangaben in (93), S. 368 und (94), S. 343/44. Obwohl sich Plessner nicht – wie Gehlen (88) – auf Herder beruft, verhilft seine durch Günter Dux erweiterte Kategorie (vgl. dessen Nachwort zu (94), S. 253-329) zu einem besseren historischen Verständnis der geistesgeschichtlichen Problemlage, in der Herders Arbeit entstand.

38 Vgl. hierzu Max Webers Abschnitt über Religionssoziologie in Wirtschaft und Gesellschaft (Ang. s. o. Anm. 8), hierzu bes. S. 245-259 (§ 1: Die Entstehung der Religionen), und die Deutung, die Günter Dux der Auffassung Webers gegeben hat; vgl. (86), 69-71. Ich verallgemeinere hier das Modell der Entstehung von Religion zu einem Modell der Kulturentstehung. – Zum Problem von Naturalismus und Konventionalismus aus der Sicht der heutigen Sprachphilosophie vgl. Kutschera (90), S. 119-122.

39 Diesen Begriff aus Max Schelers Wissenssoziologie habe ich im Zusammenhang mit einer Studie über Büchner erstmals verwendet (Wolfgang Proß, Naturgeschichtliches Gesetz und gesellschaftliche Anomie: Georg Büchner, Johann Lucas Schönlein und Auguste Comte. In: Alberto Martino (Hg.), Literatur in der sozialen Bewegung. Aufsätze und Forschungsberichte zum 19. Jahrhundert. Tübingen 1977, S. 228-259, vgl. hierzu S. 229) und in dem bereits genannten Aufsatz weiter entwickelt; (96), s. bes. S. 47-52.

40 Vgl. hierzu bes. Hamanns parodistisch-»platonische« Wiedergabe der Herderschen ›Abhandlung‹ in seinen ›Philologischen Einfällen und Zweifeln‹: Hamann, Schriften zur Sprache. (15), S. 154–158. – Zum Zitat vgl. Herder, Ideen zur Philosophie der Geschichte der Menschheit, Buch XV, Einleitung. Suphan-Ausgabe (16), Bd. 14, S. 207.

41 S. o. Text S. 19.

42 Vgl. hierzu auch Proß, Jean Pauls geschichtliche Stellung. (95), S. 243-246.

43 Samuel Pufendorf, De officio hominis et civis. Buch I, Kap. 3, §§ 2/3; vgl. (37), S. 172/173.

44 Samuel Pufendorf, De iure naturae et gentium. Buch I, Kap. 1, § 7: »Status hominis [...] recte videtur constitui, quando aliquis vere homo dici potest, etiamsi adhuc desint illae perfectiones, quae non nisi post aliquem temporis tractum hominem sequuntur«; (36), S. 5.

45 S. o. Anm. 29, ebd. S. 69.

46 Vgl. hierzu Welzel (102), S. 7; den Begriff der »reflexiven Abstraktion« Jean Piagets hat Wolfgang Krohn in seinem Aufsatz ›Die neue Wissenschaft der Renaissance‹ sehr erfolgreich aus der Psychologie in die Wissenschaftsgeschichte übertragen (er findet sich in dem von Krohn gemeinsam mit Wolfgang van den Daele und Gernot Böhme hg. Band: Experimentelle Philosophie – Ursprünge autonomer Wissenschaftsentwicklung. Frankfurt/Main 1977, S. 13-128, hierzu S. 22/23). – Vgl. auch Proß (96), S. 50.

47 S. o. Text S. 85 ff.

48 Vgl. Proß (96), S. 46.

49 Herder, Gott. Einige Gespräche. (1787); der Titel der zweiten Ausg. 1800 lautete: Einige Gespräche über Spinoza's System. Vgl. Suphan-Ausgabe (16), Bd. 16, hierzu bes. S. 470; diese »Formel« versucht das Fünfte Gespräch (S. 532-578) ausfindig zu machen.

50 Vgl. hierzu Haym (65), Bd. 2, S. 275-285.

51 Foucault, Die Ordnung der Dinge. (87), S. 108.

52 Vgl. hierzu Welzel (102), S. 1-3 zum Problem der Nachwirkung Pufendorfs, sowie die dort (S. 3) erwähnte Studie, die die große Bedeutung dieses Autors (neben Grotius, Hobbes und Montesquieu) für Rousseau belegt: Robert Derathé, Jean-Jacques Rousseau et la science politique de son temps. Paris ²1970.

53 Angaben nach Denzer (84), S. 360/61.

54 Foucault (87), S. 97.

55 Zum Denken der Renaissance vgl. ebd. S. 46-77; zum tabellarischen Modell S. 111.

56 In diesem Sinn präsentiert Foucault in der Einleitung zur deut-

schen Ausgabe seine Studie: nicht als Analyse der Klassik allgemein, sondern als »streng ›regionale‹ Untersuchung« einer bestimmten Anzahl von Elementen; ebd., S. 10.

57 Max Weber, Gesammelte Aufsätze zur Wissenschaftslehre. Tübingen ³1968, S. 195.

58 Zur Kontroverse Wolff-Haller vgl. Robert Herrlingers Einführung zu: C. F. Wolff, Theorie von der Generation (1764)/Theoria Generationis (1759). Reprograph. Nachdruck, Hildesheim 1966, S. 17/18.

59 Wilhelm Risse, Die Logik der Neuzeit. (56), Bd. 2, S. 5. – Eine übersichtliche Darstellung der Auseinandersetzung um die beiden Systembegriffe bietet Robert Mc Rae, The Problem of the Unity of Sciences. University of Toronto Press 1961.

60 William Shakespeare, Troilus and Cressida, I/3, V.75-135; das Stück entstand wahrscheinlich 1602. – Lesenswert hierzu ist immer noch E. M. W. Tillyards Buch: The Elizabethan World Picture. London 1943. – Zum Problem einer »autonomen« Wissenschaftsgeschichte vgl. Jürgen Mittelstraß, Die Möglichkeit von Wissenschaft. Frankfurt/Main 1974, S. 116/117.

61 Foucault (87), S. 74 ff. – Die Analyse des Zeichens basiert dabei vor allem auf Buch I, Kap. 4 von Antoine Arnaulds Logik; vgl. (8), S. 41-43.

62 S. o. Anm. 49; vgl. hierzu bes. die Behandlung Spinozas S. 576/77 und das Lessing-Fragment S. 579/80.

63 Foucault (87), S. 82/83.

64 Ebd., S. 83.

65 Vgl. Proß (96), S. 53-55.

66 Giambattista Vico, Scienza Nuova (1744). Vgl. (43), S. 434 der ital. Ausgabe und S. 26 von Auerbachs Übersetzung.

67 S. o. Text S. 44/45.

68 Vico, Scienza Nuova (1744) kritisiert im 8. Grundsatz diese Anschauung: vgl. (43), S. 434 der ital. Fassung und S. 25/26 von Auerbachs Übersetzung.

69 Einen vorzüglichen Überblick über die Entwicklung der Anthropologie als Disziplin bildet hierzu Sergio Moravias 1970 (im ital. Original) erschienenes Werk; vgl. (91).

70 Vgl. hierzu Linnés ›Systema Naturae‹ (24), S. 20–22 (in Fußnote), sowie ebenfalls Moravia (91), S. 22/23; dazu A. Renane, Die Bedeutung der Evolutionslehre für die allgemeine Anthropologie. In: Hans-Georg Gadamer/Paul Vogler (Hgg.), Neue Anthropologie Bd. 1: Biologische Anthropologie (Teil 1). Stuttgart 1972, S. 293-325, hierzu S. 293-295.

71 Es sind vor allem Herders dubiose Lesegewohnheiten, die Jean Paul noch kritisierte, die mich an einer derart präzisen These

zweifeln lassen, desgleichen auch seine offenkundig nicht sehr
große Beherrschung des Französischen; eine deutsche Übersetzung von Condillacs Essai (durch Michael Hißmann) erschien
erst 1780. Es war außerdem aufgrund der popularisierenden Tätigkeit der Wissenschaftsorgane, vor allem durch die Rezensio-
nen, möglich, über Autoren zu schreiben, die man selbst nur
flüchtig gelesen hatte. Mendelssohn hat hier vermutlich eine größere Rolle gespielt, als Condillacs Text; auch Haller hat Condillac ausführlich rezensiert (den Traité des Sensations; vgl. (14),
Bd. 1, S. 125-133). Die Annahme Aarsleffs, Herder habe nur den
zweiten Teil des ›Essai‹ gekannt, aber daraus die entscheidenden
Anstöße für die Sprachschrift empfangen, muß unter solchen
Umständen als zu scharfe Pointierung angesehen werden. Außerdem stützt er seine These auf Erwähnungen Herders von Condillac in den Jahren 1763/64 und 1767 (vgl. (59), S. 99 und S. 105),
die vor dem mehrfach von mir zitierten Brief an Hamann vom
April 1768 liegen und in dem sich die Entwicklung eines eigenen
Modells, das sich von Rousseau und Condillac unter Mendelssohns Einfluß löst, anbahnt; daß sich dieser Einfluß bis zur ›Abhandlung‹ noch verstärkt, wird im folgenden dargelegt.

72 Condillac, Essai, Buch I, Sekt. III, § 5. Vgl. (11), S. 184. – Aus
den in der vorigen Anmerkung genannten Gründen glaube ich,
daß es durchaus legitim ist, Prinzipien des ersten Teils des ›Essai‹
im Zusammenhang mit Herder zu diskutieren; selbst wenn er ihn
nicht gelesen hätte, dürften ihm die Hauptargumente bekannt
gewesen sein.

73 Ebd., § 10, S. 186.

74 Mérian faßt den entscheidenden Passus im zweiten Abschnitt des
ersten Teils der ›Abhandlung‹, in dem Herder den Begriff der
»Besonnenheit« vorträgt (s. o. S. 27–29), in seiner Analyse folgendermaßen zusammen: »Le développement de cette idée ingé-
nieuse [d. h. des Herderschen Begriffes] mériteroit d'être suivi
dans tous les détails; mais nous devons ici nous borner à une
simple esquisse. Dépouillons l'animal de cet instinct merveilleux
qui le fait opérer avec tant d'exactitude, et travailler si artistement
dans la sphère étroite où il est resserré: agrandissons cette sphère
autour de lui, en tout sens. Dès lors je vois un champ et plus vaste
et plus éclairé: je vois un être qui n'étant plus dominé par une
impulsion aveugle, se tourne librement là où il veut. Je vois un
être qui n'étant plus poussé au dehors, et vers un seul point, par
une force irrésistible, devient capable de retour sur lui-même, de
conscience, de réflexion. Je vois l'homme. C'est ainsi que notre
perfection en tant qu' hommes dérive de notre imperfection en
tant qu'animaux, et que notre indigence est la source de nos

richesses. Tout gît ici dans la direction du total de nos forces, ou de la force unique et individuelle de notre ame. Ce n'est pas par le plus ou le moins de cette force que nous différons des animaux; cette différence n'est pas graduelle mais spécifique, ou plutôt générique: et c'est par cette diversité de direction que nous appartenons à un autre genre, à une autre classe d'êtres. Enfin, comme cette force est une et simple, et qu'elle n'agit point par portions détachées, nous ne faisons aucun acte qui soit purement animal, et où le caractère distinctif de l'homme ne soit plus ou moins imprimé. On peut donner à ce caractère les noms d'entendement, de raison, ou tel que l'on voudra; mais il semble principalement consister dans le pouvoir de réfléchir, de se replier sur soi-même, de sentir en appercevant, en voulant, en agissant, que c'est nous qui appercevons, voulons, agissons. L'on a vu que ce pouvoir étoit incompatible avec l'instinct animal, parce qu'il exige une étendue de sphère, une clarté de perceptions, un calme d'esprit, une liberté, que les bornes de l'instinct, ses impressions obscures, et ses puissantes incitations ne comportent point. Il s'ensuit de là que ce pouvoir opère au moment que l'homme existe.« Vgl. (6), S. 189/90.

75 Abgedruckt in der Ausgabe von Brasch (29), Bd. II, S. 231-246.
76 Die einzige Erwähnung von Bonnet in der ›Abhandlung‹ findet sich auf S. 52 dieses Bandes. – Zum Streit Mendelssohn-Bonnet vgl. Braschs biographische Einleitung (29) Bd. I, S. XXXXIV-IL und die Dokumente in Bd. II, S. 501 ff. – Die Bekanntschaft Herders mit Reimarus' Schrift datiert bereits in die Zeit des Studiums bei Kant, vgl. (18), S. 79; Mendelssohns Rezension war 1761 in den Briefen, die Neueste Litteratur betreffend (Theil VIII, Berlin 1761; 130./131. Brief, S. 233-279) erschienen. Zum Urteil der ›Ideen‹ Herders über Reimarus vgl. Buch III, IV. Von den Trieben der Thiere, Suphan-Ausgabe (16) Bd. 13, S. 97 ff.
77 Bonnet (10), Bd. 2: Zwölfter Teil, XXXII./XXXIII. Hauptstück: Von der Sprache der Thiere/Fortsetzung des Nähmlichen, S. 451-472.
78 Diese Entwürfe stammen vom Ende des Jahres 1769; vgl. hierzu Suphan-Ausgabe (16), Bd. 8, S. 98. – Zur Anspielung auf Saunderson vgl. Diderots ›Brief über die Blinden‹; in (11 a) Bd. I, S. 49-110, hierzu S. 76-81.
79 Condillac, Essai (11), Buch I, Sekt. VI, §§ 12/13, S. 186/87 und ebd. § 15, S. 188-190.
80 S. o. Anm. 75, ebd. S. 234 ff.
81 Ebd., S. 241.
82 Ebd., S. 242.
83 Ebd., S. 243/44. – Aarsleff hat belegt, daß Condillac in der Fas-

sung seiner These paradoxerweise sich auf Berkeleys idealistische Theorie des Sehens beruft; vgl. (59), S. 100. Und gerade gegen den Berkeleyschen Ansatz holt Mendelssohn hier ganz massiv aus; vgl. (29), Bd. II, S. 244/45.

84 Vom Erkennen und Empfinden der menschlichen Seele. Suphan-Ausgabe (16), Bd. 8, S. 231.

85 Suphan-Ausgabe (16), Bd. 8, S. 120/21.

86 Ideen Buch III, IV. Von den Trieben der Thiere. Suphan-Ausgabe (16), Bd. 13, S. 98.

87 Herder an Mendelssohn, Anfang April 1769 aus Riga. Vgl. Herders Briefe (17), S. 137-143, Zitat S. 139. – Vgl. hierzu auch Mendelssohns Antwort vom 2. Mai 1769 in: Moses Mendelssohn, Gesammelte Schriften Bd. 12, 1, Stuttgart – Bad Cannstatt 1976, S. 182-187; sowie Herders Replik aus Paris vom 1. 12. 1769, vgl. Briefe (17), S. 177-181.

88 S. o. Anm. 77, ebd., S. 452-454.

89 Ebd., S. 453 Anm. 1.

90 Günter Dux, Nachwort zu Plessner (94), S. 272.

91 Vgl. hierzu die Kritik am apriori-Postulat der Erkenntnistheorie im ersten Teil (Verstand und Erfahrung) der ›Metakritik‹ und den Abschnitt »Ein Zwiespalt in der menschlichen Natur« im zweiten Teil (Vernunft und Sprache); Suphan-Ausgabe (16), Bd. 21, S. 25/26 bzw. S. 314-317.

92 Vgl. hierzu Proß (95), S. 123-140 und S. 229-233.

93 Berlin (62), S. 147-152; vgl. S. 151.

94 Vgl. die ausführlichere Erläuterung in (96), S. 60-62.

95 Vico, De antiquissima Italorum sapientia, Kap. I, § III.; vgl. (43), S. 74/75 und Kap. IV, § II, S. 94/95.

96 Vgl. (96), S. 61.

97 Vico, Scienza Nuova (1744). Vgl. (43), S. 466/67 des italien. Originals, S. 59/60 der deutschen Fassung von Auerbach; sowie (zum ersten Prinzip) S. 432 (ital. Ausg.) bzw. S. 23 (dt.).

98 Linné, Systema Naturae (24), S. 8.

99 John Locke, Über den menschlichen Verstand. (27) Bd. I, Buch II, Kap. 12 § 1, S. 186.

100 Ebd., Kap. 11 § 9, S. 179/80.

101 Friedrich Kambartel, Erfahrung und Struktur. Bausteine zu einer Kritik des Empirismus und Formalismus. Frankfurt/Main 1968, S. 24-26, Zitat S. 25/26.

102 Ebd., S. 27.

103 Lamy, La Rhétorique (23): Titel des Kapitels XIV von Buch I, S. 66-70.

104 Ebd., Kap. XIII: De l'origine des langues, S. 58-65. – Lamy sagt darin, Gott habe Adam die Sprache gegeben (S. 59), geht aber

sofort dazu über, daß sie sich von da an ausgebreitet und verändert habe, freilich beeinflußt von der Sprachverwirrung beim Turmbau von Babel, aber vor allem durch die Unbeständigkeit und Neuerungssucht der Menschen (S. 59/60).

105 Ebd., Kap. XIII, S. 65.

106 Ebd., Kap. XIV, S. 67/68.

107 Zur Geschichte des Manuskripts von Rousseau vgl. Derrida, Grammatologie (85), S. 293-334. Rousseaus berühmte Kapitel IX und X des Essai sur l'origine des langues (vgl. (40), S. 243-268: Formation des langues méridionales; S. 268-271: Formation des langues du Nord) verrät möglicherweise den Einfluß der ›Nouveaux Essais‹ in der Beschreibung der Geschichtsabhängigkeit der Sprache, die das zweite Kapitel des dritten Buches bei Leibniz darstellt (vgl. (25) Bd. II, S. 12-37: Von der Bedeutung der Worte). – Die Darstellung Condillacs ist Ulrich Rickens Darstellung entnommen: (98), S. 464.

108 Warburton nennt seine Quelle nicht, dabei entnimmt er die Beispiele wörtlich dem zweiten Kapitel von Newtons Ad Danielis Prophetae Vaticinia . . . Observationes, das den Titel trägt: De stylo prophetico. Vgl. (34), S. 292-296. – Zur Bedeutung dieses Textes von Newton vgl. Fritz Wagner, Isaac Newton im Zwielicht zwischen Mythos und Forschung. Studien zur Epoche der Aufklärung. Freiburg – München 1976, S. 58.

109 Vgl. unten, Materialien 5, S. 211.

110 S. o. Text, S. 51, vor allem Punkt 6, S. 57–71.

111 Vico, Scienza Nuova (1744). Vgl. (43), S. 447 des Originals und S. 447, S. 38 der deutschen Fassung von Auerbach.

112 S. o. Text, S. 57–63 (Abschnitte I, II, III von Punkt 6).

113 Vgl. Apel (47), Registerangaben zu Herder S. 382; Arens (48), S. 102-111; Liebrucks (52), S. 43-78 und S. 317-340; Gehlen (88) S. 82/83 sowie Registerangaben; Hans-Georg Gadamer, Wahrheit und Methode, Grundzüge einer philosophischen Hermeneutik. Tübingen ²1965, Registerangaben S. 517.

114 Vgl. Wilhelm von Humboldt, Ueber die Verschiedenheiten des menschlichen Sprachbaues (1827-1829); und Ueber die Verschiedenheit des menschlichen Sprachbaues und ihren Einfluss auf die geistige Entwicklung des Menschengeschlechts (1830-1835). Beide in: Wilhelm von Humboldt, Werke Bd. III: Schriften zur Sprachphilosophie. Darmstadt ³1963, S. 144-367 und S. 368-756. Sekundärliteratur zu Humboldt und den Folgen seiner Sprachauffassung bieten: Roger Langham Brown, Wilhelm von Humboldt's Conception of Linguistic Relativity. The Hague – Paris 1967 und Robert L. Miller, The Linguistic Relativity Principle and Humboldtian Ethnolinguistics. The Hague – Paris 1968. –

Edward Sapirs Aufsatz über Herder's Ursprung der Sprache erschien 1907 in: Modern Philology 5 (1907), S. 103-142. – Benjamin Lee Whorfs nachgelassenes Hauptwerk (Language, Thought and Reality, 1956) liegt seit 1963 in deutscher Übersetzung vor: Sprache, Denken, Wirklichkeit. Beiträge zur Metalinguistik und Sprachphilosophie. Reinbek bei Hamburg 1963.

115 Vgl. hierzu die Introduction des Hg. von Charles Darwin, The Origin of Species. Ed. by J. W. Burrow. Penguin Books 1968, S. 25-29.

116 Suphan-Ausgabe (16), Bd. 6, S. 270.

117 Ausgabe Brasch (29), Bd. I, S. 39-104, Zitat S. 65 und S. 66.

118 Ebd., S. 66/67, 68 und 69.

119 S. o. Text, S. 26.

120 S. o. Text, S. 29.

121 Vgl. Haller (14), Bd. II, S. 95-118; sowie Bonnet (10), Bd. 1, Anm. 1 zu S. 247 (S. 247-249) und S. 397-407.

122 Vgl. Welzel (102), S. 62-65; sowie Vico, Scienza Nuova (1744), Buch II, Abt. IV, Kap. 1: (43), S. 526-538 des Originals, S. 107-114 der Übersetzung von Auerbach; Montesquieu, L'esprit des lois: Buch XXIII »Des lois, dans le rapport qu'elles ont avec le nombre des habitants«, (31), S. 346 ff. Vgl. hierzu auch die Briefe 94/95 der Lettres Persanes: (32), S. 193-197.

123 Kant, Rezension zu Herders Ideen: (22), S. 779-806, hierzu S. 791.

Bibliographie:

I. Verzeichnis der benutzten Editionen der Sprachschrift:

1. J. G. Herder, Über den Ursprung der Sprache. Hg. von Claus Träger. Schriftenreihe der Arbeitsgruppe der Deutschen Akademie der Wissenschaften, Berlin, zur Geschichte der deutschen und französischen Aufklärung, hg. von Werner Krauss, Bd. 9. Berlin 1959 (Abdruck des Manuskripts, das Herder der Akademie 1771 vorgelegt hat).
2. Abhandlung über den Ursprung der Sprache. In: Herders Sämmtliche Werke, Berlin 1877-1913. Hg. von Bernhard Suphan. Bd. 5, hg. von Reinhold Steig, Berlin 1891, S. 1-155 (Text des von Herder nicht beaufsichtigten Akademie-Drucks von 1772, mit Manuskript- und Textvarianten der zweiten Auflage, ohne Kenntnis des gesamten, erstmals von Träger publizierten Manuskripts).
3. Über den Ursprung der Sprache. In: I. G. von Herders sämmtliche Werke, hg. von Johannes von Müller. Bd. 2: Zur Philosophie und Geschichte, Zweiter Teil. Carlsruhe 1820, S. XI-XIV und S. 1-190 (Text der zweiten, berichtigten Auflage, Berlin 1789).
4. Johann Gottfried Herder, Sprachphilosophische Schriften. Aus dem Gesamtwerk ausgewählt, mit einer Einleitung, Anmerkungen und Register versehen von Erich Heintel. Philosophische Bibliothek Meiner 248, Hamburg ²1964 (Diese Ausgabe enthält auf S. 1-87 eine Auswahl des Textes der ›Abhandlung‹, die diesem sicher nicht gerecht wird. Trotzdem bleibt die Ausgabe durch ihre Präsentation weiterer Texte aus Herders Werk zum Sprachproblem wichtig).
5. J. G. Herder, Abhandlung über den Ursprung der Sprache. Hg. von Hans Dietrich Irmscher. Reclam 8729/30, Stuttgart 1975 (Text der Suphan-Ausgabe von Steig, in leicht modernisierter Fassung).
6. Herder, Traité sur l'origine de la langue. Suivi de l'analyse de Mérian et des textes critiques de Hamann. Introduction, traduction et notes de Pierre Pénisson. Paris 1978 (Diese Ausgabe dürfte durch die Publikation der beiden Resumees von Herders Text durch Mérian, die damit erstmals in leicht zugänglicher Form vorliegen, von großer Bedeutung sein: Résumé académique sur l'origine de la langue, S. 275-278; Analyse de la dissertation sur l'origine de la langue qui a remporté le prix en 1771, par M. Mérian, S. 181-224).

II. Verzeichnis der benutzten Primärliteratur:

7. Aristoteles, Poetik. Übersetzung, Einleitung und Anmerkungen von Olof Gigon. Stuttgart 1962.

8. Antoine Arnauld, Die Logik oder Die Kunst des Denkens. Aus dem Französ. von Christos Axelos. Darmstadt 1972.

9. Francis Bacon, Novum Organum/De augmentis scientiarum. In: The Works of Francis Bacon, coll. and ed. by James Spedding, Robert Leslie Ellis and Douglas Denon Heath, Vol. I. London 1870.

10. Charles Bonnet: Carl Bonnet's Betrachtung über die Natur, mit Anmerkungen und Zusätzen herausgegeben von Johann Daniel Titius. 2 Bde. Fünfte Auflage, Wien 1804.

11. Etienne Bonnot de Condillac, Essai sur l'origine des connaissances humaines. Précédé de L'archéologie du frivole, par Jacques Derrida. Paris 1973.

11a. Denis Diderot, Philosophische Schriften. 2 Bde. Frankfurt/Main 1967.

12. Jacob Grimm, Über den Ursprung der Sprache. Mit einem Nachwort von M. Rassem. Frankfurt/Main 1958.

13. Hugo Grotius, De iure belli ac pacis. Hg. von Jean Barbeyrac, Amsterdam 1720.

14. Albrecht von Haller, Tagebuch seiner Beobachtungen über Schriftsteller und über sich selbst. 2 Bde., Bern 1787 (Photomechan. Nachdruck, Frankfurt/Main 1971).

15. Johann Georg Hamann, Schriften zur Sprache. Einleitung und Anmerkungen von Josef Simon. Frankfurt/Main 1967.

16. Herders Sämmtliche Werke, hg. von Bernhard Suphan. 33 Bde., Berlin 1877-1913.

17. Johann Gottfried Herder, Briefe (Gesamtausgabe 1763-1803). Erster Band: April 1763-April 1771, bearb. von Wilhelm Dobbek und Günter Arnold. Weimar 1977.

18. Immanuel Kant, Aus den Vorlesungen der Jahre 1762 bis 1764. Auf Grund der Nachschriften Johann Gottfried Herders. Hg. von Hans Dietrich Irmscher. (Kantstudien, Ergänzungshefte 88) Köln 1964.

19. Herder als Schüler Kants. Aufsätze und Kolleghefte aus Herders Studienzeit. Hg. von Gottfried Martin. In: Kantstudien Bd. 41, 1936, S. 294-306.

20. David Hume, A Treatise of Human Nature. Ed. by Ernest C. Mossner. Penguin Books, 1969.

21. Immanuel Kant, Vorkritische Schriften bis 1768. (Kant, Werke Bd. I, hg. von Wilhelm Weischedel.) Wiesbaden 1960.

22. Immanuel Kant, Schriften zur Anthropologie, Geschichtsphi-

losophie, Politik und Pädagogik. (Kant, Werke Bd. VI, hg. von Wilhelm Weischedel.) Wiesbaden 1964.

23. Bernard Lamy, La Rhetorique ou L'Art de Parler. Quatrième Edition, reveuë & augmentée d'un tiers. Amsterdam 1699. Photomechan. Nachdruck. Brighton 1969.

24. Caroli Linnaei Systema Naturae. Regnum Animale – Editio decima, 1758. Cura Societatis Zoologicae Germanicae iterum edita. Leipzig 1894.

25. Gottfried Wilhelm Leibniz, Nouveaux Essais sur l'entendement humain/Neue Abhandlungen über den menschlichen Verstand. Zweisprach. Ausg. (2 Bde.), hg. und übers. von Wolf von Engelhardt und Hans Heinz Holz. Frankfurt/Main 1961.

26. G. W. Leibniz, Hauptschriften zur Grundlegung der Philosophie. 2 Bde., übersetzt von A. Buchenau, hg. von Ernst Cassirer. Philosophische Bibliothek Meiner 107/108, Hamburg ³1966.

27. John Locke, Über den menschlichen Verstand. 2 Bde., Berlin 1962.

28. Lucreti De rerum natura libri sex. Ed. Cyril Bailey, Oxford ²1922 (Nachdruck 1967). – Für deutsche Zitate wurde Knebels Übersetzung in folgender Ausgabe verwendet: Lukrez, Von der Natur der Dinge. Mit einem Nachwort von Jean Bollack. Frankfurt/Main 1960.

29. Moses Mendelssohn, Schriften zur Philosophie, Ästhetik und Apologetik. 2 Bde., hg. von Moritz Brasch. Leipzig 1880. Photomechan. Nachdruck Hildesheim 1968.

30. Johann David Michaelis, De l'influence des opinions sur le langage et du langage sur les opinions. Nouvelle impression en facsimilé de l'edition de 1762 avec un commentaire par Helga Manke et un préface par Herbert E. Brekle. Stuttgart – Bad Cannstatt 1974.

31. Charles-Luis de Secondat, Baron de Montesquieu, L'esprit des lois. Avec les notes du Auteur. Paris o. J.

32. Montesquieu, Lettres Persanes. Edition de P. Vernière. Paris 1960.

33. Danielis Georgii Morhofii Polyhistor literarius, philosophicus et practicus. 2 Bde., Lübeck ⁴1747.

34. Isaac Newton: Isaaci Newtoni Ad Danielis Prophetae Vaticinia, nec non Sancti Joannis Apocalypsin Observationes. In: Isaaci Newtoni Opuscula mathematica, philosophica et philologica. Tom. III. Lausanne – Genf 1744, S. 281-490.

35. Platon, Kratylos. In: Platon, Sämtliche Werke Bd. 2, hg. von Walter F. Otto, Ernesto Grassi und Gert Plamböck. Hamburg 1957, S. 123-181.

36. Samuel Pufendorf, De iure naturae et gentium. Amsterdam 1698.

37. Samuel Pufendorf, De officio hominis et civis juxta legem naturalem. London 1737.

38. Hermann Samuel Reimarus, Allgemeine Betrachtungen über die Triebe der Thiere, hauptsächlich über ihren Kunsttrieb. Hamburg ²1762.

39. Jean-Jacques Rousseau, Discours sur cette question proposée par l'Académie de Dijon: Quelle est l'origine de l'inégalité parmi les hommes et si elle est autorisée par la loi naturelle? in: Rousseau, Du contrat social et autres œuvres politiques. Introduction de J. Ehrard. Paris 1975, S. 25-122.

40. Rousseau, Essai sur l'origine des langues, où il est parlé de la mélodie et de l'imitation musicale. In: Œuvres complettes de J. J. Rousseau. Nouvelle édition, tome XVI, Paris 1793, S. 201-312.

41. Richard Simon, Histoire Critique du Vieux Testament. Paris 1680.

42. Johann Peter Süßmilch, Versuch eines Beweises, daß die erste Sprache ihren Ursprung nicht vom Menschen, sondern allein vom Schöpfer erhalten habe. Berlin 1766.

43. Giambattista Vico, Opere filosofiche. Introduzione di Nicola Badaloni, testi a cura di Paolo Cristofolini. Firenze 1971. – Für Zitate aus der ›Scienza Nuova‹ fand folgender deutscher Text Verwendung: G. Vico, Die neue Wissenschaft über die gemeinschaftliche Natur der Völker. Nach der Ausgabe von 1744 [in Auszügen!] übersetzt von Erich Auerbach. Reinbek bei Hamburg 1966.

44. Johann Georg Wachter, Naturae et Scripturae Concordia. Lipsiae et Hafn. 1752.

45. Walton/Dathe: Briani Walton In Biblia Polyglotta Prolegomena. Praefatus est D. Io. Aug. Dathe. Leipzig 1777.

46. William Warburton, The divine legation of Moses demonstrated, on the principles of a religious deist. 2 Bde., London ²1742.

III. Benutzte Sekundärliteratur:

a) Historische Überblicke:

47. Karl Otto Apel, Die Idee der Sprache in der Tradition des Humanismus von Dante bis Vico. Archiv für Begriffsgeschichte Bd. 8, Bonn 1963.

48. Hans Arens, Sprachwissenschaft. Der Gang ihrer Entwicklung von der Antike bis zur Gegenwart. Freiburg/München 1955.

49. Theodor Benfey, Geschichte der Sprachwissenschaft und orientalischen Philologie in Deutschland seit dem Anfange des

19. Jahrhunderts mit einem Rückblick auf die früheren Zeiten. München 1869.

50. Arno Borst, Der Turmbau von Babel. Geschichte der Meinungen über Ursprung und Vielfalt der Sprachen und Völker. 4 Bde., Stuttgart 1957-1963.

51. Max Dessoir, Geschichte der neueren deutschen Psychologie. Berlin ²1902. Photomechan. Nachdruck Amsterdam 1964.

52. Bruno Liebrucks, Sprache und Bewußtsein, Bd. 1. Frankfurt/Main 1964.

53. Friedrich Meinecke, Die Entstehung des Historismus. München ⁴1965.

54. Wilhelm E. Mühlmann, Geschichte der Anthropologie. Frankfurt/Main – Bonn ²1968.

55. Rudolf von Raumer, Geschichte der Germanischen Philologie, vorzugsweise in Deutschland. München 1870.

56. Wilhelm Risse, Die Logik der Neuzeit. Bd. 1: 1500-1640; Bd. 2: 1640-1780. Stuttgart – Bad Cannstatt 1964.

57. Hermann C. Steinthal, Der Ursprung der Sprache im Zusammenhange mit den letzten Fragen alles Wissens. Eine Darstellung, Kritik und Fortentwicklung der vorzüglichsten Ansichten. Berlin ³1877.

58. Franz Wieacker, Privatrechtsgeschichte der Neuzeit, unter besonderer Berücksichtigung der deutschen Entwicklung. Göttingen ²1967.

b) Literatur über Herder:

59. Hans Aarsleff, The Tradition of Condillac: The Problem of the Origin of Language in the Eighteenth Century and the Debate in the Berlin Academy before Herder. In: Dell Hymes (Ed.), Studies in the History of Linguistics. Traditions and Paradigms. Bloomington 1974, S. 93-156.

60. Emil Adler, Herder und die deutsche Aufklärung. Wien – Frankfurt – Zürich 1968.

61. Isaiah Berlin, Herder and the Enlightenment. In: Aspects of the Eighteenth Century. Ed. by Earl R. Wasserman. Baltimore 1965, S. 47-104.

62. Isaiah Berlin, Vico and Herder. Two Studies in the History of Ideas. London 1976.

63. Beate Monika Dreike, Herders Naturauffassung in ihrer Beeinflussung durch Leibniz' Philosophie. Wiesbaden 1973.

64. Christian Grawe, Herders Kulturanthropologie. Die Philosophie der Geschichte der Menschheit im Lichte der modernen Kulturanthropologie. Bonn 1967.

65. Rudolf Haym, Herder. 2 Bde., Darmstadt 1954.

66. Friedrich Wilhelm Kantzenbach, Herder. Reinbek bei Hamburg 1970.

67. Manfred Krüger, Der menschlich-göttliche Ursprung der Sprache. Bemerkungen zu Herders Sprachtheorie. In: Wirkendes Wort 17 (1967), S. 1-11.

68. H. B. Nisbet, Herder and Francis Bacon. In: Modern Language Review 62 (1967), S. 267-283.

69. H. B. Nisbet, Herder and the Philosophy and History of Science. Cambridge 1970.

70. Max Rouché, La philosophie de l'histoire de Herder. Paris 1940.

71. Paul Salmon, Herder's Essay on the Origin of Language, and the Place of Man in the Animal Kingdom. In: German Life and Letters, Vol. XXII, 1968/69, S. 59-70.

72. Hannsjörg A. Salmony, Die Philosophie des jungen Herder. Zürich 1949.

73. Gerhart Schmidt, Der Begriff des Menschen in der Geschichtsphilosophie und Sprachphilosophie Herders. In: Zeitschrift für philosophische Forschung VIII (1954), S. 499-534.

74. Brigitte Schnebli-Schwegler, Johann Gottfried Herders Abhandlung über den Ursprung der Sprache und die Goethe-Zeit. Winterthur 1965.

74a. Lewis W. Spitz, Natural Law and the Theory of History in Herder. In: Journal of the History of Ideas. Vol. XVI (1955), S. 453-475.

75. Heinz Stolpe, Herder und die Ansätze einer naturgeschichtlichen Entwicklungslehre im 18. Jahrhundert. In: Neue Beiträge zur Literatur der Aufklärung. (Neue Beiträge zur Literaturwissenschaft Bd. 21) Berlin 1964, S. 289-316.

76. Hans Unterreitmeier, Die Sprache als Zugang zur Geschichte. Untersuchungen zu Johann Gottfried Herders geschichtsphilosophischer Methode in den ›Ideen zur Philosophie der Geschichte der Menschheit‹. Bonn 1971.

77. Hanna Weber, Herders Sprachphilosophie. Eine Interpretation in Hinblick auf die moderne Sprachphilosophie. German. Studien 214, Berlin 1939.

c) *Allgemeine Literatur:*

78. Hans Aarsleff, The Study of Language in England, 1780-1860. Princeton 1967.

79. Karl Otto Apel, Transcendental Conception of Language-Communication and the Idea of a First Philosophy. In: Herman Parret (Ed.), History of Linguistic Thought and Contemporary Linguistics. Berlin – New York 1976, S. 32-61.

80. Karl Barth, Die protestantische Theologie im 19. Jahrhundert.

Ihre Vorgeschichte und ihre Geschichte. 2 Bde., Hamburg 1975.

81. Eric A. Blackall, Die Entwicklung des Deutschen zur Literatursprache 1700-1775. Stuttgart 1966.

82. Noam Chomsky, Cartesianische Linguistik. Ein Kapitel in der Geschichte des Rationalismus. Tübingen 1971.

83. Noam Chomsky, Sprache und Geist. Mit einem Anhang: Linguistik und Politik. Frankfurt/Main 1970.

84. Horst Denzer, Moralphilosophie und Naturrecht bei Samuel Pufendorf. Eine geistes- und wissenschaftsgeschichtliche Untersuchung zur Geburt des Naturrechts aus der Praktischen Philosophie. München 1972.

85. Jacques Derrida, Grammatologie. Frankfurt/Main 1974.

86. Günter Dux, Religion, Geschichte und sozialer Wandel in Max Webers Religionssoziologie. In: Internationales Jahrbuch für Religionssoziologie, Bd. VII (1971), S. 60-94.

87. Michel Foucault, Die Ordnung der Dinge. Eine Archäologie der Humanwissenschaften. Frankfurt/Main 1974.

88. Arnold Gehlen, Der Mensch. Seine Natur und seine Stellung in der Welt. Wiesbaden [11]1976.

89. Albert Heinekamp, Sprache und Wirklichkeit nach Leibniz. In: Herman Parret (Ed.), History of Linguistic Thought (s. o. Bibliogr. Nr. 79), S. 518-570.

90. Franz von Kutschera, Sprachphilosophie. München 1971.

91. Sergio Moravia, Beobachtende Vernunft. Philosophie und Anthropologie in der Aufklärung. München 1973.

92. G. A. Padley, Grammatical Theory in Western Europe 1500-1700. The Latin Tradition. Cambridge 1976.

93. Helmuth Plessner, Die Stufen des Organischen und der Mensch. Einleitung in die philosophische Anthropologie. Berlin – New York [3]1975.

94. Helmuth Plessner, Philosophische Anthropologie. Hg. und mit einem Nachwort von Günter Dux. Frankfurt/Main 1970.

95. Wolfgang Proß, Jean Pauls geschichtliche Stellung. Tübingen 1975.

96. Wolfgang Proß, »Natur«, Naturrecht und Geschichte. Zur Entwicklung der Naturwissenschaften und der sozialen Selbstinterpretation im Zeitalter des Naturrechts (1600-1800). In: Internationales Archiv für Sozialgeschichte der deutschen Literatur Bd. 3 (1978), S 38-67.

97. Lorenzo Renzi, Histoire et objectifs de la typologie linguistique. In: Herman Parret, History of Linguistic Thought (s. o. Bibliogr. Nr. 79), S. 633-657.

98. Ulrich Ricken, Die Kontroverse Du Marsais und Beauzée gegen Batteux, Condillac und Diderot. Ein Kapitel der Auseinander

setzung zwischen Sensualismus und Rationalismus in der Sprachdiskussion der Aufklärung. In: Herman Parret, History of Linguistic Thought (s. o. Bibliogr. Nr. 79), S. 460-487.

99. Luigi Rosiello, Linguistica illuministica. Bologna 1967.

100. Klaus Scholder, Ursprünge und Probleme der Bibelkritik im 17. Jahrhundert. Ein Beitrag zur Entstehung der historisch-kritischen Theologie. München 1966.

101. Morris Swadesh, The Origin and Diversification of Language. London 1972.

102. Hans Welzel, Die Naturrechtslehre Samuel Pufendorfs. Ein Beitrag zur Ideengeschichte des 17. und 18. Jahrhunderts. Berlin 1958.

Personenregister*

* Nicht aufgenommen wurden Herder selbst sowie der Name des Hg. der hist.-krit. Ausgabe der Werke, Bernhard Suphan.